# スタート アップ・ニッポン

## 最高に明るい未来を創る10のヒント

株式会社Paidy
代表取締役社長 兼 CEO
**杉江 陸**

株式会社Paidy
CMO
**コバリ・クレチマーリ・シルビア**

Start up Nippon

発行：ダイヤモンド・ビジネス企画　発売：ダイヤモンド社

# プロローグ

１９９６年４月４日――私は、日本で留学生活を始めるため、ハンガリーから東京へ向かう飛行機に乗っていました。富士山から昇る眩しい朝陽を目にし、気持ちが高ぶるとともに、日本は希望、そして新しい可能性に溢れた明るい未来を持つ国だと感じました。

私の日本との出会いは、折り紙を知った幼稚園の頃に遡ります。当時、いわゆる「鉄のカーテン」ともいわれたヨーロッパを分断する壁の東側に住んでいた私にとっては、故郷から１００㎞しか離れていないオーストリアに旅行することさえ、非常に困難なことでした。そうした経験もあり、日本への渡航が実現した〝瞬間〟を切り取りたくて、飛行機の窓から不器用ながらも写真を撮ろうとしたことを今でも覚えています。

その日から私は日本の言語と文化に魅せられ、人生の多くをこの地で過ごすことになりますが、まさかその25年後に同僚のRikuと共同で本を書くことになるとは想像もしていませんでした。

私たちはこの著書を通じて、多種多様なデータ、そして自身が持つユニークな経験をもとに、私たちが考える日本の未来、希望、懸念、そして夢を共有したいと考えています。

日本財団が2019年に実施した調査では、自国の将来は良くなると回答した若者はわずか9・6%でした。これは、中国（96・2%）、インド（76・5%）、アメリカ（30・2%）、イギリス（25・3%）、さらには隣国の韓国（35%）など、他の先進国を大きく下回っています。

いつから日本は夢と希望という点において「後進国」になってしまったのでしょうか。あるいは、初めて来日した時に感じた明るい未来を持つ日本は、まぼろしだったのでしょうか。

この9・6%という数字は、日本が安全で快適で豊かな国であり、犯罪、内戦、貧困など若い世代の夢や希望を一瞬にして奪ってしまうような要素がほとんどないと知っている私のような外国人にとっては、衝撃的な結果です。

しかも、日本の歴史や文化、ビジネスのエッセンスが「Kawaii」「Umami」「Shokunin」「Kaizen」といったローマ字の言葉に集約され、世界中の人々の生活の一部になっているにもかかわらず、当事者の皆さまがそう感じていないとしたら……それは実に「Mottainai」ことです。

一方でこの数字は、何世代にもわたって安定した仕事を提供してくれる国内の大企業に身を捧げ、子どもたちを医師や公務員、サラリーマンになるための教育システムに参加させてきた日本の大人たちにとって、驚きを持って受けとめられるでしょう。自らがこれまでリスクを回避し、安定した豊かな社会を実現するためのいわば社会契約の中に長い間身を置いても、今、子どもたちは自国の将来が明るいとは感じていないのですから。

本書では、出自という意味ではまったく異なる2人の個人的な視点を紹介しています。生まれた時代も、国も、育った環境も違うRikuと私ですが、共通しているのは「常に物事をより良い方向に変えていこう」とする姿勢です。GEの元会長兼CEOであるジャック・ウェルチの〝Control your own destiny, otherwise someone else will（運命は自らコントロールせよ。さもなければ他の誰かにコントロールされてしまう）〟という言葉が、私たち2人が共通して持つ姿勢を最もよく表していると思います。

本の内容について議論を重ねる中で、私たちは現在の日本の経済、教育制度、雇用形態、労働文化などを形成する背景を、目に見えるものもそうでないものも含めて様々な角度から学び、観察してきました。同時に、私自身も私と日本との関わり方をより深く考えるようになりました。ハンガリーの幼稚園時代にまで遡り、そこから日本のPaidyでの私のキャリア、そして将来の可能性に至るまで。

この本は、マネジメント本でもなければ、学術書でもなく、ハウツー本でもありません。Riku

と私の個人的な考え、アイデア、経験をベースに、私たちが日本のより良い未来にとって重要だと考える様々なテーマについて取り上げ、議論をすることで、急速に変化する時代の中で迷いや落胆を感じている人々に新たな希望を提供することを目的とした本です。

さらに、幅広い情報源から得られたデータや統計を用いて事象の裏付けとなる事実を示すことで、疑問を投げ掛け、さらなる議論を引き起こすことを目的としています。

また、私たち自身のキャリアの中で得た経験をシェアすることで、新たな視点を提供し、皆さまの今後の人生の過程で起こり得る課題や多くのチャンスを示すことにも努めました。併せて、Paidyが事業の成長を加速させるために、どのように課題を設定し、トレードオフを管理し、時には物議を醸すような決断をし、社員の成長機会を提供してきたかにも触れています。

これまで五つの大陸の多くの国で仕事をした経験を持つ私の目から見ても、日本は本当に素晴らしい国です。希望があり、新しい可能性に満ちていると自信を持って言えます。この本が、夢の実現に向かう皆さまにとって小さな一歩を踏み出すための刺激になれば、とても嬉しく思います。

さあ、一緒に日本を「夢先進国」にしていきましょう。

株式会社Paidy CMO　コバリ・クレチマーリ・シルビア

# 目次

# 第1章

# 「若者たち」の素顔

## 日本の教育水準は、世界トップクラス

最高に明るい未来を創るための第一歩は、まず、次代を担う世代の環境を知ることです。社会において顕在化していない課題を浮き彫りにして、日本の10代～20代の若者世代が置かれている様々な現状を、彼らの日常の中に見ていくことにします。そして、「最高に明るい未来を創る10のヒント」の可能性を検証するためにも、時に日本と世界を比較しながら、数々のデータを参照します。

今、日本で生きる人々は、一体どんな現状を生きているのか。日本という国は、そこからどこに向かっていけば、もっと自分たちの力を信じ、次の時代を切り拓《ひら》いていけるのか。ポジティブなこともネガティブなことも、素直に捉えていきます。私たちが思う「在り方」や「経験」も交えながらお伝えしますが、ぜひ一緒に考えていきましょう！

第1章では、これから社会に出ていく世代の成長の前提になる「教育」について見ていきます。なぜなら、次代を担う若者の生き方を決めるときの指標となり、選択肢を増やすための土壌となるのが教育だと考えているからです。教育の方向性、教育現場に根付いている常識などを紐解くことで、日本における若者の思考や生き方の志向性を探るヒントが得られると考えているのです。

日本の学力・教育水準を見るための第一歩として、国際基準で調査されているデータを取り上げ

ました。経済協力開発機構（ＯＥＣＤ）が「ＰＩＳＡ（Programme for International Student Assessment：学習到達度調査）」として、3年ごとに「読解力」「数学的リテラシー」「科学的リテラシー」という3分野でのテストを行っています。

対象は15歳（日本では高校1年生が該当）で、参加は79カ国（ＯＥＣＤ加盟国37カ国、非加盟42カ国・地域）の約60万人（ＰＩＳＡ２０１８）。日本からは１８３校（約６１００人）が参加しています。また、国際教育到達度評価学会（ＩＥＡ）の「ＴＩＭＭＳ（Trends in International Mathematics and Science Study：国際数学・理科教育動向調査）」も参考になります。こちらは4年ごとで、算数・数学、理科における各国の教育到達度を国際的な尺度で測定します。対象は10歳と14歳（日本では小学校4年生と中学校2年生が該当）。

まず、日本は「ＰＩＳＡ２０１８」（ＯＥＣＤ加盟国37カ国における比較）でも数学が1位、科学は2位という好順位につけています（図表1－1）。「ＴＩＭＭＳ」の結果も日本は上位5位以内に入っており、参加国の中でも優秀な成績を収めています。これまでの結果を見ても、数学（算数）や科学といった領域においては、安定的に世界トップレベルを維持しています。

ただ、気になることとしては、読解力が前回の6位から11位に落ちていて、テキストから情報を探し出す問題や、テキストの質と信ぴょう性を評価する問題において、課題があるようです。読解力が落ちているということは、文字が読めても理解できない、自分で考えられないということを示

### 図表1-1　OECD加盟国（37カ国）におけるPISAの平均得点（2018年調査）

| 順位 | 読解力 | 平均得点 | 数学的リテラシー | 平均得点 | 科学的リテラシー | 平均得点 |
|---|---|---|---|---|---|---|
| 1 | エストニア | 523 | **日本** | **527** | エストニア | 530 |
| 2 | カナダ | 520 | 韓国 | 526 | **日本** | **529** |
| 3 | フィンランド | 520 | エストニア | 523 | フィンランド | 522 |
| 4 | アイルランド | 518 | オランダ | 519 | 韓国 | 519 |
| 5 | 韓国 | 514 | ポーランド | 516 | カナダ | 518 |
| 6 | ポーランド | 512 | スイス | 515 | ポーランド | 511 |
| 7 | スウェーデン | 506 | カナダ | 512 | ニュージーランド | 508 |
| 8 | ニュージーランド | 506 | デンマーク | 509 | スロベニア | 507 |
| 9 | アメリカ | 505 | スロベニア | 509 | イギリス | 505 |
| 10 | イギリス | 504 | ベルギー | 508 | オランダ | 503 |
| 11 | **日本** | **504** | フィンランド | 507 | ドイツ | 503 |

出所：文部科学省 国立教育政策研究所「PISA2018」（2019年12月3日）を基に作成

しているともいえます。

昔から日本は識字率が高く、「読み、書き、そろばん」が上手だといわれてきました。「そろばん」は辛うじてキープできているけれども、「読み」に陰りが出てきたところに不安要素があります。

とはいえ、教育水準の全体感としては、他国と比べても基礎的な能力は高いといえるでしょう。

少し脱線しますが、一つ気になるデータとして、世帯収入と学力という視点でひと言触れておきましょう。日本の小学6年生を対象とした「世帯収入と子どもの学力」を比較したデータを見てみると、世帯年収と学力には強い相関があり、「国語A平均」の学力テストの正答率を比べると、世帯収入が200万円未満の子ども

## 図表1-2　世帯収入と子どもの学力

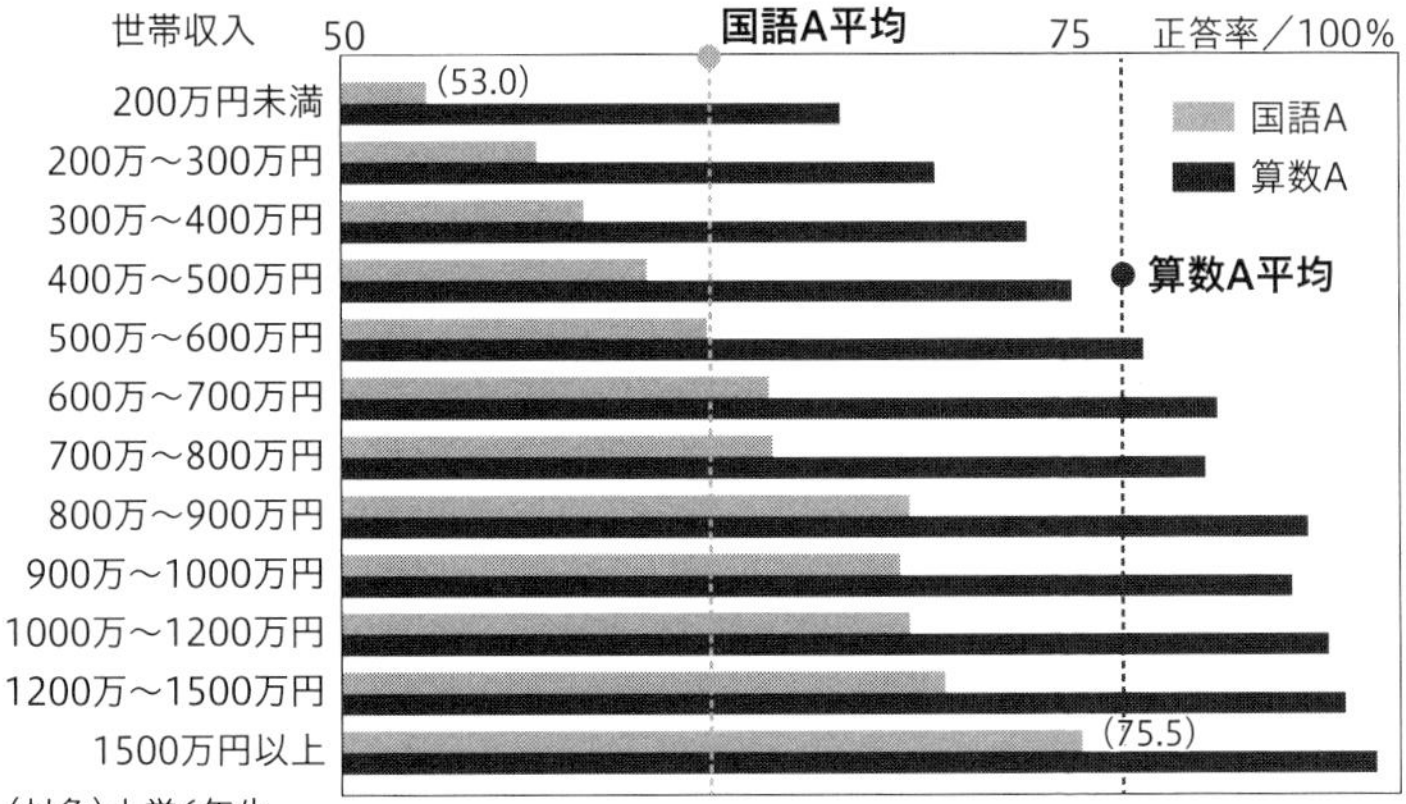


(対象)小学6年生
(補足)世帯収入の多寡で学力テストの正答率に約20%の開きが生じている。
出所：お茶の水女子大学「平成25年度全国学力・学習状況調査」を基に作成

と1500万円以上の子どもの間には20％以上もの開きが生じています（図表1－2）。

改めて日本の子どもが置かれている経済状況を見てみると、17歳以下の相対的貧困率は13・5％（引用：厚生労働省の2020年の報告書）であり、日本の子どもの約7人に1人が相対的な貧困状態にあることがわかります。2018年のOECDのまとめでも、日本の子どもの貧困率は「先進国34カ国中11番目に高い」という評価がなされており、今後、この環境が続いていくことは望ましくはありません（図表1－3）。

視点をテストの成績に戻しましょう。興味深い結果として、PISAでは対象国の70％で「女子のほうが男子よりも成績が良い」というデータも公表しています。

**図表1-3　子ども（17歳以下）の相対的貧困率**

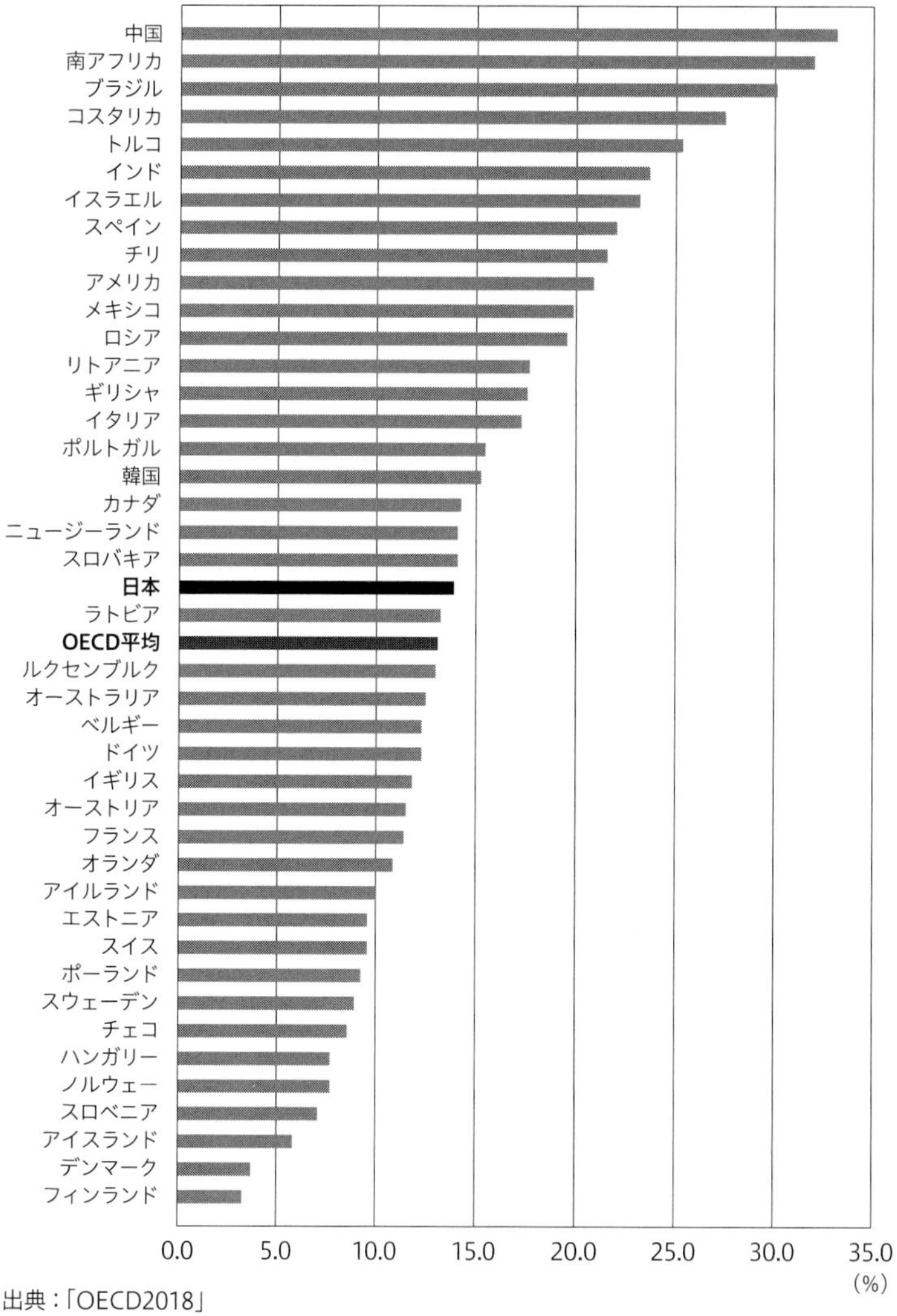


出典：「OECD2018」

**図表1-4　TOEFLスコア帯別 取得者の割合**

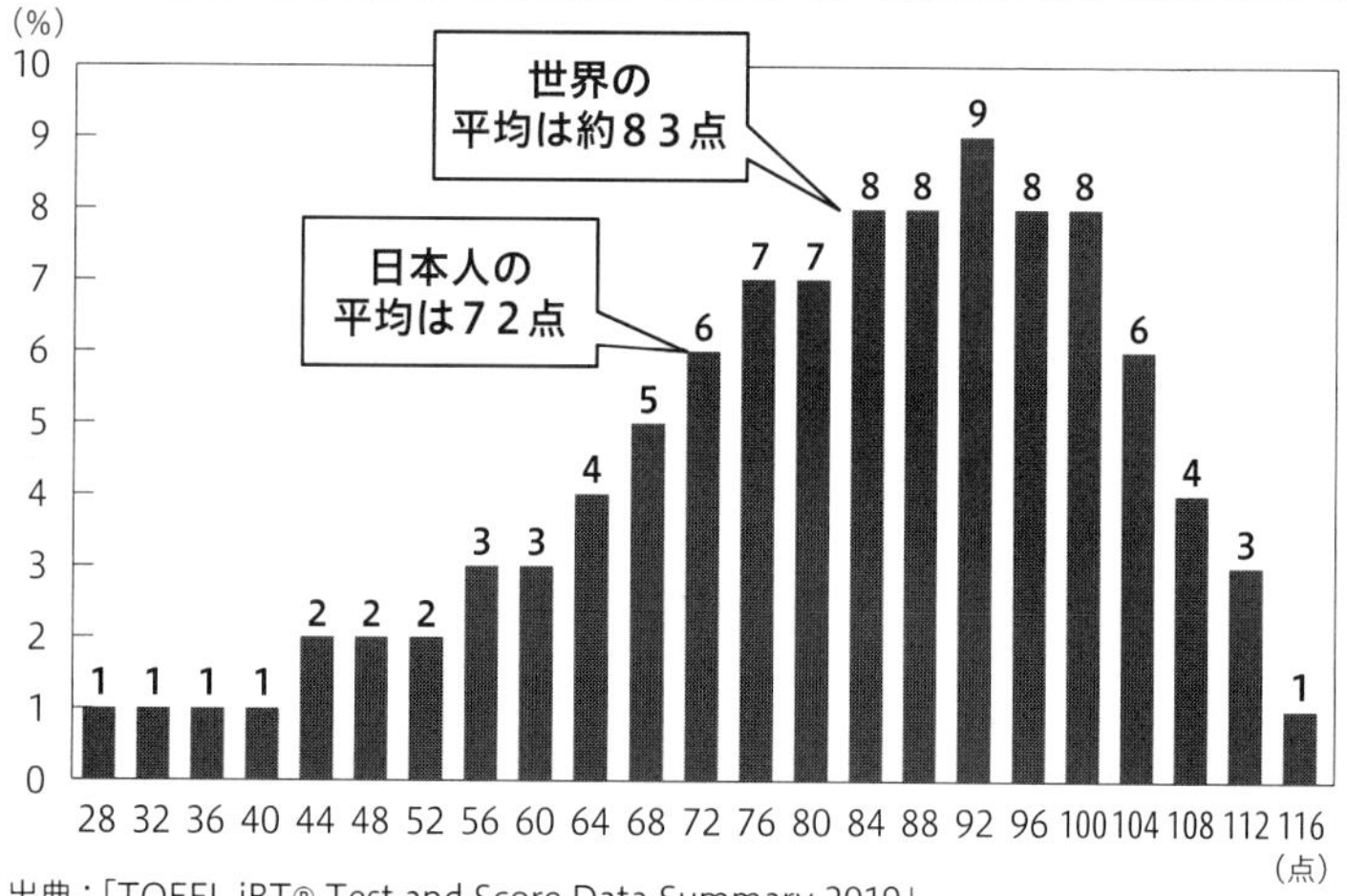


出典：「TOEFL iBT® Test and Score Data Summary 2019」

　男子のほうが得意とされている数学や科学などでも女子は高成績を収めているのです。「リケジョ」なんて呼び方で区切るまでもなく、データで見れば、そもそも女子のほうが得意なのです。つまりは、ベースの教育ではなく選ぶ進路によって、それが希少なものになってしまっているのです。

**杉江**　日本は没個性的な教育をしてしまっているのは事実で、平均的に国語も算数も理科も社会も英語もできる人を育てる、いわゆる「ジェネラリスト教育」が強いね。

**シルビア**　理系と文系という分類が日本にはありますけど、ヨーロッパにもアメリカにもないですよね。「リベラルアーツ」と「サイエンス」なんかはありますけれど。

**杉江**　僕はもっと得意なことを得意なまま伸ば

## 図表1-5　アジア諸国のTOEFLスコア

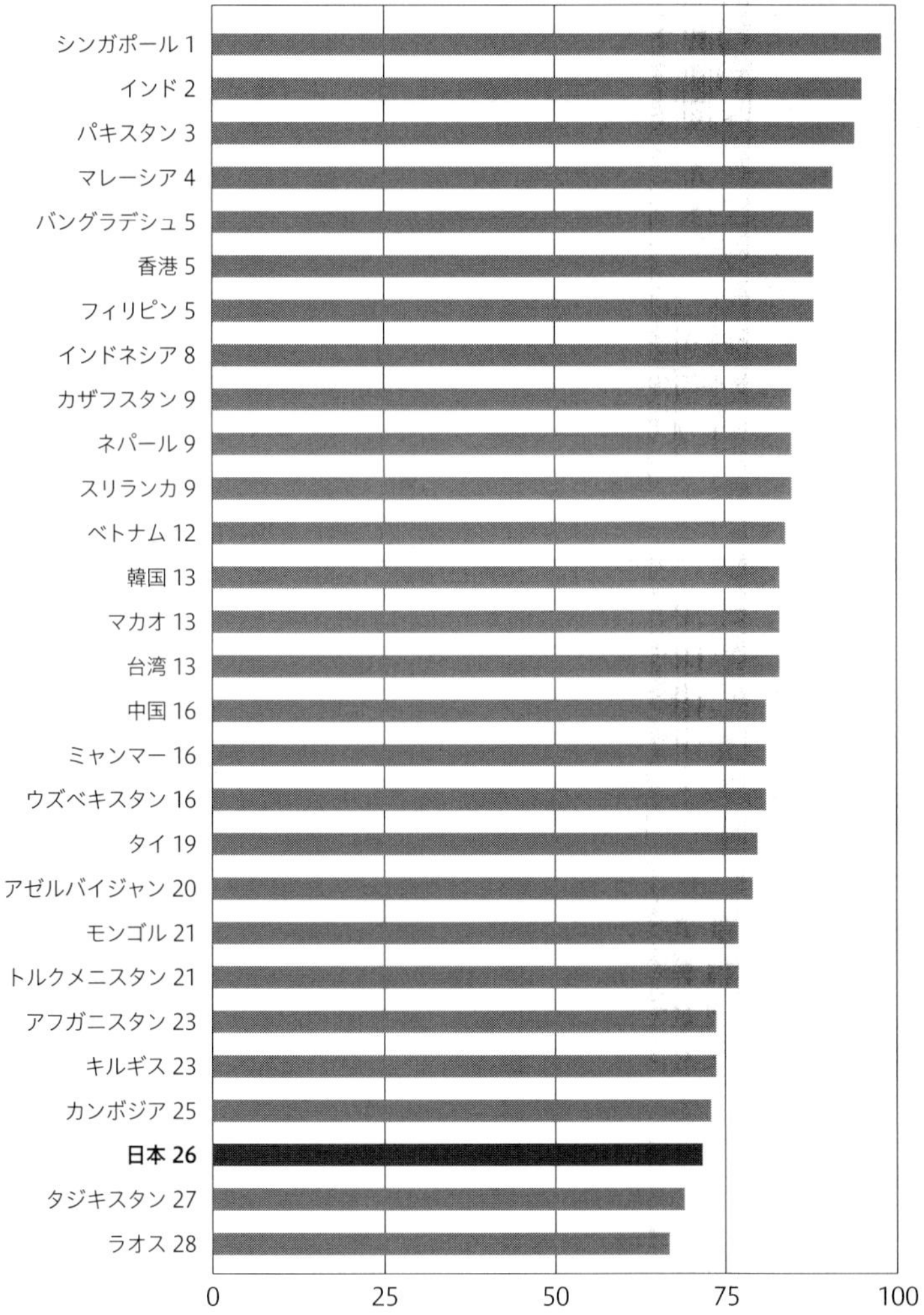


出典：「ETS TOEFL Score Data 2019」

## 図表1-6　EF EPI英語能力指数

世界ランキング

| 非常に高い | 標準的 | 低い | 非常に低い |
|---|---|---|---|
| 01 オランダ | 30 マレーシア | 48 ドミニカ共和国 | 77 コロンビア |
| 02 デンマーク | 30 イタリア | 49 ホンジュラス | 78 モンゴル |
| 03 フィンランド | 32 韓国 | 50 インド | 79 アフガニスタン |
| 04 スウェーデン | 33 香港特別行政区 | 51 アルメニア | 80 アンゴラ |
| 05 ノルウェー | 34 ナイジェリア | 51 ウルグアイ | 81 アルジェリア |
| 06 オーストリア | 34 スペイン | 53 ブラジル | 82 メキシコ |
| 07 ポルトガル | 36 コスタリカ | 54 チュニジア | 83 エジプト |
| 08 ドイツ | 37 チリ | **55 日本** | 84 カンボジア |
| 09 ベルギー | 38 中国 | 56 エルサルバドル | 85 スーダン |
| 10 シンガポール | 39 パラグアイ | 56 パナマ | 86 アゼルバイジャン |
| 11 ルクセンブルク | 40 ベラルーシ | 56 イラン | 87 シリア |
| 12 南アフリカ | 41 ロシア | 59 ペルー | 88 ウズベキスタン |
| | 41 キューバ | 60 ネパール | 89 カメルーン |
| **高い** | 43 アルバニア | 61 パキスタン | 89 タイ |
| 13 クロアチア | 44 ウクライナ | 62 エチオピア | 91 コートジボワール |
| 14 ハンガリー | 45 マカオ特別行政区 | 63 バングラデシュ | 92 カザフスタン |
| 15 セルビア | 46 ボリビア | 63 グアテマラ | 93 ミャンマー |
| 16 ポーランド | 47 ジョージア | 65 ベトナム | 93 エクアドル |
| 17 ルーマニア | | 66 アラブ首長国連邦 | 95 ルワンダ |
| 18 スイス | | 67 ベネズエラ | 96 キルギス |
| 19 チェコ共和国 | | 68 スリランカ | 97 サウジアラビア |
| 20 ブルガリア | | 69 トルコ | 98 オマーン |
| 21 ギリシャ | | 70 クウェート | 99 イラク |
| 22 ケニア | | 71 カタール | 100 タジキスタン |
| 22 スロバキア | | 72 ヨルダン | |
| 24 リトアニア | | 73 ニカラグア | |
| 25 エストニア | | 74 モロッコ | |
| 25 アルゼンチン | | 74 インドネシア | |
| 27 フィリピン | | 74 バーレーン | |
| 28 フランス | | | |
| 29 ラトビア | | | |

出典：「EF EPI 2020」

したり、もっと好きなことに、早くから打ち込んでもらえたらいいと思うんです。短所を補うんじゃなくて、長所を伸ばすほうを重視してもいいんじゃないかなって。

もう一点、日本の基礎教育で危惧すべきことがあるとすれば「英語」に関することです。ＴＯＥＦＬのスコアを見ても平均には届かず（図表１－４）、アジア諸国におけるスコアランキングを見ても28カ国中で26位です（図表１－５）。また、「ＥＦ　ＥＰＩ英語能力指数」という指標でも、１００カ国中で55番目に甘んじています。（図表１－６）。

試験の結果だけでなく、英語に関して気になることは、高校生の留学志向がとても低いという現状です。

２０１９年の、全国高等学校ＰＴＡ連合会とリクルートマーケティングパートナーズの合同調査によれば、「留学したいと思うか」というアンケートに、「留学したい」は全体で約17％、「できれば留学したい」は約17％で、合計約34％が「留学意欲がある」と回答しました（図表１－７）。性別で見れば、女子のほうは留学志向が全体の４割であり、男子よりは若干高い傾向が見えました。

つまり、結果からいえば、半数以上の高校生は海外で学んでみたいという積極的な意欲は持っておらず、また英語についても不得手であるという現状です。

なぜ英語が重要かというのは、第２章を含めて、今後の若者世代が社会で担う役割の変化につい

## 図表1-7　留学意欲に関するアンケート（高校生対象）

| (%) | | | 留学したい | できれば留学したい | どちらでもよい | あまり留学したいと思わない | 留学したいと思わない | 無回答 | 留学したい・計 | 留学したいと思わない・計 |
|---|---|---|---|---|---|---|---|---|---|---|
| 2019年 | 全体 | (n=1938) | 16.8 | 16.9 | 21.6 | 20.6 | 23.2 | 0.9 | 33.7 | 43.8 |
| 性別 | 男子 | (n= 925) | 13.5 | 13.5 | 24.4 | 20.3 | 27.4 | 0.9 | 27.0 | 47.7 |
| 性別 | 女子 | (n= 937) | 20.2 | 20.5 | 19.2 | 21.3 | 18.6 | 0.2 | 40.7 | 39.9 |
| 希望進路別 | 進学希望者全体 | (n=1625) | 18.5 | 19.0 | 22.7 | 20.3 | 18.8 | 0.7 | 37.5 | 39.1 |
| 希望進路別 | 大学 | (n=1436) | 19.3 | 19.7 | 22.6 | 20.4 | 17.2 | 0.8 | 39.0 | 37.6 |
| 希望進路別 | 短大 | (n= 28) | 14.3 | 25.0 | 14.3 | 25.0 | 21.4 | — | 39.3 | 46.4 |
| 希望進路別 | 専門学校 | (n= 161) | 11.8 | 11.8 | 24.8 | 18.6 | 32.9 | — | 23.6 | 51.6 |
| 希望進路別 | 就職 | (n= 285) | 6.3 | 5.3 | 15.1 | 23.5 | 48.4 | 1.4 | 11.6 | 71.9 |
| 将来へのグローバル化影響 | ある | (n=1198) | 22.8 | 20.5 | 21.4 | 18.9 | 16.4 | 0.2 | 43.2 | 35.2 |
| 将来へのグローバル化影響 | ない | (n= 169) | 6.5 | 9.5 | 23.1 | 17.8 | 43.2 | — | 16.0 | 60.9 |
| 将来へのグローバル化影響 | わからない | (n= 515) | 7.2 | 11.7 | 22.3 | 25.6 | 33.0 | 0.2 | 18.8 | 58.6 |

※小計：「2019年全体」より　10pt以上高い　5pt以上高い　10pt以上低い

出所：一般社団法人全国高等学校ＰＴＡ連合会・リクルートマーケティングパートナーズ合同調査「第9回 高校生と保護者の進路に関する意識調査 2019年報告書」を基に作成

ても関わってきますので、後で説明することにします。ここでは一旦、現状を把握するにとどめておきましょう。

## なぜ日本人は交渉ベタなのか

前述のように日本の10代の読解力が低くなっているということは、OECDの読解力の定義からすると、情報を探し出し、理解し、評価し、熟考する力が下がっているということの表れです。

大人になってから読解力が必要になるのは「表現」や「交渉」といった場面です。一般的に日本人は特に交渉がうまくないとされます。それはビジネスの現場にいる私たちとしても、しばしば実感するところです。話し手の論点が散らかってしまって、何を伝えたいのかがわかりにくくなってしまうシーンもよく見ます。

一方で、アメリカのビジネスパーソンは交渉が上手だといわれています。この違いはどこからくるのでしょう……。

**シルビア**　アメリカでは、夏になると「レモネードスタンド」といって、子どもが屋台のようなお店を出してレモネードを売るという光景がよくあるんですよね。学校でディベートを学ぶ機会もありますし、幼少時から交渉慣れしているのが理由の一つかもしれませんね。

**杉江**　日本人が交渉ベタなのは、クリティカルシンキングができていないっていうのも事実かもしれないなぁ。話している本人が「今、何を交渉しているのか」がわかっていないというか。「何を得たいのか」「相手の譲歩できるものは何か」「自分が譲歩できるものは何か」をわかっていないと、交渉はやっぱり難しいですから。

**シルビア**　例えば、資料の作り方にも大きな違いがありますね。日本人は一枚の資料にすべてを書きたがるし、違う論点を同じページに書いたりもする。それは聞き手を安心させたかったり、見落としがないようにしたいんだろうとも思います。「論理展開上、どのような順番で何を言うべきなのか」といったプレゼンテーションについて学ぶ機会がなかったのかも。

**杉江**　シルビアの理解は正しいと思う！　全部を一枚の資料に書く文化は「私は全部を完璧にわ

かっていて、この結論を持ってきていますよ」っていう〝漏れがないアピール〟なんです。選択肢もすべて用意して、その中で唯一のものを決めていく、広いところから狭いところに持っていくやり方。でも、少なくともアメリカ人は「結論はこれです。なぜならば……」と、他の選択肢を必ずしも用意すらしない。

**シルビア**　そうですね。考え方が逆なんですね。

**杉江**　そういうトレーニングを、これまでの日本人は受けてきませんでした。しかも、日本語には強い「コンテクスト文化」があります。長い文章やストーリーを重ねて文脈（＝コンテクスト）を読んだ上での結論を楽しむ。けれど、アメリカ人は結論がないと、そもそもコンテクストなんて楽しめない。

**シルビア**　コンテクストがわかると良いこともあれば、言い切りがほしいときもあります。一方で、アメリカ人がすごく唐突だったりもするんですけど……。でも、それにしても日本人はもう少し話をまとめたほうがいいな、と感じることはあります。

日本にあるコンテクスト文化が、社会やビジネスに与えている影響はあちこちに見られますが、やはり問題なのは、若者世代の読解力が相対的に落ちてきているという現実です。コンテクスト文化であるはずなのに、読解力が落ちてきているがゆえにそれが読み取れないのであれば、ますます伝える／伝わるためのコミュニケーションが難しくなります。

この点についても、今後はコンテクスト文化を活かす手法だけでなく、より端的に伝える力や表現力を身に付けていく必要もありそうです。

書類文化な日本で読解力が落ちているのはまずいですね。みんな字は読めるけれど、それがちゃんと頭に入って咀嚼《そしゃく》できていないのであれば、本当に大問題です。

**杉江**　日本の国語教育において、読解問題が課されることはありますが、多くは「筆者の心情を指定文字数で書く」といったものが続いています。それは確かな読解力ではなく、解答技術を問われることになります。つまり、文章や段落の「どこに書いてあるのか」を理解するためのものであって、ルールが固定化したパズルにも近い。

日本の試験対策はどんどん高度化しており、逆にいえば、試験を出す側もそこから外れられない形になってしまっています。若者の知力そのものが相対的に下がっているわけではなく、学力というものの計り方やそれを必要とするシーンが、どんどん世界基準からズレていっているということが想定できるのです。

## 学力のジェンダーギャップが生まれる理由

では、日本人が交渉ベタになる背景をより詳しく知るために、学力におけるジェンダーギャップについても見ておきましょう。

まず、「数学的リテラシー」はＯＥＣＤ加盟国平均でも男女差が存在しています。日本では、男子は「数学的リテラシー」において女子より10ポイント高い得点であり、これはOECD加盟国における平均の男女差（5ポイント）よりも大きいのです。

一方で、「読解力」と「科学的リテラシー」については、女子のほうが世界的に見ても明らかに数字として高いというデータが出ています。「PISA2018」に参加したすべての国や地域で、読解力は女子が男子より高得点です。OECD加盟国の平均では、女子が30ポイント上回っています。日本ではその差が20ポイントと平均よりは差がないのですが、それでも女子優位は変わりません。また、「科学的リテラシー」においても、OECD加盟国の平均では女子は男子より2ポイント高得点ですが、日本ではほぼ同等という結果です。

「PISA2012」のデータベースを見てみると、読解力・数学・科学の習熟度レベル2以下の国別男女比率が明らかになっています（図表1－8）。15歳では、男子のほうが女子より全般的に得点が低いことがわかります。3分野いずれにおいてもベースラインの習熟度レベルに達していない生徒比率は、OECD平均で男子が14％、女子が9％となっています。

もう一つ興味深いのは、TOEICの性別ごとの受験データです。国際入学試験を提供しているETSのレポートによると、日本における受験者の全体割合は男性のほうが高いのですが、スコアそのものは女性のほうが高いという結果が発表されています（図表1－9、1－10）。

## 図表1-8　読解力・数学・科学の習熟度レベル2以下の国別男女比率

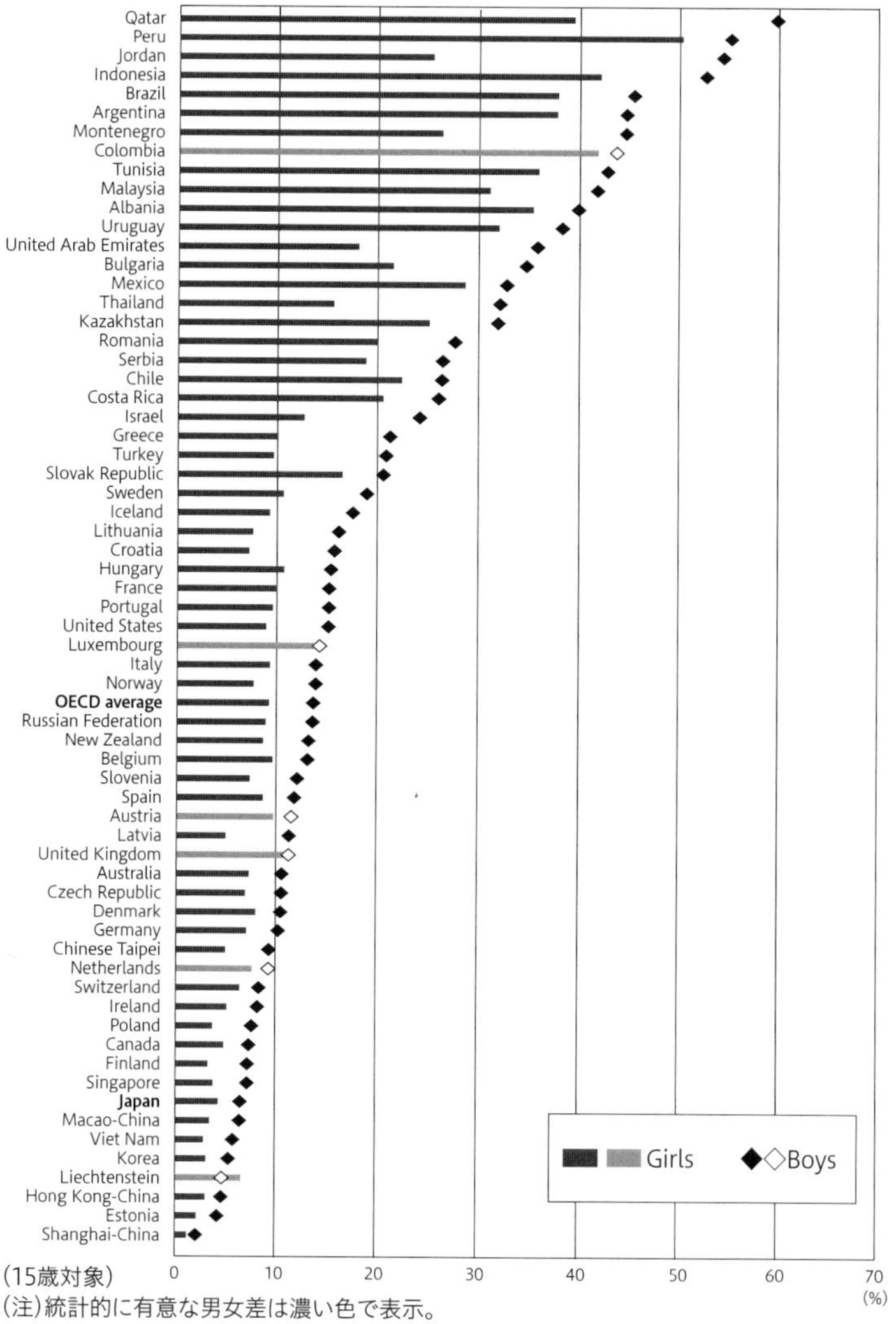


(15歳対象)
(注)統計的に有意な男女差は濃い色で表示。
出典：OECD「PISA2012」

## 図表1-9　TOEIC® Listening & Reading Test 性別平均スコア

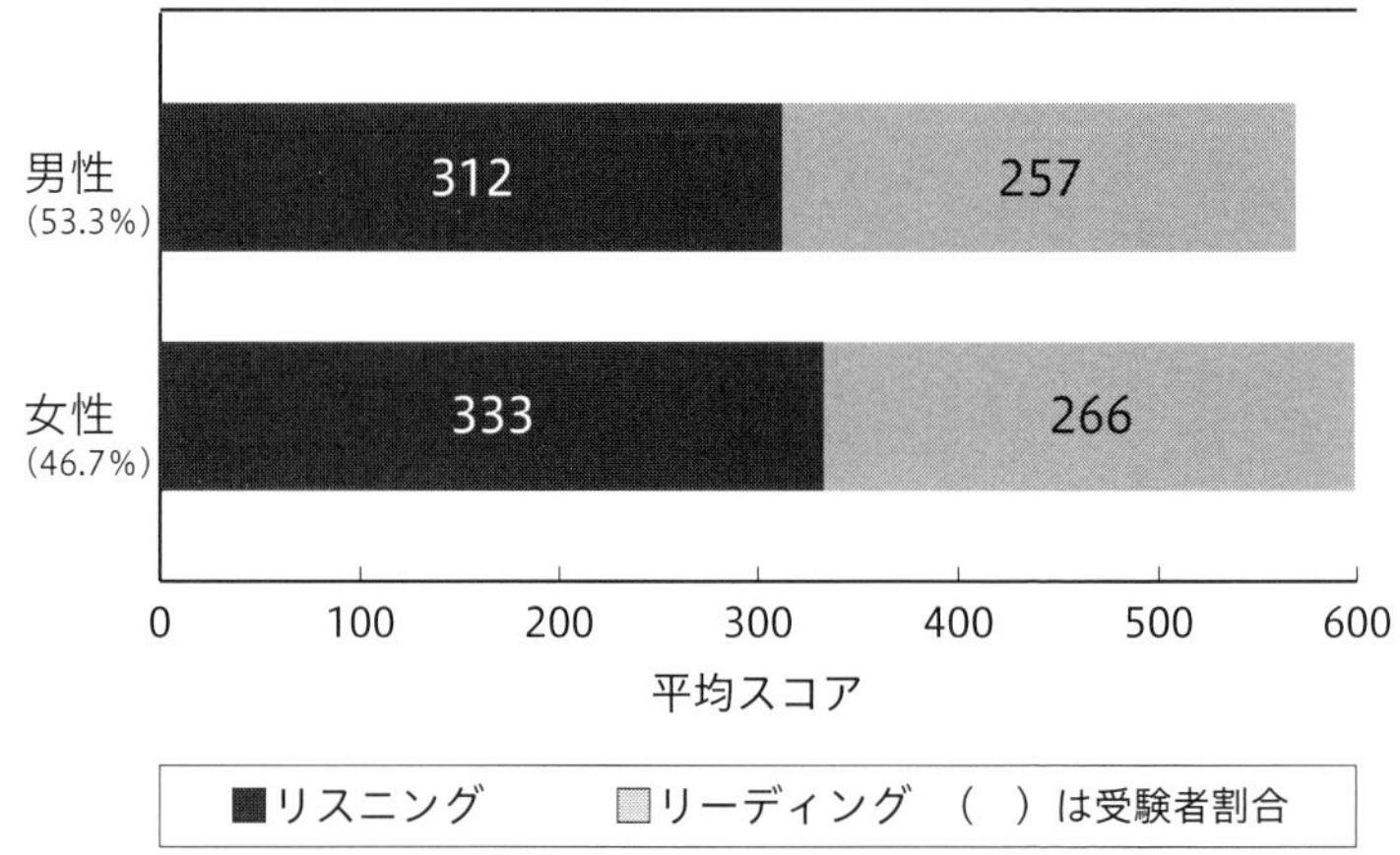


出典：「2019 Report on Test Takers Worldwide: TOEIC® Listening & Reading Test」

## 図表1-10　TOEIC® Speaking Writing Tests 性別平均スコア

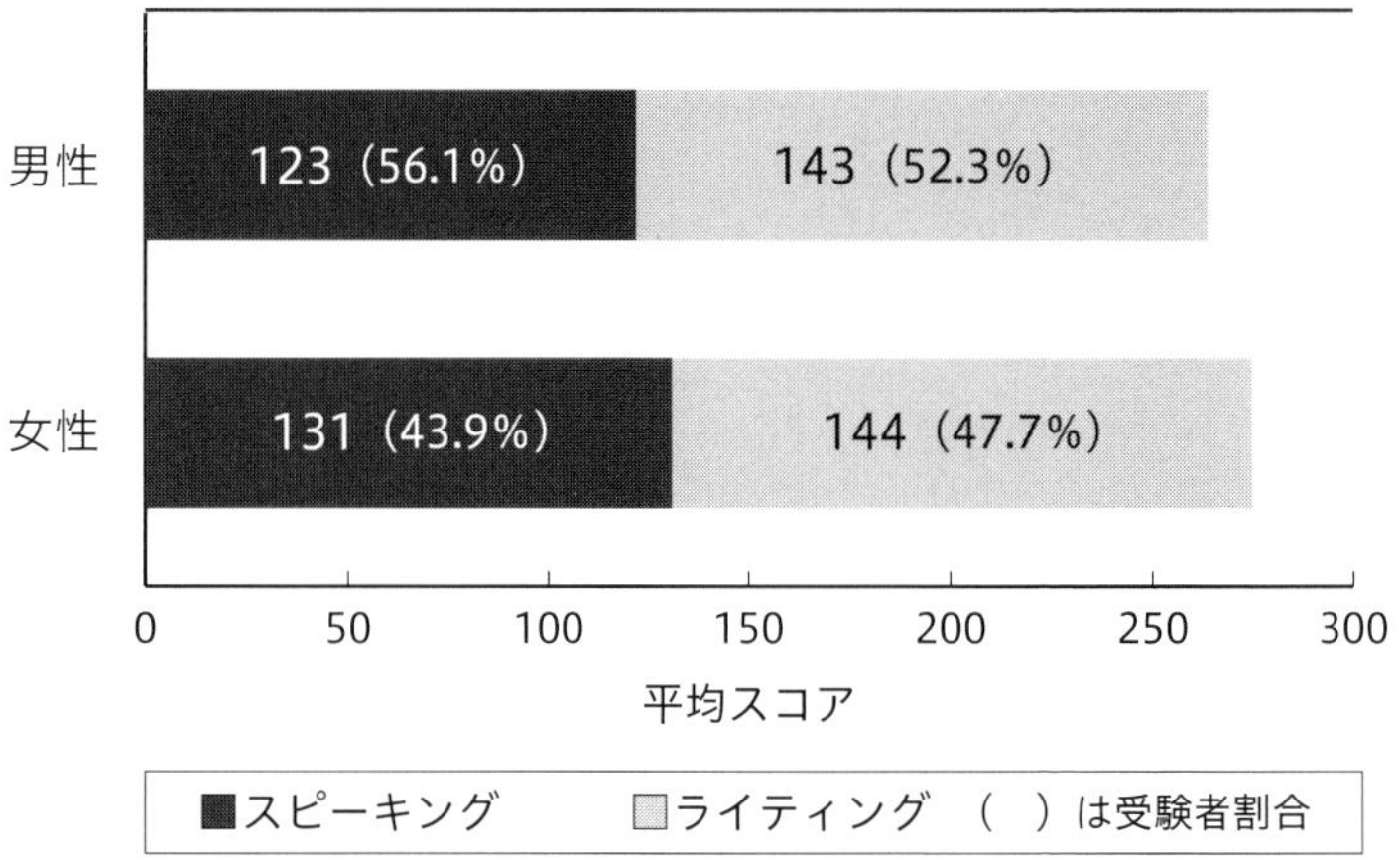


出典：「2019 Report on Test Takers Worldwide: TOEIC® Speaking & Writing Tests」

**図表1-11　学力の男女差**

| 領域 | 女性 | 男性 | 差 | 標準誤差 | t値 | p値 |
|---|---|---|---|---|---|---|
| **2003年（N＝4,488）** | | | | | | |
| 数学 | −0.016 | 0.082 | −0.098 | 0.060 | −1.644 | 0.105 |
| 読解 | 0.128 | −0.068 | 0.196 | 0.051 | 3.845 | <0.001 |
| 読解−数学 | 0.218 | −0.226 | 0.444 | 0.037 | 12.115 | <0.001 |
| **2006年（N＝5,698）** | | | | | | |
| 科学 | −0.022 | 0.030 | −0.053 | 0.073 | −0.722 | 0.474 |
| 読解 | 0.146 | −0.126 | 0.273 | 0.073 | 3.733 | <0.001 |
| 読解−科学 | 0.315 | −0.292 | 0.607 | 0.047 | 12.797 | <0.001 |

注）すべて標準化済み。
出所：「教育学研究」第83巻 第１号「学業的自己概念の形成におけるジェンダーと学校環境の影響」（2016年3月）を基に作成

女性のほうが読解力と英語のスコアが高いけれども、そもそも受験者数は女性のほうが少ない、その根本的な問題はどこにあるのでしょう。

**シルビア**　私はここに「自信の問題」を見ます。受けても仕方ないと思ってしまうのか、あるいは得点が高くても自分のことを認められないのか、そういった心情が働いているのではないでしょうか。

それを裏付ける一つの研究があります。「教育学研究」第83巻に掲載された「学業的自己概念の形成におけるジェンダーと学校環境の影響」の結果から見ると、女性は平均的に男性と同等の理数系学力を持つにもかかわらず、「学業的自己概念」が男性よりも低かったのです（図表1－11、1－12）。そして、女性が「数

**図表1-12　学業的自己概念の男女差**

**数学　2003年（N＝4,488）**

| | まったくその通りだ | その通りだ | その通りでない | まったくその通りでない | 計（N） |
|---|---|---|---|---|---|
| Q. 数学では良い成績をとっている | | | | | |
| 女性 | 3.9 | 21.0 | 47.5 | 27.6 | 100.0(2331) |
| 男性 | 5.7 | 26.0 | 47.9 | 20.3 | 100.0(2157) |
| 計 | 4.8 | 23.4 | 47.7 | 24.1 | 100.0(4488) |
| $\chi^2$＝44.655、df＝3、p＜0.001、Cramer's V＝0.100 | | | | | |
| Q. 数学の授業ではどんな難しい問題でも理解できる | | | | | |
| 女性 | 1.4 | 5.7 | 40.1 | 52.9 | 100.0(2331) |
| 男性 | 2.6 | 10.7 | 53.2 | 33.4 | 100.0(2157) |
| 計 | 2.0 | 8.1 | 46.4 | 43.5 | 100.0(4488) |
| $\chi^2$＝183.954、df＝3、p＜0.001、Cramer's　V＝0.202 | | | | | |

**科学　2006年（N＝5,698）**

| | まったくそうだと思う | そうだと思う | そうは思わない | まったくそうは思わない | 計（N） |
|---|---|---|---|---|---|
| Q. 授業で教わっている理科の考え方はよく理解できている | | | | | |
| 女性 | 2.5 | 28.8 | 45.0 | 23.6 | 100.0(2868) |
| 男性 | 7.7 | 37.1 | 38.3 | 16.8 | 100.0(2330) |
| 計 | 5.1 | 33.0 | 41.7 | 20.2 | 100.0(5698) |
| $\chi^2$＝154.196、df＝3、p＜0.001、Cramer's V＝0.165 | | | | | |
| Q. 私にとって理科の内容は簡単だ | | | | | |
| 女性 | 0.8 | 5.5 | 50.4 | 43.3 | 100.0(2868) |
| 男性 | 4.8 | 15.9 | 53.1 | 26.3 | 100.0(2330) |
| 計 | 2.8 | 10.6 | 51.8 | 34.9 | 100.0(5698) |
| $\chi^2$＝348.810、df＝3、p＜0.001、Cramer's　V＝0.247 | | | | | |

注）各科目について性別との関連が最も小さい項目と最も大きい項目のみ表示した。
出所：「教育学研究」第83巻 第１号「学業的自己概念の形成におけるジェンダーと学校環境の影響」（2016年3月）を基に作成

学」や「科学」より「読解」を得意とすることも関与していることがわかりました。

学業的自己概念とは、学業に関して自分の立ち位置をどのように見ているかです。例えば、「自分は勉強では数学が得意だ」といったような認識のことです。

**シルビア**　女性として「文科系が得意」と思い込みがちなのかもしれません。日本は他国と比べて女性エンジニアの数が少ないのも、実はこういった学業的自己概念に左右されている可能性はあります。この自己概念は、その先にある進路にも影響してくるはずです。

**杉江**　日本には短期大学があって、年々学校数や学生数は減っているものの、主に女子においては「短大＝最終学歴」というケースも多々ある。つまり、4年制大学へ行く必要性はなく、「短大なら認める」という親世代の目線も感じます。これは、教育機会を奪っているとも言えるのではないかな。大事なのは短大に行くのは一つの手段であって、あくまでその次の学びのステップにも繋がっているかどうかも重要だと思うなぁ。この点については、アメリカにも似たような傾向はあるんですが。

**シルビア**　大人たちが女性から教育機会を奪ってしまっているのであれば、学業的自己概念を変えていくことで、より良い未来に繋がるかもしれません。例えば、短大や高校でも「今までを振り返って、自分の本当の強みは何だった？」と探るための場を自分で持つのも一つだと思うんです。

**杉江**　なるほど。あとは、教育機会を得たことで就職活動を始めるのが2年なり、4年なり遅れてくることに関して、日本社会が受け取り方を肯定的なものに変えなくてはいけないと思います。

**シルビア**　そうですよね。日本社会の受け取り方に変化がないと、結果としてより不利な立場に落ちてしまいますからね……。

いわば、日本社会の女性に対する期待値が低いままだという表れかもしれません。あるいは、日本の家庭制度が女性に対して投資していないという一面もあると思います。もっとも、女性に限らず、日本は公財政支出の割合でも教育に充てる金額が低いのです。日本のGDP比の教育予算額は、先進国の中で長らく最低レベル（図表1－13、1－14）。世界で勝負するために必要な教育への投資が十分になされていないとも考察できます。

しかし、少なくとも学力におけるジェンダーギャップの根本には、実際に「学力的に劣っている」という側面よりも、学業的自己概念が強く働いていることは着目すべきだといえるでしょう。

**杉江**　「女の子は親が期待する『良い子』であればいい」という見えない圧力がいまだにあるようには感じます。僕は娘たちには「喜んでどこへでも、海外へでも行ってほしい」と伝えているのですが、一般論では日本の中でさえ「女性に一人暮らしをさせるのは危ない（身の危険においても、将来の結婚においても）」という歪んだ見方も残っている。それによる女性の機会損失は極めて大きいと思うんですね。そうなると、「海外へ行かせてもらえないのに、勉強しても仕方が

図表1-13　初等教育から高等教育までの公財政支出対GDP(2017年)

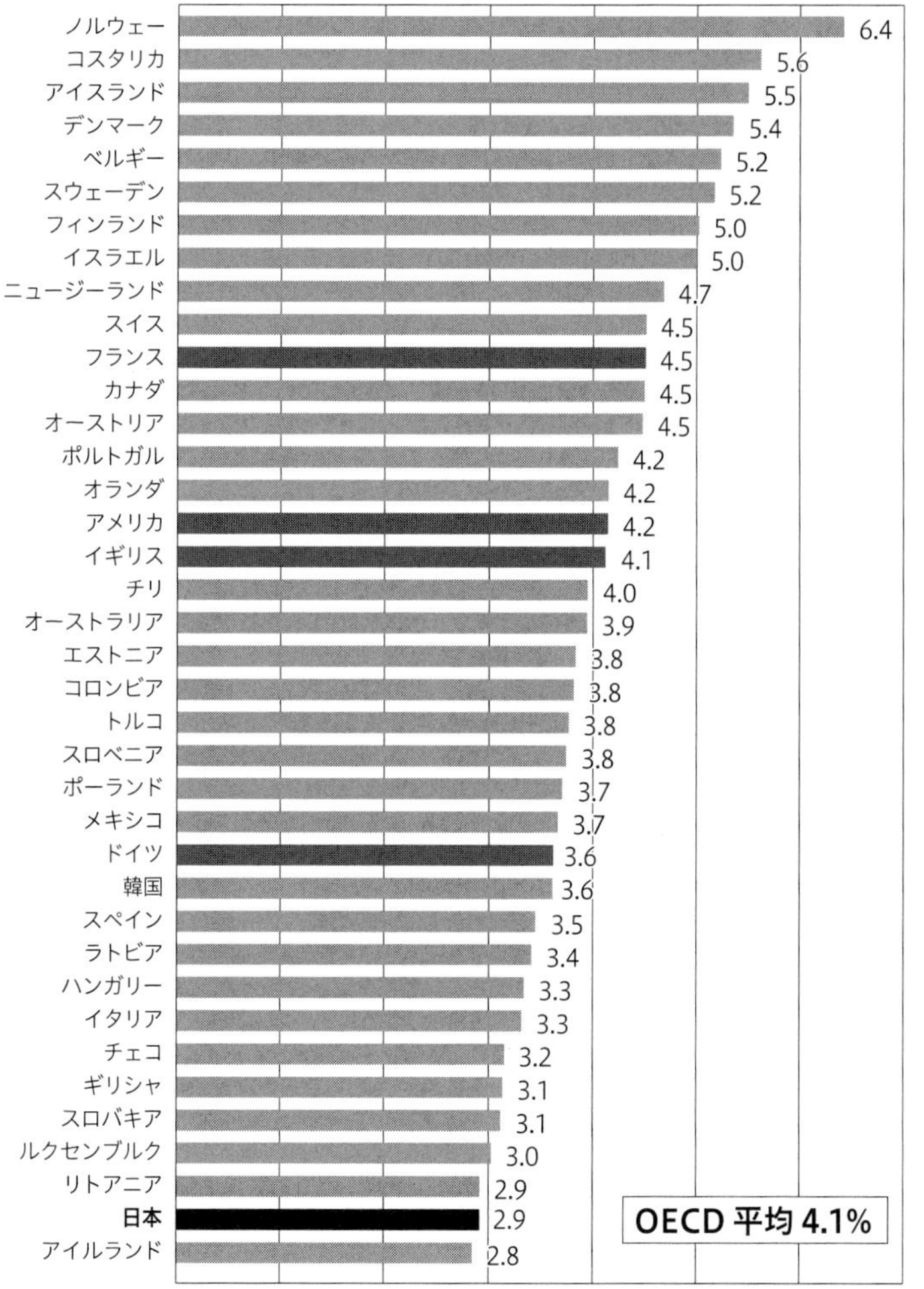


出典：OECD「Education at a Glance 2020」

## 図表1-14　初等教育から高等教育に対する公的支出総額の比率(2017年)

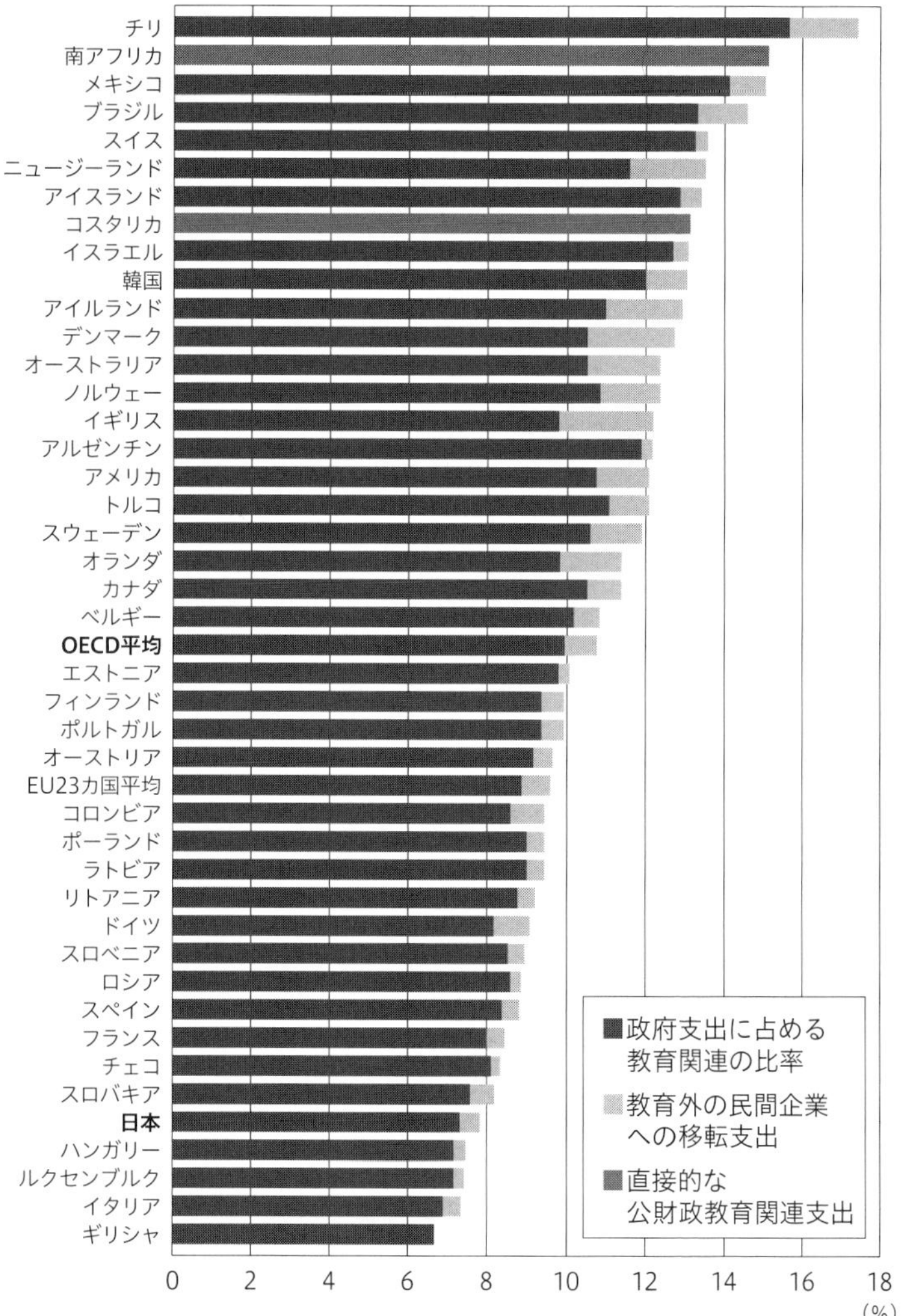


出典：「OECD Education at a Glance 2020」

ない」と考える女性にとっては、英語の学習に身が入らないのも無理はないです。親や学校の期待値というガラスの天井が、まだまだある気がします。

機会を損失し、自信をなくしている女性たちにもっと自信を与えるために、一体何ができるのでしょうか。その一つが、ロールモデルをしっかり見せることにあると考えています。若者たちが「なりたい自分」を探すことが難しい立場に置かれていることに対して、女性のみならず男性においても、もっと自分の未来に期待を抱けるような環境をつくる必要があるのです。

## 職業ランキングに見る若者の思い

現在の若者たちは、どのように「なりたい自分」を探しているのでしょう。そこで「どんな職業に就きたいか」という2019年のアンケートデータが参考になりました。

高校生の約57％が就きたい職業が「ある」と答えており（図表1－15）、職業ランキングでは「看護師」「地方公務員」など安定したイメージの職業が上位にきています（図表1－16）。なお、女子のランキングでは、「看護師」「教師」「保育士・幼稚園教諭・幼児保育関連」が上位にきています。

また、21年卒の大学生を対象にした就職したい企業・職種ランキングでも、「地方公務員」や「国家公務員」が上位を占めています（図表1－17）。

## 図表1-15　将来、就きたい職業があるか（高校生対象）

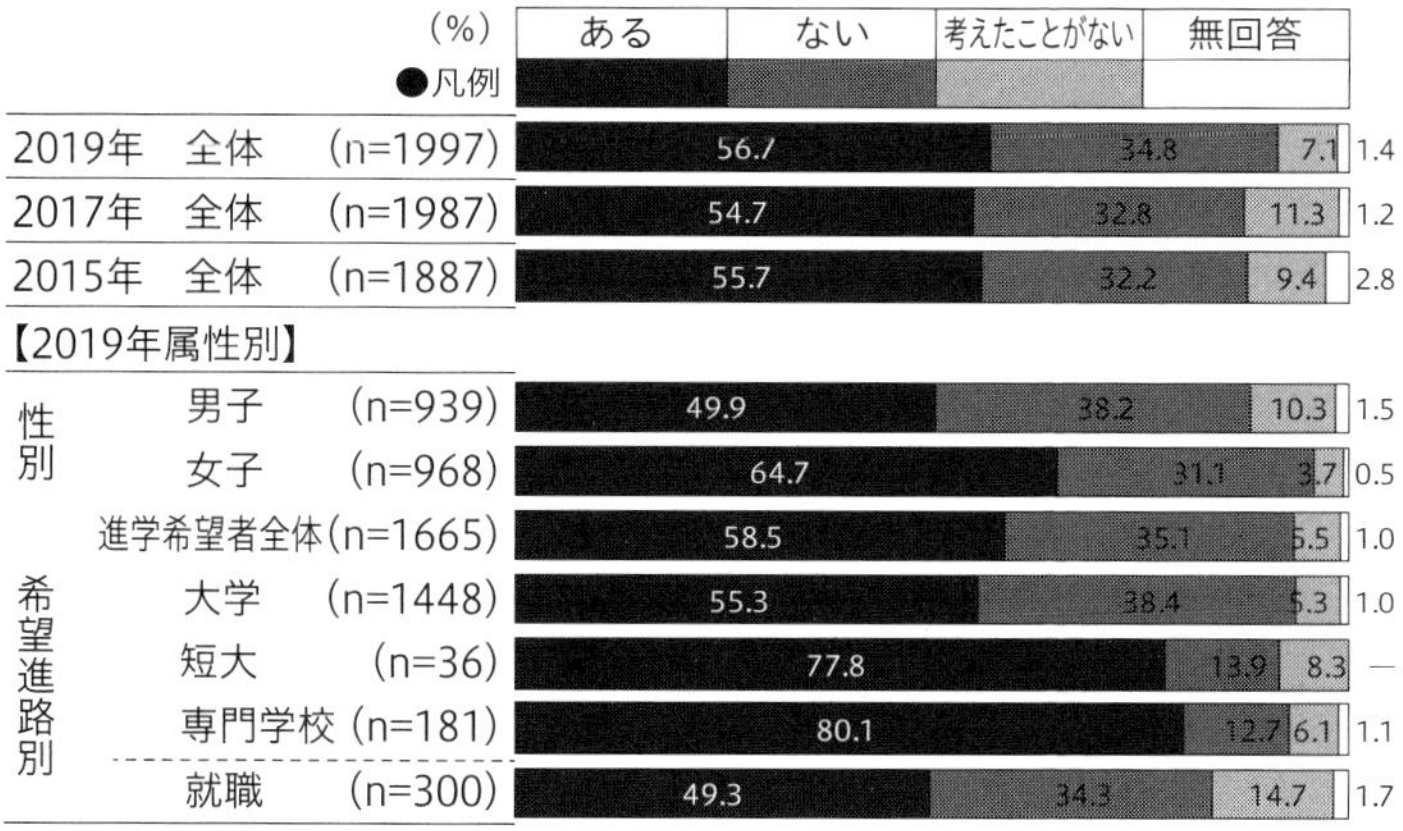


出所：一般社団法人全国高等学校ＰＴＡ連合会・株式会社リクルートマーケティングパートナーズ合同調査「第9回 高校生と保護者の進路に関する意識調査 2019年報告書」を基に作成

## 図表1-16　高校生がなりたい職業ランキング（2021年度版）

| | |
|---|---|
| 第1位 | **看護師** |
| 第2位 | **地方公務員** |
| 第3位 | **プログラマー** |
| 第3位 | **システムエンジニア** |
| 第5位 | **保育士** |
| 第6位 | **薬剤師** |
| 第7位 | **管理栄養士・栄養士** |
| 第8位 | **心理カウンセラー** |
| 第9位 | **高校教諭** |
| 第10位 | **歌手、ミュージシャン** |
| 第10位 | **ゲームクリエイター** |

出所：ベネッセ教育情報サイトが2020年12月に実施した高校生対象のアンケート結果を基に作成

**図表1-17　21年卒の大学生が就職したい企業・業種ランキング**

| 今回順位 | 変動 | | 就職先 | 都道府県 | 業種 | 回答率 |
|---|---|---|---|---|---|---|
| 1 | → | (+0) | 地方公務員 | ー | 公務 | 26.7% |
| 2 | → | (+0) | 国家公務員 | ー | 公務 | 16.8% |
| 3 | → | (+0) | グーグル(Google) | 東京都 | インターネット付随サービス業 | 9.2% |
| 4 | ↑ | (+21) | 味の素 | 東京都 | 食料品製造業 | 6.9% |
| 5 | ↑ | (+1) | アマゾン(Amazon) | 東京都 | 無店舗小売業 | 6.6% |
| 6 | ↓ | (▲1) | 日本赤十字社 | 東京都 | 医療事業 | 6.4% |
| 6 | ↑ | (+38) | LINE | 東京都 | インターネット付随サービス業 | 6.4% |
| 8 | ↓ | (▲1) | 明治 | 東京都 | 食料品製造業 | 5.1% |
| 9 | ↑ | (+7) | 日本郵便 | 東京都 | 郵便・物流事業 | 4.1% |
| 9 | ↑ | (+35) | 花王 | 東京都 | 化粧品製造業 | 4.1% |
| 9 | ↓ | (▲5) | 大塚製薬 | 東京都 | 医薬品製造業 | 4.1% |
| 12 | ↑ | (+13) | キユーピー | 東京都 | 食料品製造業 | 3.8% |
| 12 | ↑ | (+10) | 森永乳業 | 東京都 | 食料品製造業 | 3.8% |
| 12 | ↑ | (+20) | 日清食品 | 東京都 | 食料品製造業 | 3.8% |
| 12 | ↑ | (+26) | サントリー | 大阪府 | 飲料品製造業 | 3.8% |
| 12 | ↑ | (+13) | セコム | 東京都 | 警備業 | 3.8% |
| 17 | ↓ | (▲1) | ソニー | 東京都 | 電気機器製造業 | 3.6% |
| 18 | ↓ | (▲7) | 武田薬品 | 東京都 | 医薬品製造業 | 3.3% |
| 18 | ↓ | (▲10) | 東日本旅客鉄道(JR東日本) | 東京都 | 鉄道業 | 3.3% |
| 18 | ↓ | (▲6) | 全日本空輸(ANA) | 東京都 | 航空運輸業 | 3.3% |

出典：リスクモンスター調べ(2021年2月28日発表)　　(n=393/複数回答)

一方、親からの視点に注目すると、興味深い関係が見えてきます。就いてほしい職業は「公務員」が突出しており、「看護師」「教師」「医療事務・医療関連」「医師・歯科医師・獣医師」「薬剤師」など、雇用の安定したイメージのある職業や医療系の職種が続きます（図表1－18）。

「高校生が進路を選択するときの相談相手」を聞いた調査では、「母親」が85％と突出しており、友人（47％）、父親（45％）、担任の先生（39％）、塾・予備校の先生（15％）と続きます。そして、同じく「高校生が進路選択について影響を受ける人物」においても、母親（49％）、父親（33％）、友人（26％）、兄姉（16％）と担任の先生（16％）が並びます。特に母親の影響力の強さが明らかになっています（引用：第9回 高校生と保護者の進路に関する意識調査 2019年報告書）。

これらを踏まえたとき、「親が望む進路」という期待値に子ども世代が応えているという関連性が見えてきます。しかし、現在の若者の親にあたる世代が生きてきた日本社会は、インターネットなどのデジタルインフラが本格的に普及する前であり、いわば現在とのズレがある可能性も十分に考えられます。進路が画一的になりやすいのも、親たちがデジタルインフラを活用して情報を得たり、イメージを更新しておらず、自分たちの時代における安定性やイメージを重視していることが背景にあるのかもしれません。

ちなみに、アメリカの就きたい職業ランキングでは、歯科医師や看護師など、医師・医療関係は

**図表1-18　子どもに就いてほしい職業ランキング（高校生の保護者対象）**

**全　体**

| 順位 | 職業 | （%） |
|---|---|---|
| 1 | 公務員 | 37.4 |
| 2 | 看護師 | 11.5 |
| 3 | 教師 | 8.2 |
| 4 | 医療事務・医療関連 | 7.1 |
| 5 | 医師・歯科医師・獣医師 | 5.5 |
| 6 | 薬剤師 | 4.4 |
| 7 | 保育士・幼稚園教諭・幼児保育関連 | 3.3 |
| 7 | 理学療法士・作業療法士・言語聴覚士・リハビリ | 3.3 |
| 9 | 放射線技師・臨床検査技師 | 2.7 |
| 9 | 技術者・研究者 | 2.7 |
| 9 | 会社員 | 2.7 |
| 12 | 管理栄養士・栄養士 | 2.2 |
| 13 | 建築士・建築関連 | 1.6 |
| 14 | 弁護士・裁判官・法律関係 | 1.1 |
| 14 | 臨床心理士・心理カウンセラー・スクールカウンセラー・心理関連 | 1.1 |
| 14 | イラストレーター・アニメーター・ゲーム関連 | 1.1 |
| 14 | 製造業（自動車・造船など） | 1.1 |

（n=182）
18位には、15項目が0.5%で並んでいるため省略。
例「助産師」「客室乗務員」「アナウンサー」など。

**子どもの性別：男子**

| 順位 | 職業 | （%） |
|---|---|---|
| 1 | 公務員 | 50.0 |
| 2 | 教師 | 9.5 |
| 3 | 医師・歯科医師・獣医師 | 6.0 |
| 4 | 薬剤師 | 4.8 |
| 4 | 医療事務・医療関連 | 4.8 |
| 4 | 技術者・研究者 | 4.8 |
| 7 | 理学療法士・作業療法士・言語聴覚士・リハビリ | 2.4 |
| 7 | 製造業（自動車・造船など） | 2.4 |
| 7 | 建築士・建築関連 | 2.4 |
| 7 | 会社員 | 2.4 |

（n=84）

**子どもの性別：女子**

| 順位 | 職業 | （%） |
|---|---|---|
| 1 | 公務員 | 27.4 |
| 2 | 看護師 | 21.1 |
| 3 | 医療事務・医療関連 | 8.4 |
| 4 | 教師 | 7.4 |
| 5 | 保育士・幼稚園教諭・幼児保育関連 | 5.3 |
| 5 | 放射線技師・臨床検査技師 | 5.3 |
| 7 | 医師・歯科医師・獣医師 | 4.2 |
| 7 | 薬剤師 | 4.2 |
| 7 | 管理栄養士・栄養士 | 4.2 |
| 7 | 理学療法士・作業療法士・言語聴覚士・リハビリ | 4.2 |

（n=95）
出所：一般社団法人全国高等学校ＰＴＡ連合会・リクルートマーケティングパートナーズ合同調査「第9回 高校生と保護者の進路に関する意識調査 2019年報告書」を基に作成

非常に人気となっています。社会的な地位が高く、給与も高いことが理由に挙がるようです。この点においては、職業という意味では少なくとも日米の差は決定的に大きくはありません（もっとも、アメリカは1位が「ソフトウエア・デベロッパー」だったり、6位が「統計学者」だったり、ＩＴに関連する分野で高い教育レベルが求められる仕事であるという差はあります）。

こうした日本の若者世代の進路に両親からの影響が色濃く見えるというのは、アメリカをはじめ、ヨーロッパ諸国でもそれほど見られないことです。

**シルビア**　前職でもPaidyでも、面接した本人に採用オファーを出したのに、両親から「リスクの大きいベンチャーは絶対やめなさい」と言われて断念した、というケースがしばしばあったんです。アメリカではこんな経験がなくて。就職や転職は両親に聞かずに進めるもので、逆に両親からは「いろいろ挑戦しなさい」と言われるくらい。

**杉江**　実は僕も同じ主張を持っています。「誰もあなたの時代にあなたの人生を生きたことはない」のだから、他人に委ねてはダメだと思うんです。日本では、親の勧めで進路を決めたり、進路に対して親が口を挟む。もしくは、親の職業のコピーバージョンでいくか、親の職業から離れようとするというパターンなんだろうと。要は親のように生きたいと思うか、親のようにだけは生きたくないかという二択が強く働いていると。

なりたい職業が親世代の影響を受けている、あるいは身近な大人が就いている職業である、という可能性は十分に考えられます。

しかし、変化の激しい現代においては、就職や転職の在り方も大きく変わり（これは以降の章でも扱っていきます）、インターネットなどを通じて情報を得るための仕組みも増えてきました。進路を自分で選び取るための要素は、実は現在の教育システムでも少しずつ備わってきています。四国の田舎町からスタンフォード大学に留学が決まった女子高校生が話題になりましたが、強い意志とインターネットがあればどんな道も見えてくる。

それを活かす土壌が、親や教師の干渉、社会の制限、企業における採用制度の不備、競争環境の誤解といった影響によって、しっかりと活かされていないことが問題だといえるでしょう。

誰に相談すべきなのかをよく考えなくてはなりません。そして最後は、自分で決め、自分の頭で考え、自分の足でアクションを起こす。それが本当に「なりたい姿」へ近づくための第一歩なのです。

## 進路のスタートを「職業」に置く必要はない

もし今の環境で、私たちが高校生や大学生に戻れたら、どうやって進路を描くのかを想像してみました。それがロールモデルを見つけられない学生たちにとっても、一つの参考になるのではないかと思ったのです。

**杉江**　僕は幼い頃から父に「人間が客観的にコミュニケーションできるツールは二つだけだ。一つは言語で、もう一つは数字。幸いにしてその両方が得意という才能があるのだから、それを社会のために活かしていくと良い」と言われてきたんです。

そう褒められたものだから、「科学や数学ができる人の活動を奥深くまで理解し、その活動を豊かな言葉で表現することによって世の中の役に立とう」と考えて、科学系の記者になりたいと思っていた頃があります。

そして、分析と論理を仕事にするなら経営コンサルタントという道もあると考えたり、そうはいっても研究者やリニアモーターカーの開発なんかも楽しそうだと思って、いろいろ話を聞いてみました。その中で、分析研究だけじゃなくて、社会との接点がある仕事がしたいと思い始めたときに、当時の社会的トレンドとして統計学を活かした銀行業務という選択肢が浮かんで、僕の最初の進路になったんです。でも、根本は「科学技術を社会に伝え、適用して還元すること」であって、時代が変わっても私の根っこは変わらずにあるように思います。

**シルビア**　私も幼い時から両親に「あなたは論理的に考えるのが一番の強みだから活かしなさい」と言われてきました。それで弁護士になりたい時期もあったんです。また、旧車など自動車も好きで、エンジニアにも憧れていました。エンジニアは、数学や物理学や科学の基本的な原理に基づいてモノを作り、それによって社会課題を解決しているというところに憧れたりもしました。

結果的に、弁護士は調べてみると自分には合わないところがあるとわかって、エンジニアという道もその当時の私は選ばず、ストラテジストになったんです。だから、自分の軸としては全然ブレてはいないですね。もっと社会の役に立ちたいと考えているのですが、今はPaidyでもUXを手伝えているので、なりたい自分に近づいているといえます。お客さま一人一人の体験が良くなればその日々の生活も良くなっているはずだと信じていて、それが本当により良い社会へと繋っていけばいいな、と心から思っています。

私たちのスタートの部分が「強みを認めてくれる両親の言葉」や「自分が好きなものや得意なこと」にあり、その延長線上に今の仕事が繋がっていることが見えてきました。具体的な職業は言えずとも、こういった自己認識を持つことで、進路を決めていくこともできるという一例になればと思っています。

**杉江**　「自分は何が好きなのか、得意なのか」をちゃんと知ること。それから、自分が育っていく中で「関わった人々の悲しみや苦しみ、喜びみたいなものから課題を見つけ出せるかどうか」がすごく大事なんです。

第2章

# 日本の雇用と労働

## 若い世代はリーダーになることに意欲的

これからの日本を担う若者が、学校教育を終えて社会人の一員となっていく際に、今までの「働き方」や「会社の在り方」にのみ込まれてはいけない、と思っています。

自分らしい未来を創るためにも、この第2章では現在の日本のリーダー像や、雇用・労働環境といった「働く」という現場について見ていくことで、いかに現在の日本が世界と比較してもユニークな存在であるかを確認していきます。ちなみに、ここでいうユニークとは必ずしも褒め言葉ではありません。「特殊な」とか「ズレた」と言い換えてもいいでしょう。

若者には、次世代を率いるリーダーとしての役割が期待されます。

さて、日本では「リーダーシップ」というと、即座に学級委員や部活動の部長といったイメージを持たれがちではないでしょうか。しかし、そういったポジションに就いていることと、リーダーとしての素質を持っているか否かは、まったく別の問題です。

ここに興味深いアンケートデータがあります。リーダーになりたいという気持ちを持っているという「リーダー志向」と「人の役に立ちたい」という思考の相関関係を調べたもので、東進ハイスクールが2020年6月に実施しました（図表2－1）。

**図表2-1　「リーダー志向」と「人の役に立ちたい」という思いの関係**

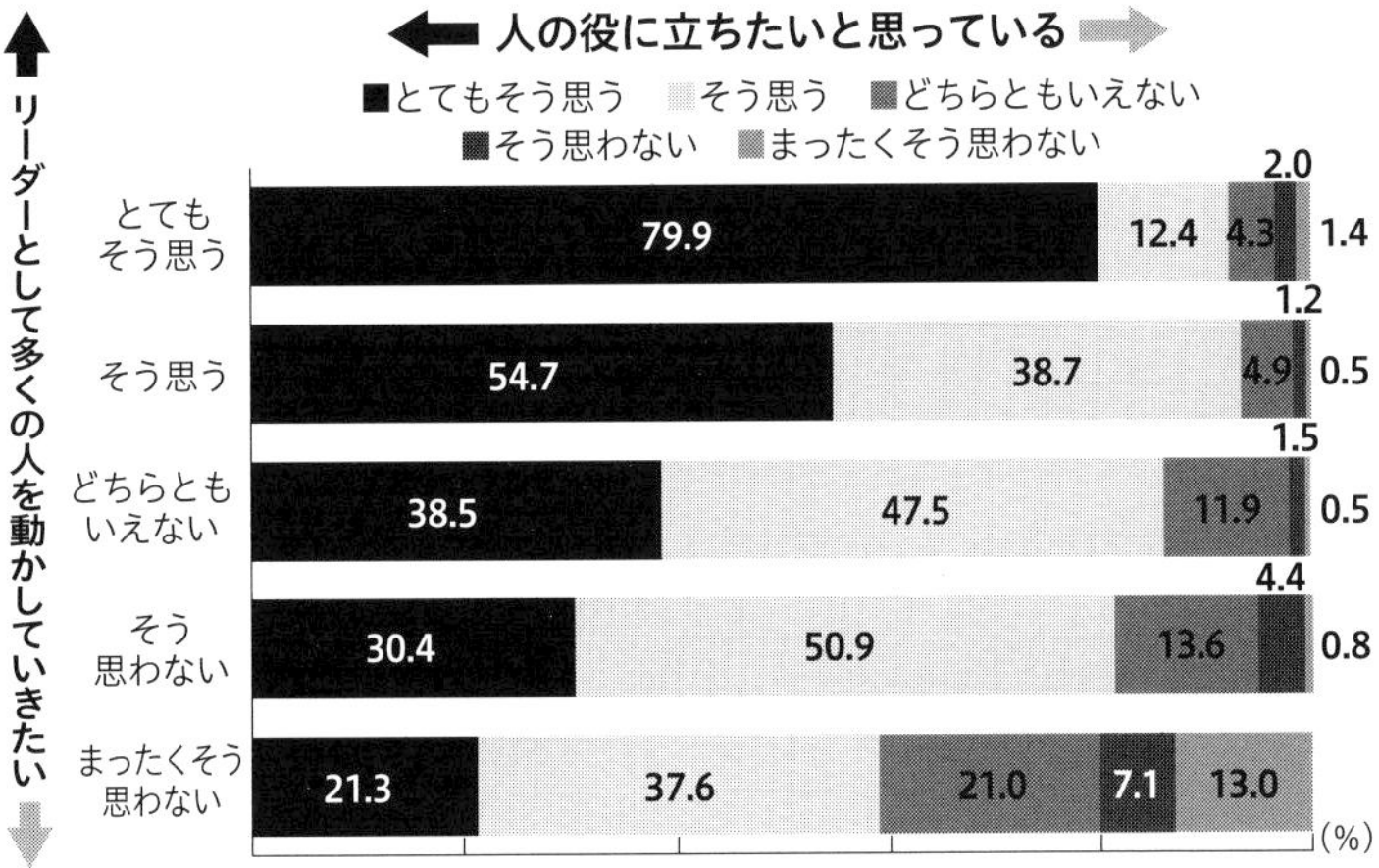


出典：株式会社ナガセ「東進ハイスクール・東進衛星予備校生へのアンケート調査」（2020年6月実施）

高校生のみ約7万4000人を対象としたこのアンケートでは、「リーダーとして多くの人を動かしていきたい」と思っている人と「人の役に立ちたいと思っている」という項目に対してポジティブな回答をした人の相関関係を分析したところ、「リーダー志向が強いほど、人の役に立ちたいという思いが強い」という傾向が見えました。

ここでの「リーダー」の意味は「多くの人を動かしていく」ことですから、とてもトラディショナルな定義だとはいえます。ただ、「人の役に立ちたい」という思いは、リーダー志向のある人ほど強く持っているというのは、とてもプラスに感じる内容です。

他にも、人材アドバイザリー企業「Work-placeTrends」が世界の412人のミレニ

**図表2-2 「リーダーシップ」に関するミレニアル世代412人の意識調査**

| |
|---|
| Q1　あなたはリーダーをめざしていますか。 |
| **「はい」と回答した人の比率：約91％（うち女性：約52％）** |
| Q2　あなたが思う「リーダーシップ」の定義付けはどれですか（選択回答）。 |
| **「他者に成功をもたらす存在」と回答した人の比率：約50％** |
| Q3　リーダーになりたい最大の動機は何ですか（選択回答）。 |
| **「他者に力を与えるため」と回答した人の比率：約43％** |
| **その他、「お金」：約5％、「権力」：約1％と少数派。** |
| Q4　どのようなリーダーになりたいですか（選択回答）。 |
| **「変革的なリーダーになりたい」と回答した人の比率：約63％** |

出典：人材アドバイザリー企業「WorkplaceTrends」独自レポート（2020年6月）

アル世代（1981年以降に生まれ、2000年以降に成人を迎えた世代）を調査した結果、その9割が「リーダーになりたい」と回答し、そのうち52％が女性でした（図表2－2）。

この他にも様々なアンケートデータを見て、また、私たちが出会ってきた若い力を見るにつけても、現代の日本の若者は、他者の役に立ち、社会に貢献することを目標にしていると感じます。日本の若者は、かつて若者だった私たちの世代よりも、明らかに社会全体のことを視野に入れた考え方を持ち、具体的なアクションを起こそうとしています。

**杉江**　今の若者の「リーダーシップ」って、僕らあるいはそれ以前の世代が思い浮かべるものとはちょっと違ってる気がしていて。今のリーダーシップはちゃんとやりたいことがあって、そのやりたいことに「この指とまれ！」と言えること、というふうに捉えているんじゃないかな。

従来、リーダーシップは「カリスマ性」というふうに置き換えられることが多かったと思います。でも、カリスマ性はリーダーには必ずしも必要ありません。

リーダーシップの本質とは「やりたいことがあって、それを実現しようという思いが強いこと」だと、僕は考えています。そして、みんなに同意してもらって、一緒に協力してもらうのがリーダーの仕事。それはまさに、現在の若者の考えとも符合します。

それに、トラディショナルな定義であったとしても、今の若者は「リーダーになりたい」と望んでなっている。僕らの世代でアンケートをとってみたとしても、おそらく9割もの人が「リーダーになりたい」なんて言わなかったはずです。

ところで、リーダーとカリスマ性を結び付けてしまうことの問題点の一つは、男性的かつマッチョなリーダーシップに偏ることです。世界も、ビジネス社会も、ジェンダーフリーな思想に向かって動きつつある中で、男性的でマッチョな姿だけがリーダーの在り方ではないと、皆さんも感じているはずです。ただ、まだそれらのイメージが強いせいか、女性がリーダーになった際も、どこかで「強さ」や「独断」といった男性的な素質を褒められることが多いようにも思います。しかし、世界は必ずしもそれを求めているわけではありません。

### 図表2-3　リーダーになる自信があるかどうか

| | 全体 | ある | どちらかというとある | どちらかというとない | ない | わからない |
|---|---|---|---|---|---|---|
| 合計 | 1,000人 | 7.2% | 23.4% | 30.6% | 31.2% | 7.6% |
| 男性 | 500人 | **10.6%** | 23.4% | 29.0% | **27.6%** | 9.4% |
| 女性 | 500人 | **3.8%** | 23.4% | 32.2% | **34.8%** | 5.8% |

### 図表2-4　ジェンダー(男女)平等を学んだ機会とジェンダー観

| | | ジェンダー平等教育を受けた経験 | | |
|---|---|---|---|---|
| | | 全体 | ある | ない |
| 全体 | 人数 | 1,000人 | 63.7% | 36.3% |
| | 男性 | 500人 | 59.2% | 40.8% |
| | 女性 | 500人 | 68.2% | 31.8% |
| 将来リーダーとして責任ある仕事がしたい | 男性 | 36人 | **68.9%** | 31.1% |
| | 女性 | 14人 | **85.1%** | 14.9% |
| 将来リーダーとして責任ある仕事がどちらかというとしたい | 男性 | 140人 | **66.4%** | 33.6% |
| | 女性 | 145人 | **73.1%** | 26.9% |
| 将来リーダーとして責任ある仕事がどちらかというとしたくない | 男性 | 137人 | 54.7% | 45.3% |
| | 女性 | 159人 | **75.5%** | 24.5% |
| 将来リーダーとして責任ある仕事がしたくない | 男性 | 91人 | 57.1% | 42.9% |
| | 女性 | 109人 | 49.5% | 50.5% |

### 図表2-5　教えられたリーダーシップスキル教育の内容

| | 全体 | コミュニケーションの仕方 | 取りまとめ、調整方法 | 主体性、積極性 | 周りのお手本、良い影響になる行動 | 判断力・意思決定 | 人間関係、信頼関係づくり | 自己改革 | その他 |
|---|---|---|---|---|---|---|---|---|---|
| 合計 | 158人 | 77.8% | 53.2% | 55.7% | 27.8% | 46.8% | 44.9% | 13.3% | 0% |
| 男性 | 94人 | **79.8%** | **58.5%** | 53.2% | 27.7% | 45.7% | **39.4%** | 14.9% | 0% |
| 女性 | 64人 | **75.0%** | **45.3%** | 59.4% | 28.1% | 48.4% | **53.1%** | 10.9% | 0% |

（対象）15歳～24歳の男女計1,000人
出典：公益財団法人プラン・インターナショナル・ジャパン アドボカシーグループ「日本における女性のリーダーシップ2021」（2021年3月）

こういった男性的でマッチョなリーダー像による弊害が、日本国内で15歳〜24歳を対象とした「日本における女性のリーダーシップ2021」調査の結果に表れているようにも思います（図表2−3〜2−5参照）。このアンケートでは男女それぞれに「リーダーになる自信があるかどうか」を尋ねています。その結果を見ると、女性で「ある」と答えた人は全体の3・8％と少ないのです。もっとも「将来リーダーとして責任ある仕事をしたい」と意欲を見せる人は多く、「現段階では自信がないがリーダー志向はある」という像も確認できています。

まずもって、こういった結果から考えられることは、私たち先行世代が築いてきたリーダー像を更新することが必要だということです。そして、そのために、私たち先行世代がリーダーシップの在り方を改め、手本を示していく必要もあると考えます。そのための第一歩として、まず「リーダー」や「リーダーシップ」という日本におけるイメージが、まだまだ旧来型のままであることが多いことを、若い世代に知っておいてもらえたらと思うのです。

**シルビア**　典型的な日本企業でリーダーになる人の特徴って、基本的には「社内生存能力」が一番強い人なんです。例えば、社内政治がうまい人は「出世コース」に乗って階級が上がっていくのですが、そうしてリーダーになった人たちに、今世界が求めるリーダーシップが備わっているかは別問題です。それよりも、目的があって軸がブレず、周囲に協力を仰ぎ、そしてみんなで成長できることのほうがよっぽど大切ですよ。決して、政治がうまいだけの人になってはいけません。

リーダーシップの本質は、目的を明らかにし、みんながそれを「正しい」と信じて、その思いに共感を寄せてもらえるように、ちゃんと説明する「ストーリー・テリング」の力だといえるでしょう。こうした力がこれからのリーダーには必要なのです。

## 世界から後れを取るだけの「新卒一括採用」という現状

第1章で見てきたように、現在の若者は高い貢献意欲があり、かつリーダーになる意欲もあります。しかし、ここで問題なのが、日本の採用市場が世界と比べて特異であり、若者の思いを必ずしもすくい上げられていないという点です。

**シルビア**　日本の就職活動を見ていると、世界とは違うなぁ、と思うことはよくありますね。例えば、ＭＢＡや博士号を取ることの価値に対する認識も違います。新卒で入った会社にずっと勤めている人も多いです。中途採用に関する意識は少しずつ変わっているかもしれないけれども、大きな変化とまではいえないでしょう。

海外へ転勤して日本へ戻ってみると、次の立場が不利になるという話も聞きます。世界の要求

**図表2-6　修士課程修了者の進学率の推移（国内・専攻分野別）**

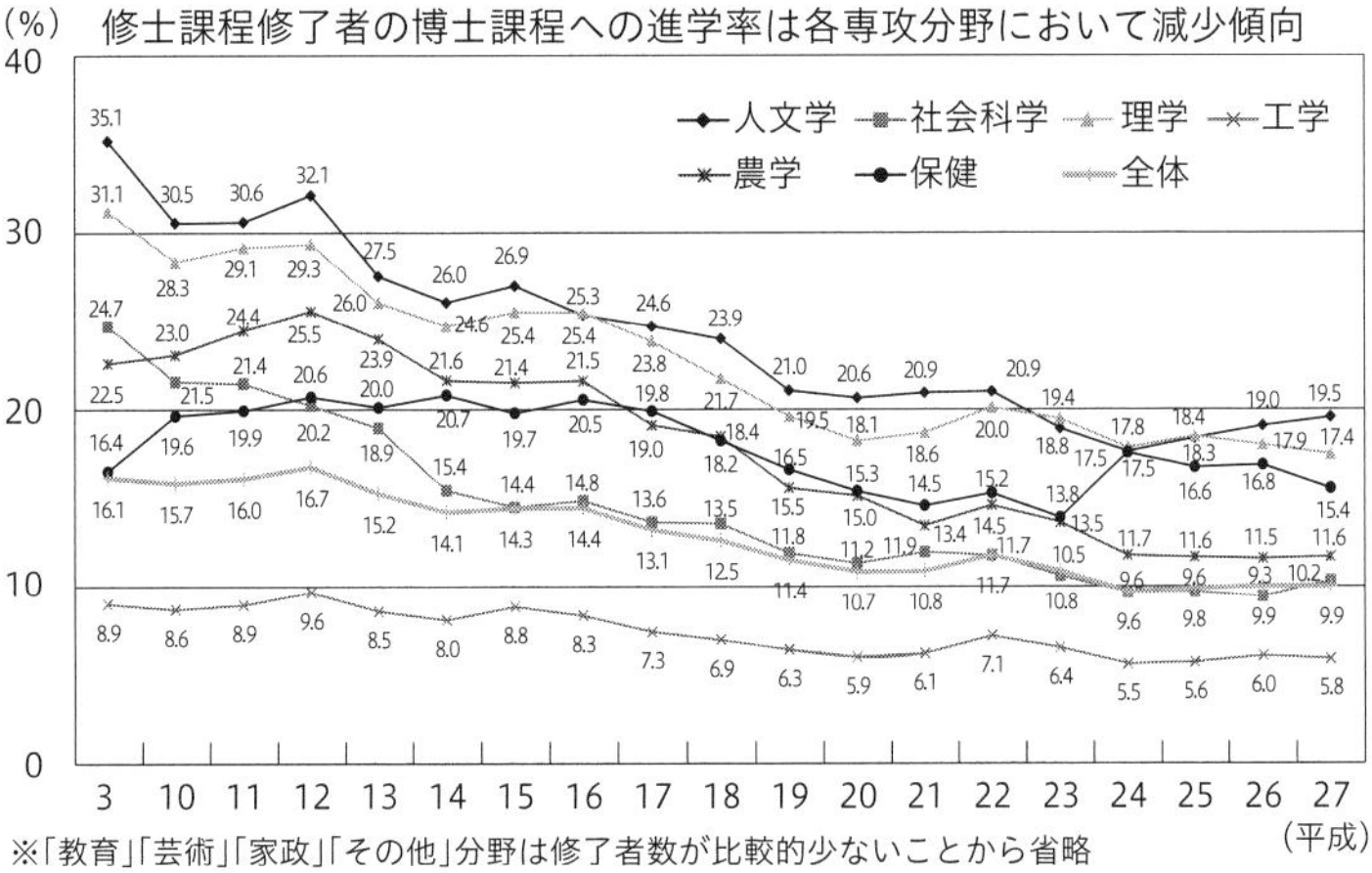


※「教育」「芸術」「家政」「その他」分野は修了者数が比較的少ないことから省略
出所：文部科学省 科学技術・学術政策研究所「科学技術指標2019」を基に作成

に、日本のシステムや制度が追い付いていないようです。

世界各国と比較して日本の採用環境はどのように違うのでしょうか。

まず、博士課程への進学率は、科学技術・学術政策研究所の調査によれば、日本では年々減少の一途をたどっています（図表2－6）。また、日本における博士号取得者数は、諸外国と比べても少ない状況となっています（図表2－7～2－9参照）。

さらに、各国の企業における博士号取得者の状況を示したデータを見ても、日本は17カ国中最下位です（図表2－10）。

特に、比較対象としてよく用いられるアメリカとの差は歴然で、アメリカでは大学院修了者の多くが管理職として活躍しているのに対し

## 図表2-7　博士号取得者数

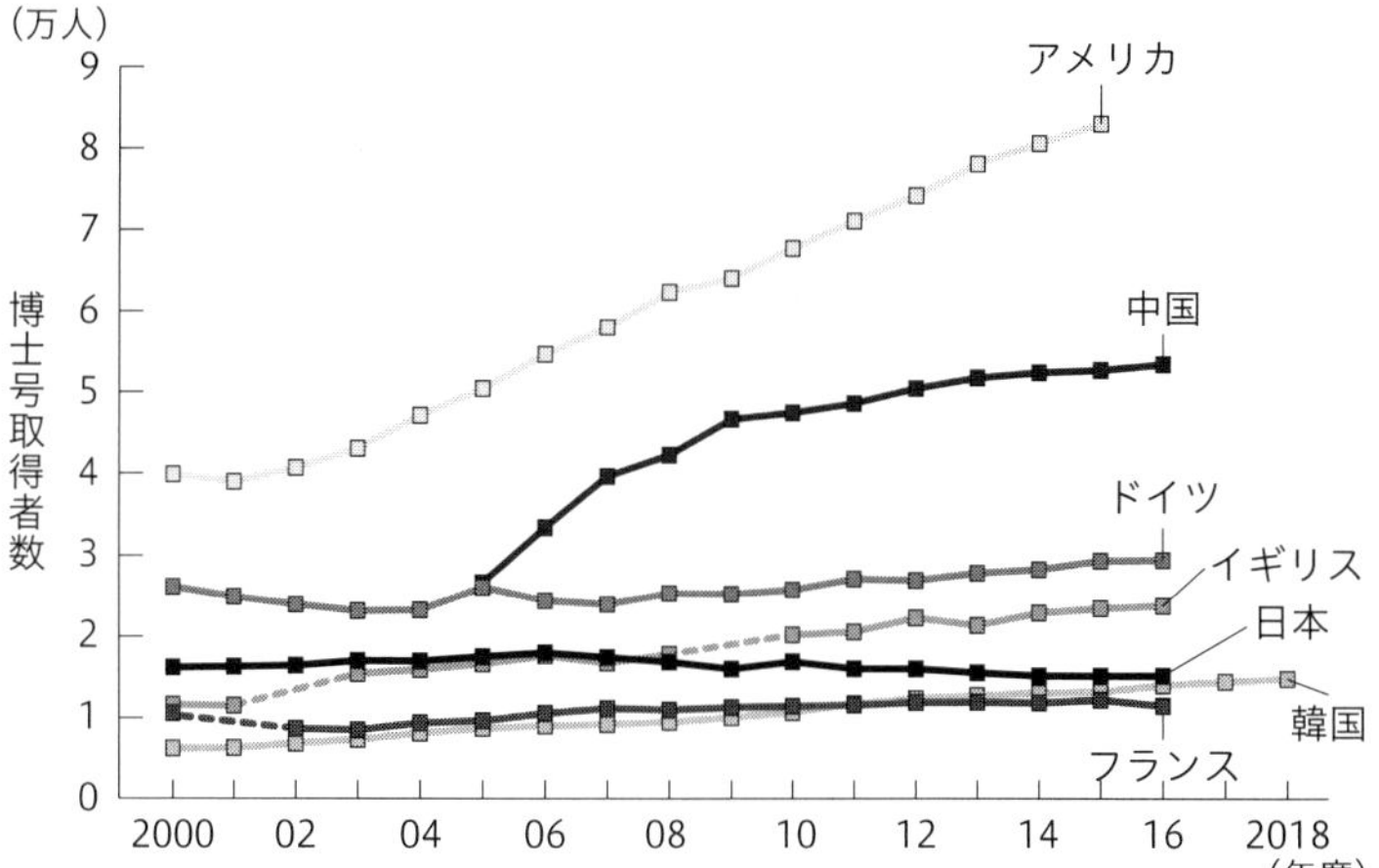


出所：文部科学省 科学技術・学術政策研究所「科学技術指標2019」を基に作成

## 図表2-8　人口100万人当たりの博士号取得者数

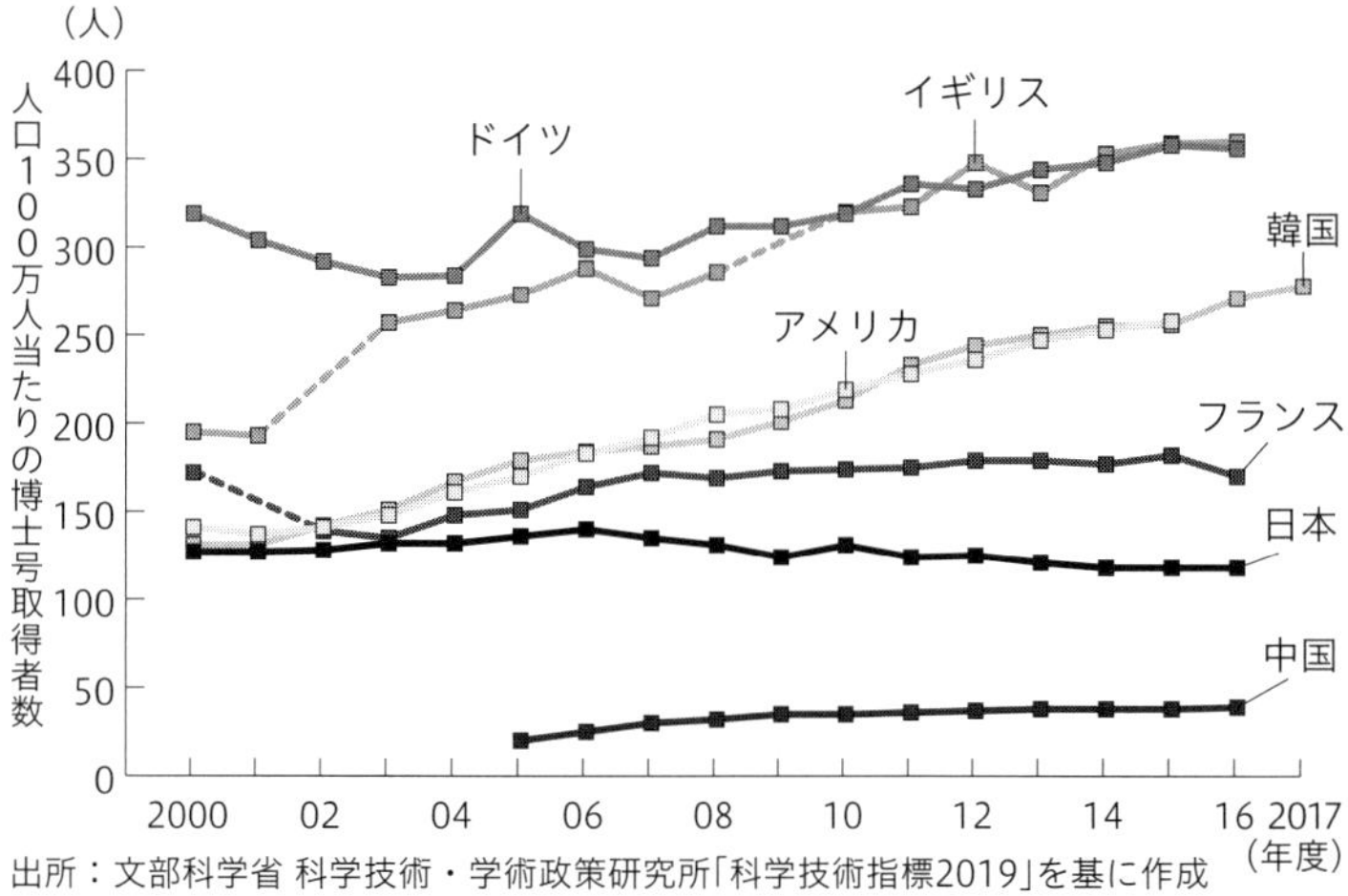


出所：文部科学省 科学技術・学術政策研究所「科学技術指標2019」を基に作成

## 図表2-9　主要国における博士号取得者の専攻分野別構成

※ 人口100万人当たりの人数

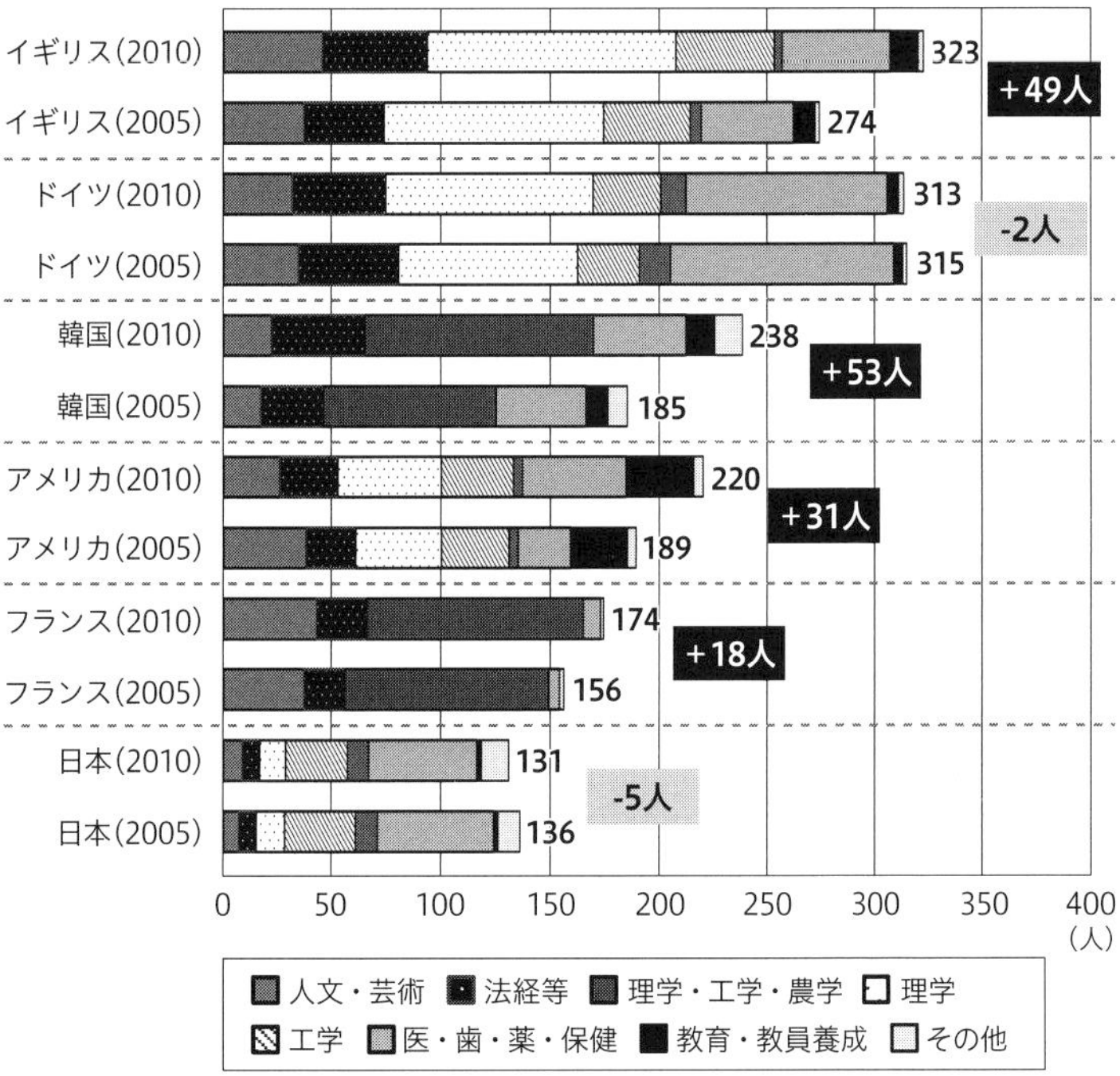


(韓国、フランスについては、理学・工学・農学の3分野をまとめた数値である。)

**日本**　：当該年度の４月から翌年３月までの取得者数を計上したものである。
**アメリカ**：標記年9月から始まる年度における学位取得者数。第一職業専門学位は除く。
**イギリス**：標記年(暦年)における大学など高等教育機関の上級学位取得者数。
**フランス**：標記年(暦年)における国立大学の授与件数。本土及び海外県の数値。
**ドイツ**　：標記年の冬学期及び翌年の夏学期における試験合格者数。
**韓国**　：当該年度の3月から翌年2月までの取得者数を計上したものである。

出所：文部科学省「教育指標の国際比較」(平成21、25年版)、「諸外国の教育統計」(平成26年版)を基に作成

## 図表2-10　各国企業における博士号取得者の状況

### 企業の研究者に占める博士号取得者の割合

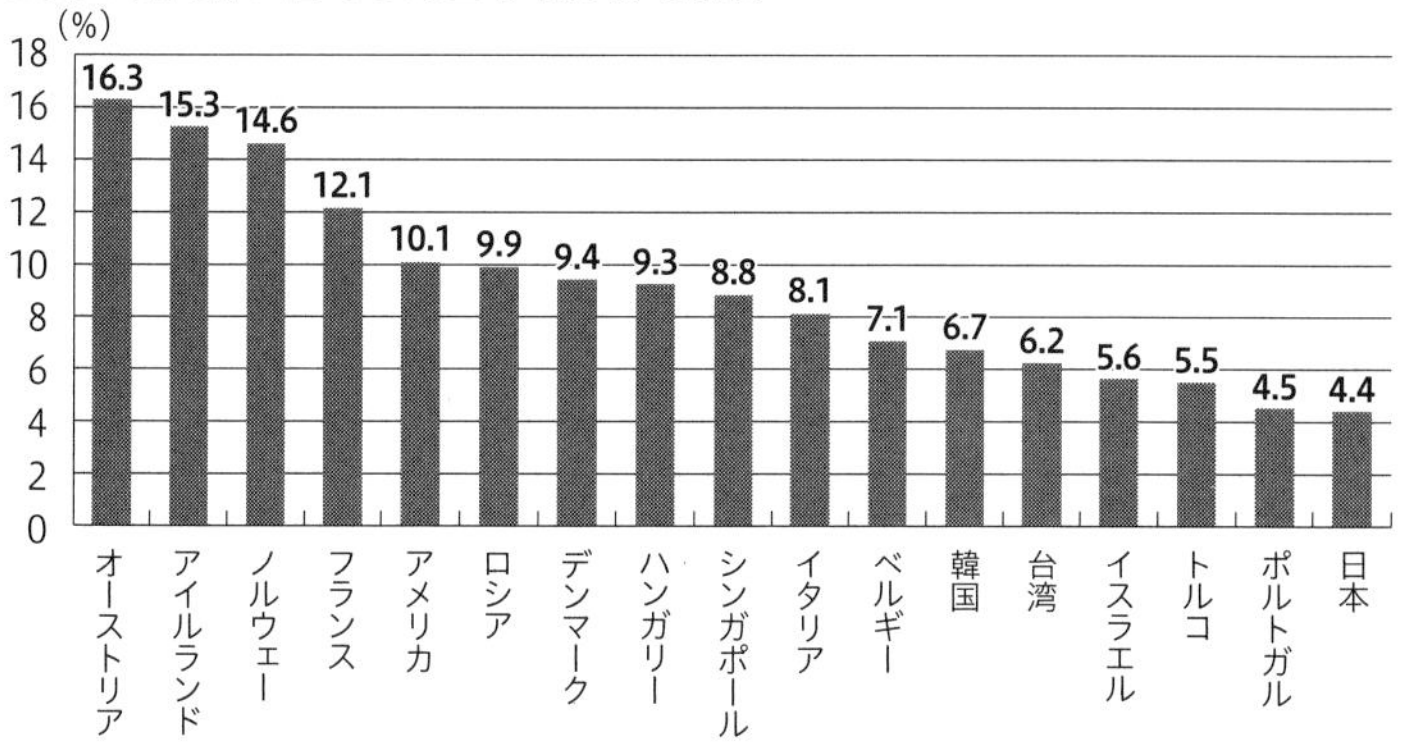


### アメリカの上場企業の管理職等の最終学歴

| | 人事部長 | 営業部長 | 経理部長 |
|---|---|---|---|
| 大学院修了 | 61.6% | 45.6% | 43.9% |
| うちPhD取得 | 14.1% | 5.4% | 0.0% |
| うちMBA取得 | 38.4% | 38.0% | 40.9% |
| 4年制大学卒 | 35.4% | 43.5% | 56.1% |
| 4年制大卒未満 | 3.0% | 9.8% | 0.0% |

### 日本の企業役員等の最終学歴（従業員500人以上）

| | |
|---|---|
| 大学院卒 | 6.3%（5,600人）【前回調査5.9%（6,200人）】 |
| 大卒 | 67.8%（60,700人）【前回調査61.4%（64,900人）】 |
| 短大・高専、専門学校卒 | 6.8%（6,100人）【前回調査7.4%（7,800人）】 |
| 高卒 | 17.4%（15,600人）【前回調査23.6%（24,900人）】 |
| 中卒・小卒 | 1.7%（1,500人）【前回調査1.7%（1,800人）】 |

企業の研究者に占める博士号取得者の割合についても、
他国に比べ低いのが現状。
アメリカでは多くの大学院修了者が管理職として活躍しているのに対し、
日本の企業役員のうち大学院卒はわずか6.3%という現状。

出典：文部科学省 科学技術・学術政策研究所 中央教育審議会大学分科会(平成31年1月22日)

## 図表2-11　大卒入社1年目の基本給（年額）の国際比較

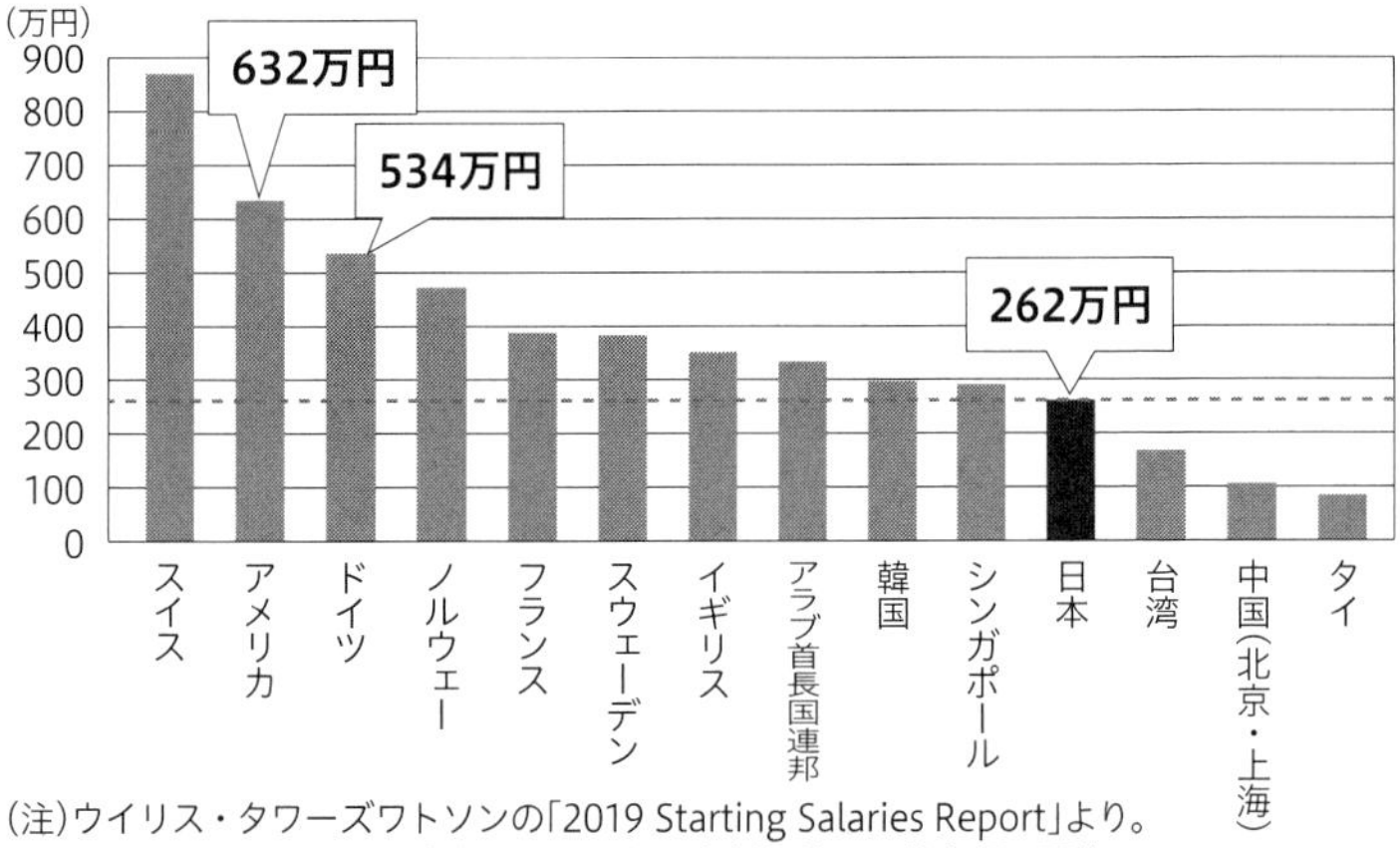


(注)ウイリス・タワーズワトソンの「2019 Starting Salaries Report」より。
日本は経団連初任給調査。残業代を除いた大卒新入社員の基本額の平均
出所：日本経済新聞・朝刊(2020年4月21日)を基に作成

て、日本の企業役員で大学院卒の経歴を持つ人はわずか6・3%しかいません。そのため、アメリカは高学位であるほど年収が伸びやすい傾向にあり、その金額にも大きな開きがあります。

給与の開きという点では、日本は大卒新入社員の初任給も、他国と比べて低く抑えられています（図表2－11）。日本では年間所得平均が436万円（引用：国税庁の2020年9月に発表した民間給与実態統計）の中、初任給の平均金額は262万円（残業代を除く）です。ドイツでは年間所得平均が5万6985ユーロ（引用：StepStone Gehaltsreport 2021）、日本円で約740万円の中、初任給は534万円、アメリカは年収の格差が他国と比較して高い国ですが、初任給の平均金額は632万円となっています。

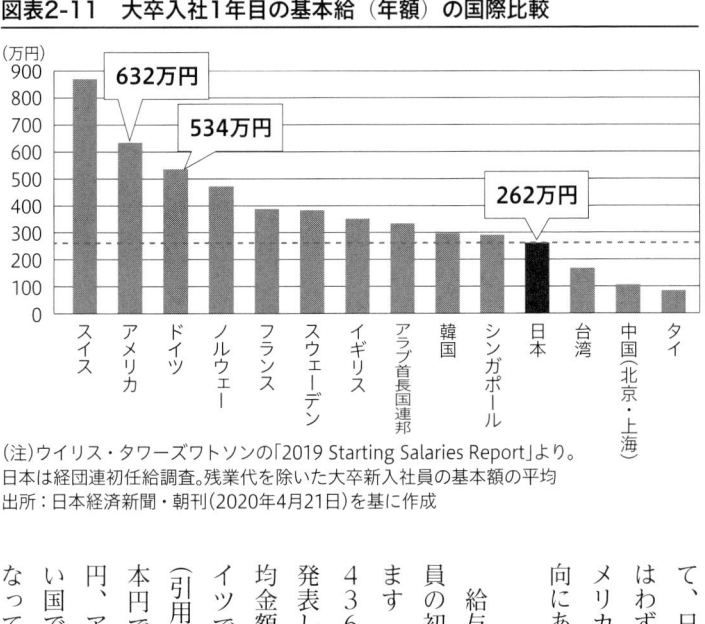

日本はかつて「終身雇用制度」ともいわれ、転職をせずに一社で勤め上げることを当然としてきました。そして一生同じ会社に勤めるのだから、安定を求めての大企業志向が長らく信奉されてきました。そのため、スタート時点での初任給が低くとも、真面目に勤め上げることで次第に年収が上がり、福利厚生がつき、いわゆる経済の中流層に加わっていく給与テーブルが組まれてきたのだと考えられます。

一方で、世界で成長を続ける国々の大学新卒者に対する就活環境はまちまちです。

まず、日本のように「新卒一括採用」を掲げる主だった国はありません。新卒一括採用が始まったのは1895年頃といわれ、旧財閥系企業を中心に学生の採用が始まったことに由来します。その後、戦前から大学卒業見込みの学生を対象にした「囲い込み」の役割として、この制度は脈々と受け継がれていきます。

アメリカの場合は、新卒一括採用といった考えはなく、大学での専攻や成績、主だった活動を重要視する選考が基本で、さらに企業でのインターン経験も考慮されます。日本では大学の専攻とその後の職業が一致しないことも往々にしてあるものですが、それもアメリカでは珍しいケースだといえます。

日本とドイツにおける就職活動を比較した図を、在欧日系企業向けのリクルート会社「Career

Management」がまとめています（図表2−12）。

ドイツにおいて20代が求められているのは学業を通じた専門知識や語学力、インターンの職務経験ですが、日本では学歴やコミュニケーション力、さらには当人のポテンシャルといった点が注目されます。また、ドイツでは30歳くらいまでを「新卒者」と見なしますが、日本では22歳〜25歳前後です。日本では入社3年以内の転職者を「第二新卒」といった呼び方で表すこともありますが、そもそもドイツではまだ十分に新卒の年齢ということですから、やや違和感のある呼び名だとは思います。

大きく違うのはポジションに対する考え方で、ドイツでは「ポジションに人を当てはめ

## 図表2-12　新卒採用に対する日独の考え方の違い

| | ドイツ | 日本 |
|---|---|---|
| 新卒者の年齢 | 30歳くらいまで | 大卒22歳〜23歳、大学院卒25歳前後 |
| 学問上の実績、成績 | 重要 | 文系の場合そこまで重要ではない |
| 過去の職務経歴 | 重要（インターンなど） | 不要 |
| ポジション | ポジションに人を当てはめる | 人にポジションを割り当てる |
| 将来のポテンシャル | やや重要 | 重要 |

**日独の就職活動で求められるものの違い**

| | 20代 | 30代 |
|---|---|---|
| ドイツ | 専門知識、語学力、職務経験（インターン） | キャリア・実績＋専門知識、語学力、人柄、学歴 |
| 日本 | 学歴、ポテンシャル、コミュニケーション力 | キャリア・実績＋専門知識、コミュ力、人柄、学歴 |

出所：在欧日系企業向けリクルート会社「Career Management」のレポートを基に作成

る」のに対し、日本では「人にポジションを割り当てる」というスタイルが多いようです。

**杉江**　日本では「会社に長くとどまること」が前提で、「今ある業務をそのままそつなくこなす」ことを求めるために、最もベストな教育方法としてOJTを行います。確かに高い専門性を持ち込んで業務の変革を期待するでもなく、転職を前提とするのでもなければ、OJTはベストかもしれません。しかし、昨今見られる働き方の変化によって、新たに発生し得る業務のスキルや知識を学ぶ「リスキリング（職業能力の再開発）」のような方向性には、全然そぐわないんです。

一人一人の若者の視点で考えると、自分のスキルアップのために、仕事の場所を変えながら何かの領域を極めていくのは当然の話。もちろん、長く一社で勤め続けてもいいのですが、誰もが同じ会社に居続けなければ組織が繁栄しないという仮説自体が、僕は間違っていると思います。

終身雇用、新卒一括採用といった従来型の採用とOJTによる社員教育は、会社というメカニズムを淡々と動かす歯車を一生懸命つくり出しているんだけれども、その歯車を動かすための頭脳ともいえるリーダーの発掘と育成をサボってしまうでしょう。これも日本の問題点ですよね。

**シルビア**　リスキリングのチャンスは常に必要なものです。日本では大学3年生で就職の進路を決めるでしょうから、その時に興味を持ったり、安定感を覚えたりする企業に進みがち。そういう選択が決して悪いわけではありませんが、就職してから考えが変わることもありますし、自分に必要なものが見えることもあります。

## 図表2-13　日本と諸外国の働き方の違い

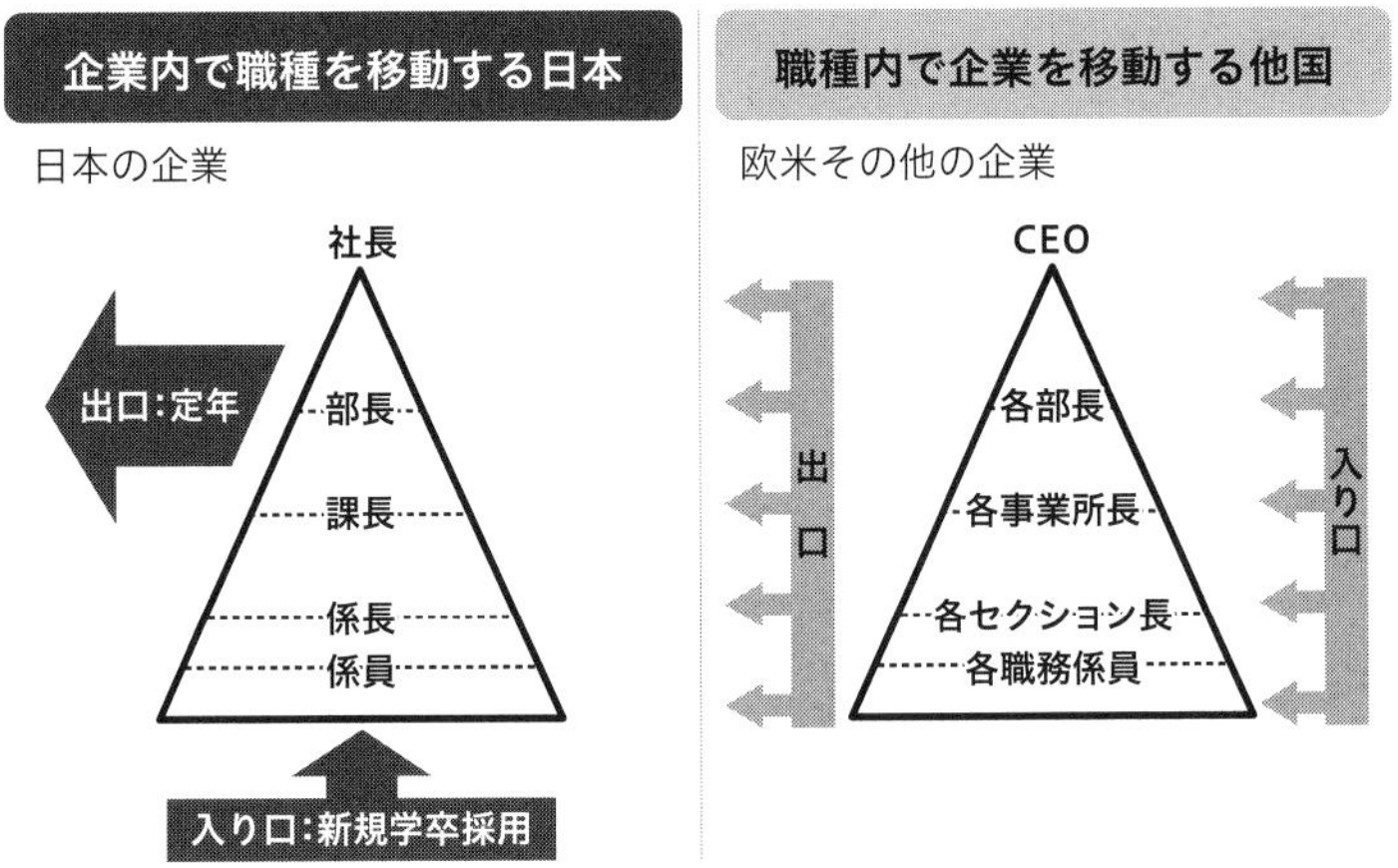


出典：慶應義塾大学 教授 小熊英二「"日本型雇用"を考える〜国際比較、問題点、そして未来〜」

「自分は何が得意なのか」「今、自分に必要なものは何か」といったことが見えた段階で社外に出て、MBAやその他大学院で学び直すといった機会が必要です。それを活かした形で働くチャンスがもっと拡充され、日本の若者にも提供されていくといいと思います。制度的には難しくはないのですが、現状では、多くの会社で積極的な取り組みをしているようには見えないのです。

日本人が会社内でどのような進路を取るかについては、慶應義塾大学の小熊英二教授が「日本型雇用の仕組み」として図式とともに説明をしています（図表2−13）。

日本型雇用では、同じ企業内で様々な職種を経験します。初年度が経理で、3年後に営業で、といったように「異動」があるのです。ところが欧米企業では、同じ職種内で、様々な企業を移動していきます。経理の教育を受けて学位を修めた人は、経理の職務に就き、経理としてのキャリアを積み重ねていきます。

先ほど、ドイツでは「ポジションに人を当てはめる」と書きましたが、転職のときも同様です。職種ごとにポストに空きが出ると公募されるのが一般的ですから、それまでどういった仕事をしてきたのか、という「職歴」が重要視されます。

しかし、同じ会社内にとどまる日本型雇用では職種が限定されにくいこともあり、それぞれの職種の経験が浅く終わってしまうことも少なくありません。ただ、様々な職種を経験するので、その会社内の事情やその業界のビジネスには詳しくなることができます。しかし、そうして身に付けた経験は職歴とは関係がありませんから、専門能力を持たない人として扱われ、当然、転職でも苦しい立場に置かれます。転職したいかどうかはともかく、こうした環境の中で転職できない人が滞り、同一的・同調的な企業文化を持つ集団になっていくのでしょう。そして、その閉鎖的な環境の中での競争で「マッチョさ」と「政治のうまさ」を持つリーダーを選ぶことになるわけですが、そのリーダーは必ずしも会社の未来を描き「この指とまれ！」と人を導いていける人でもなかったりするのです。

リクルートワークス研究所の調査では、転職後の変化で「役職が上がった」という人の割合は8・5%ほどしかなく、アメリカやフランスといった他国と比べても著しく低いようです（図表2－14）。一方で、日本が他国と比べて高いのは「職種や業種が変わった」という部分です。これは

## 図表2-14　転職による仕事の変化

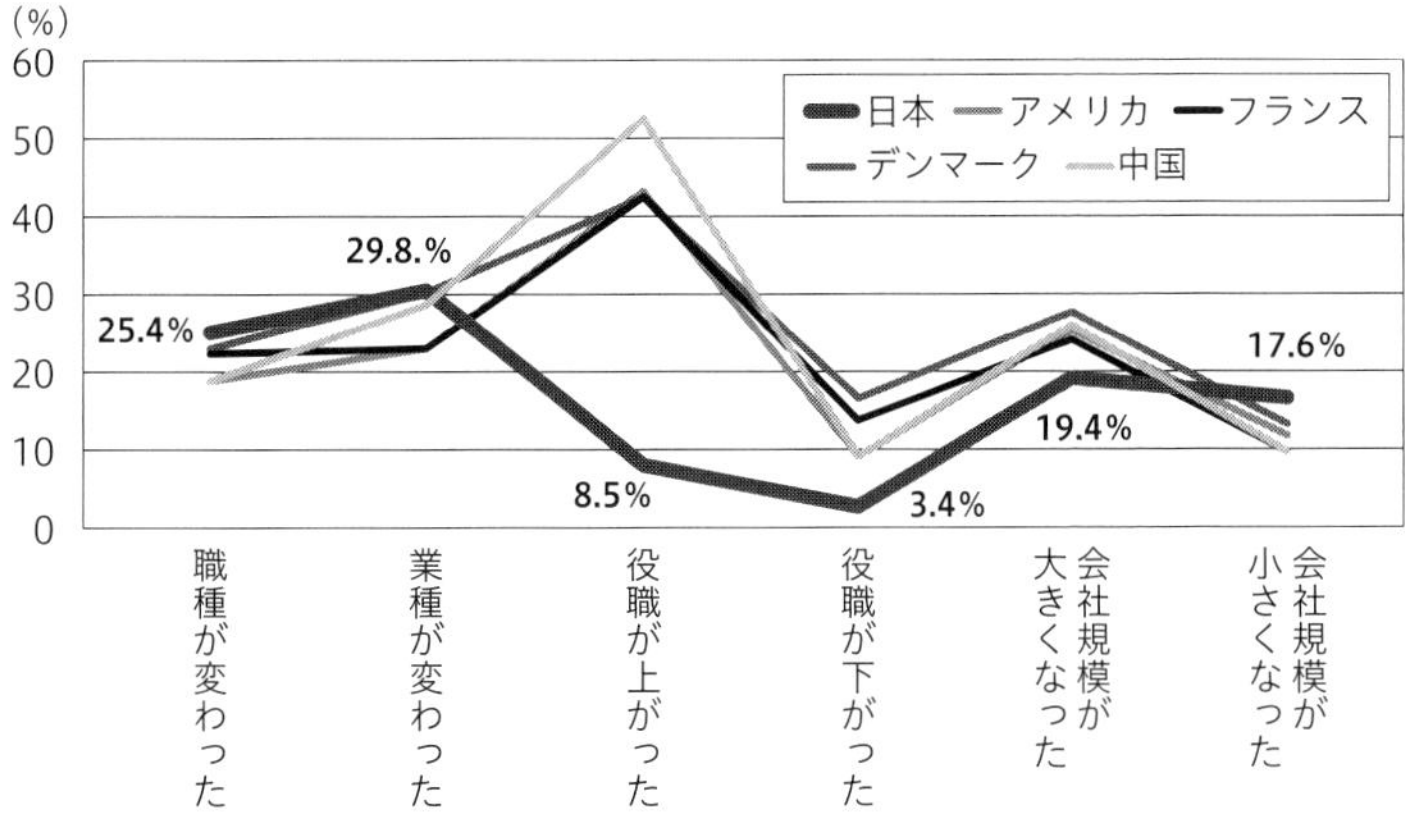


(注)勤務先が2社以上ある人(複数回答)
出所：リクルートワークス研究所「5カ国リレーション調査」(2020年)を基に作成

キャリアリセットを伴う転職ですから、前述の話と符合してきます。当然、リセットを伴う転職を繰り返していると、役職が上がることは難しいと考えられます。

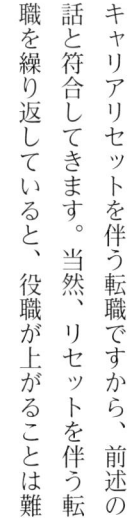

平均勤続年数・転職回数の国際比較を見ても、平均勤続年数が日本はとても長い国に入ります（図表2－16）。ちなみに「生涯平均転職回数」を見ると日本は3・3回となっていますが、この数値には50代や60代のいわゆる「天下り」も含まれています。

例えば、同じグループ企業の別会社へ出向する、他の企業へ斡旋されるというケースも含まれてくると考えられるため、「3回」という数値自体も懐疑的に見ておくべきでしょう。いずれにしても、アメリカや韓国の企業と比べて、日本の人材流動性の低さが端的に表れている比

## 図表2-15　転職による年収変化

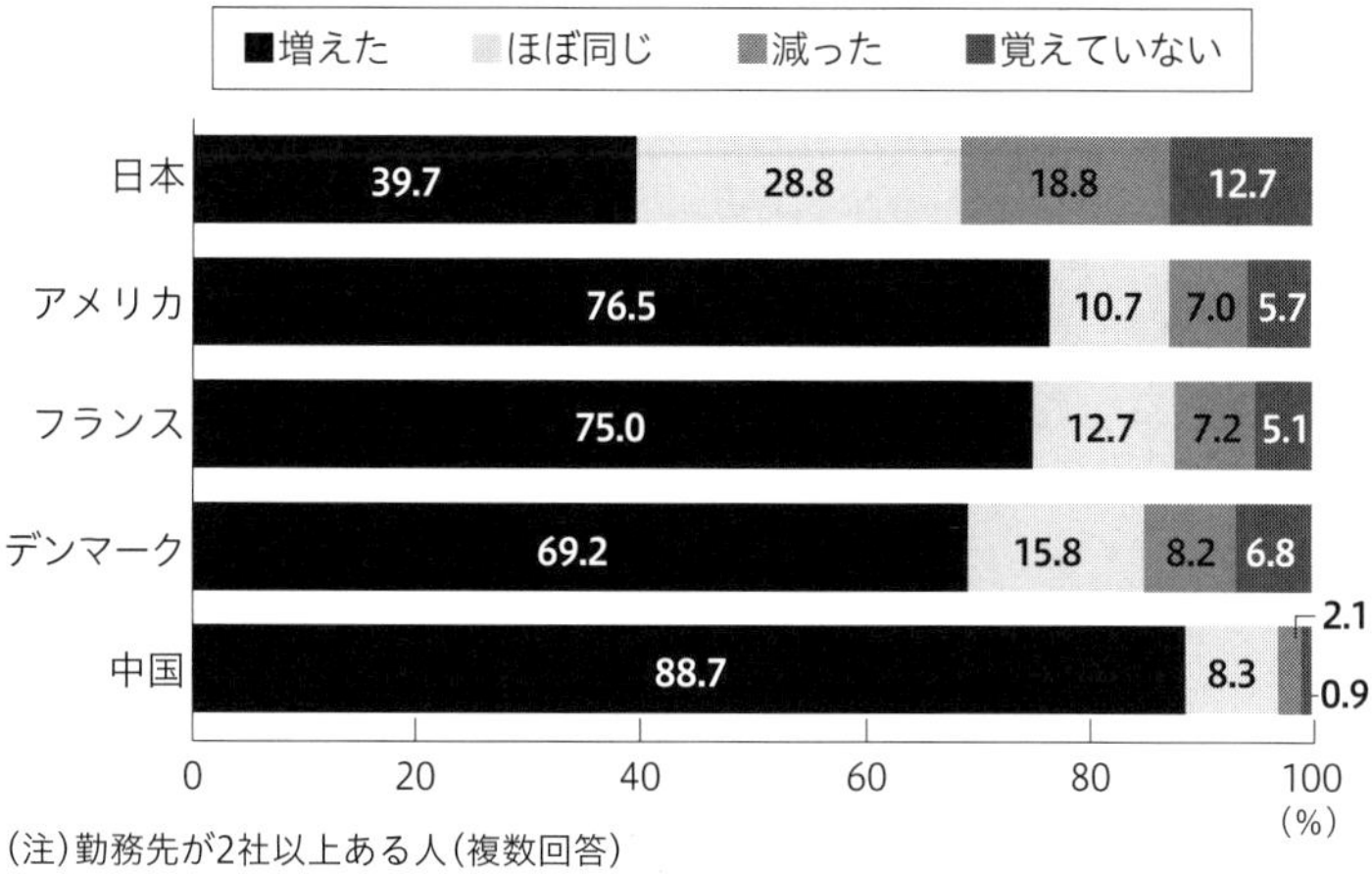


(注)勤務先が2社以上ある人(複数回答)
出所：リクルートワークス研究所「5カ国リレーション調査」(2020年)を基に作成

## 図表2-16　平均勤続年数、生涯平均転職回数の国際比較

| 国名 | 平均勤続年数 | 生涯平均転職回数 |
|---|---|---|
| アメリカ | 4.2年 | 9.5回 |
| イギリス | 7.9年 | 5.0回 |
| ドイツ | 10.5年 | 3.8回 |
| フランス | 11.2年 | 3.5回 |
| デンマーク | 7.2年 | 5.5回 |
| スウェーデン | 8.3年 | 4.8回 |
| ノルウェー | 8.9年 | 4.4回 |
| 韓国 | 5.9年 | 6.7回 |
| **日本** | **12.1年** | **3.3回** |

(注) 生涯平均転職回数は社会人年数（40年）で割り戻して計算
出所：労働政策研究・研修機構「データブック国際労働比較2019」を基に作成

較図といえます。

ただ、転職者数の推移としては年々上がってはいたのですが、新型コロナウイルス感染症の影響もあってか、２０２０年は再び減少傾向を示しています（図表2－17）。しかし、それでも正社員の転職率は10％に満たず、２０２０年は４・９％しかありません（図表2－18）。いかに、多くの人が転職せずに働き続けているかがうかがえるデータです。

**杉江**　確かに約5％しかいないけれど、「就社ではなくて就職」という形へと意識が変わってきているのも事実です。最近は「ジョブ型雇用」といった特定の職務を遂行できる人を採用する方針を打ち出した企業が出てきて話題になりましたが、その前提として、「私はこの仕事を極めたい」という働く側のプロフェッショナリズムの追求があってこそ。

ところが、働かせる会社側の人間は「会社が言うことなら何でもやります」という就社型の精神をいまだに求めているせいもあってか、あまりうまく機能していないように見えます。

やはり、「プロフェッショナルの育て方」「リーダーシップの育て方」、あるいは「意思ある人材の育て方」を社会としてどう考えるかが大切であり、単に「ジョブ型雇用」といった言葉を設けて、表層的な労働制度を変えようという話ではないことを理解しておかなければなりません。

## 図表2-17　転職者数の推移

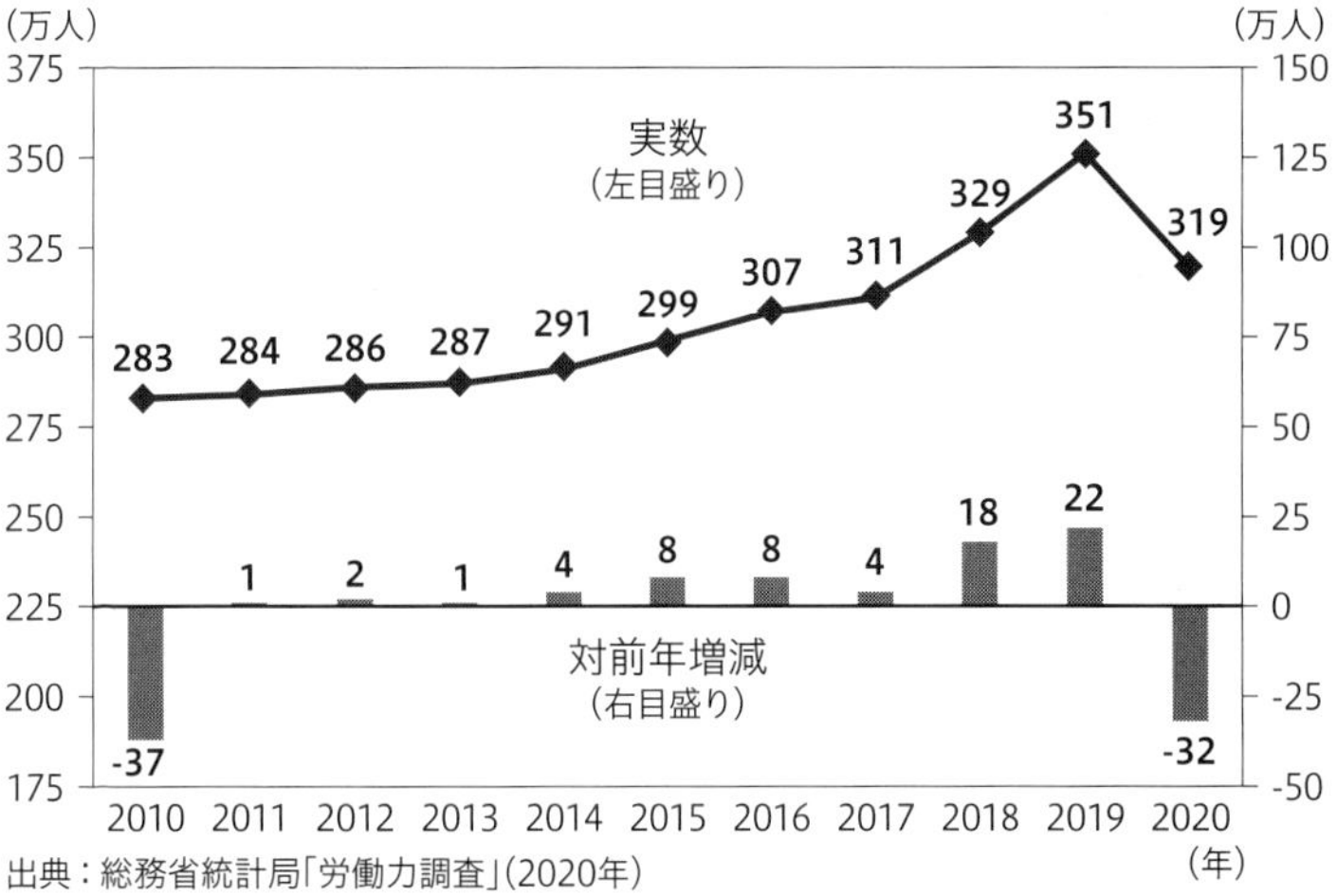


出典：総務省統計局「労働力調査」(2020年)

## 図表2-18　正社員転職率

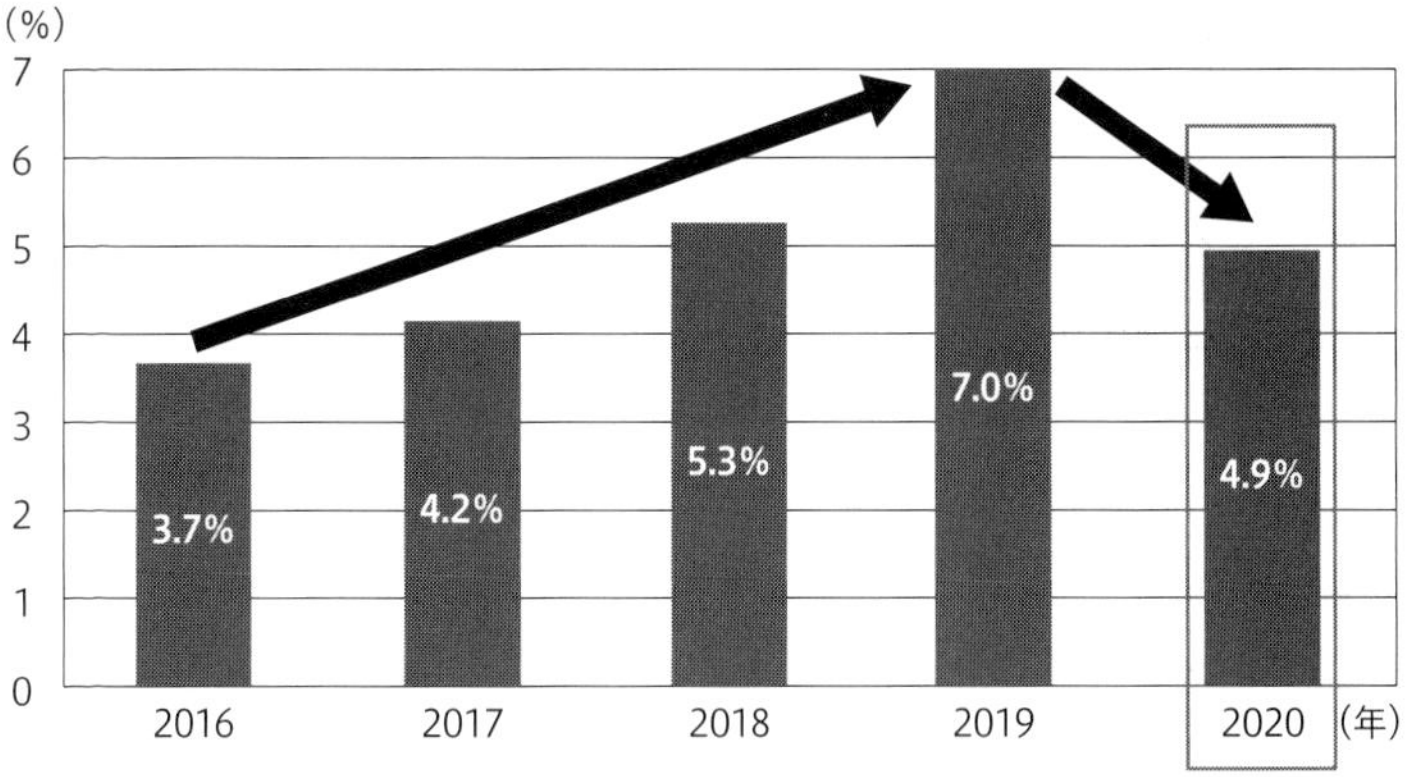


(注)国勢調査における正規雇用者全体の構成比に合わせたスクリーニング全回収数のうち、該当期間(各1年間)に転職したサンプルの割合
出所：マイナビ「転職動向調査2021年版」を基に作成

就職や転職に変化が起きている背景には、大企業の弱体化、若者の活躍の顕在化、スタートアップの躍進といった複数の要素が考えられます。

確かに日本には成功を収めた大企業はたくさんあります。しかし、これからの世界を生きるあなたは、その中の一つに入れば必ず幸せになれるというメンタリティが、どうやら過去のものだということも知っているはずです。大切なのは、自分はどうやって生きていくべきかをしっかり考えた上で、自分事と捉えて動けるかどうかなのです。

## 「本気で仕事をしに来ている」初めての世代

他にも、日本の就社型組織には問題があります。その一つが「同調圧力」です。

同調圧力が高い場合、基本的にはその集団の中で褒められるか、あるいは干されないかなどが全体の行動規範になってしまいます。

すると、「何が解決すべき問題なのか」「本当に正しいことは何か」「本当に面白いことは何か」「本当に儲かることは何か」……といった本質ではなく、「いかに自分の身の回りにいる人に認められるか」といったムラ社会における地位のことばかり考える人間になってしまうのです。

この同調の傾向は社会人だけでなく、実は、子どもの頃から日本人には植え付けられているものだという見方もできます。２００７年にユニセフが発表したＯＥＣＤ加盟国による若者の意識調査

### 図表2-19 「孤独を感じる」と答えた子どもの割合

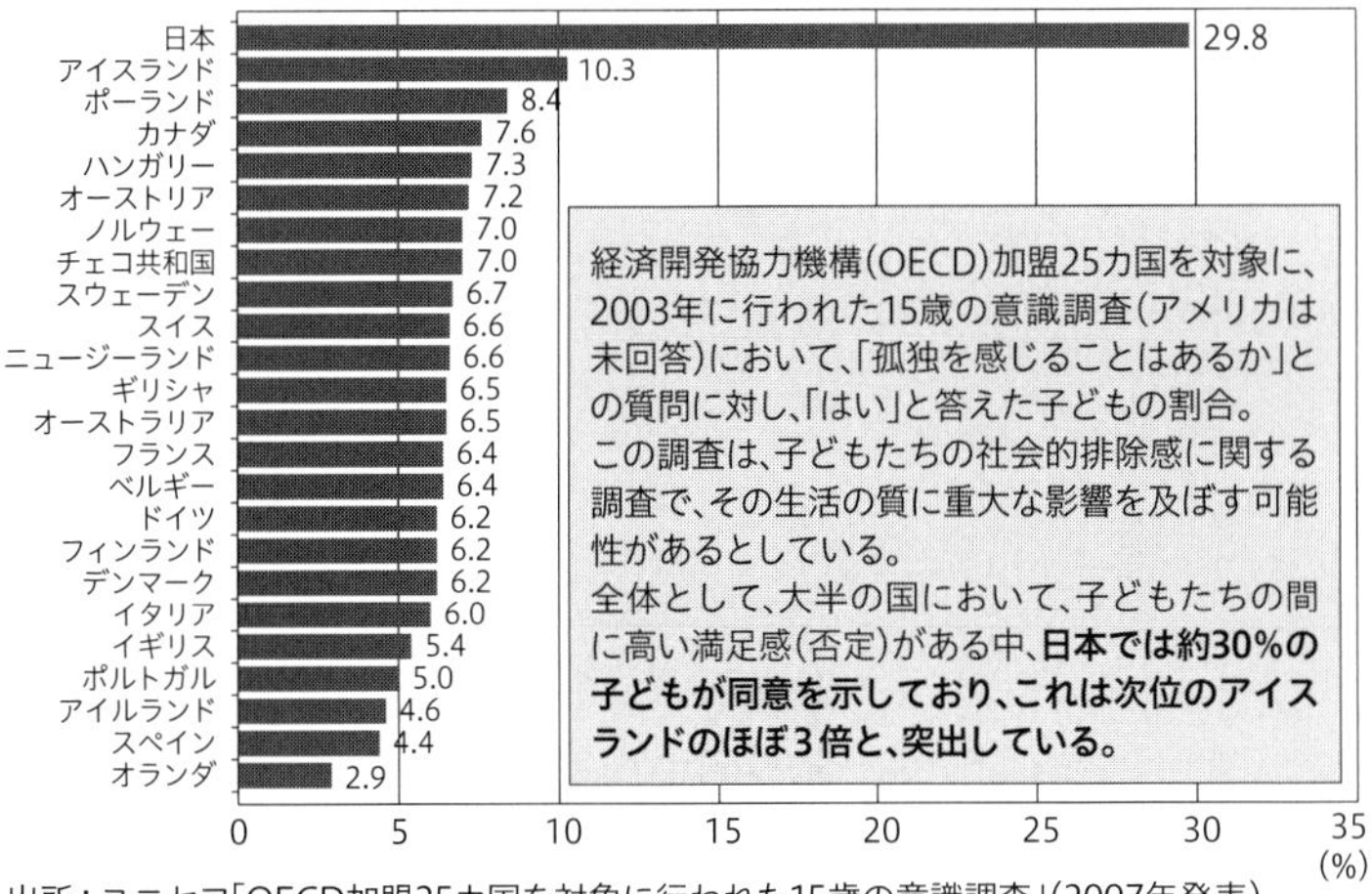


出所：ユニセフ「OECD加盟25カ国を対象に行われた15歳の意識調査」(2007年発表)

で「孤独を感じる」と答えた子どもの割合は、加盟国25カ国の中で、他国を大きく引き離して日本がトップです（図表2－19）。日本の若者は、世界で最も孤独感を覚えているのです。

しかし、スマートフォンがこれだけ普及し、繫がりの継続も容易で、学校生活もある子どもたちが、なぜこれほどまでに孤独感を覚えなければならないのでしょう。ここにも、同調圧力の働きがあると考えます。本当の自分を表現できず、自分のことをわかってもらえているという実感もない。教育現場や評価の過程を含めて「みんなのように」と求められる姿に、自分を押し込めなくてはならない……。それが本来の自分にとっては、孤独感として感じられるのです。

**杉江**　愛知県の母校で講演をする機会があって高校生たちと交流したのですが……やっぱり学校やクラスっていう枠組みだったり、あるいは「集団としての友達」みたいなものから自分がどう見えているのか、他人からどんな評価を受けているのかが、自分に対する評価基準になっていると感じました。これも根本のところには同調圧力が潜んでいますよね。

おそらく、日本の子どもたちが抱く孤独感の中身は「私は他人と違うかもしれない」なのでしょう。それにしても、第2位のアイスランドの3倍ほど感じているわけですから、その深刻さはよほどなものです。

このランキングには韓国が含まれていないのですが、おそらく韓国も同調圧力が強い国の一つですから、同じような孤独感を覚えている可能性があります。逆に、オランダ、スペイン、アイルランド、ポルトガルといった国は「自主自由」という面が国民性の一つに挙げられるでしょうから、その点でも納得がいくデータといえました。

**杉江**　オランダなどの国には「他人と違ってもいい」というカルチャーもあります。人と違うことを価値として認められるカルチャーですね。このデータは15歳の子どもが対象だけれど、日本は大人もまったく同じ状況だと思います。僕らは仕事柄、様々な大企業の方ともお話をすることがありますが、多くの方が「以前に話したことと違う」「組織に以前説明したストーリーと違う」

というのを極端に嫌います。なぜなら、自分が怒られるからです。ただ、以前に話したことか否かよりも大切なのは、目の前のことが「正しいか、正しくないか」を判断することのはずです。その判断ができていないと、何かを変えることで新たな動きを導き出そうとする「イノベーション」は失われていってしまいます。

集団の同一性が高い組織に生じるのは「嫌われない」という価値観です。結局、嫌われないようにするためには、自らのプロフェッショナリズムを殺し、正しいことを知っていても、常に「怒られない」という方針を取りがちです。これも、変化やイノベーションのチャンスを失う行動といえます。

こうした日本人の価値観や判断軸のメカニズムが働く最初の入り口であり、根源でもある部分が雇用や採用の現場でしょう。崩壊したとも思える新卒採用や終身雇用がいまだに前提にあり、社内だけに精通したジェネラリストになることを求められ、その中で上手に泳ぎ回ってトップガンらしきポジションにいると最も偉くなる。結局は同調圧力の中で、周りに怒られることなく歩んだ人が上に行く組織では、本質的なイノベーションはなかなか起こせないはずです。

ただ、現在の若者は、この同調圧力への抵抗感と、個性を尊重する教育を受けて、新たな資質を兼ね備えてきているとは感じます。流行歌になった「世界に一つだけの花」ではないですが、それ

### 図表2-20　今後12カ月間に自国の状況が改善すると考える割合

| | ミレニアル世代 | | Z世代 | |
|---|---|---|---|---|
| | 日本 | 世界 | 日本 | 世界 |
| 経済の見通し | 12% | 26% | 13% | 26% |
| 社会・政治の見通し | 11% | 22% | 13% | 18% |

出典：デロイト グローバル「2019年 デロイト ミレニアル年次調査」

ぞれの個性や長所にフォーカスしようとする動き、あるいは考え方によって、自分自身に対して素直に、ユニークでありたいという心が芽生えてきているようです。

２０１９年のデロイト トーマツによるミレニアル世代とZ世代（１９９０年代中盤以降に生まれた世代）を対象にした意識調査では、自国の経済や社会・政治が今後12カ月で「改善する」と考える割合は世界全体としても低い中で、日本ではその傾向がさらに強く出ています（図表２−20）。

また、ミレニアル世代においては世界と日本で「人生の目標」が異なっており、日本においては収入や報酬に対する意欲が高くなっています（図表２−21）。

２０２１年に松井証券による全国の社会人１年目〜３年目（Z世代）と、社会人４年目〜18年目（ミレニアル世代）の計６００人を対象にした実態調査の結果を見ると、Z世代は貯蓄に対する意識がより高いことが示されています（図表２−22）。先行きの見えにくい日本経済への不安感からそうした結果が出たことは想像できます

## 図表2-21　ミレニアル世代の人生の目標

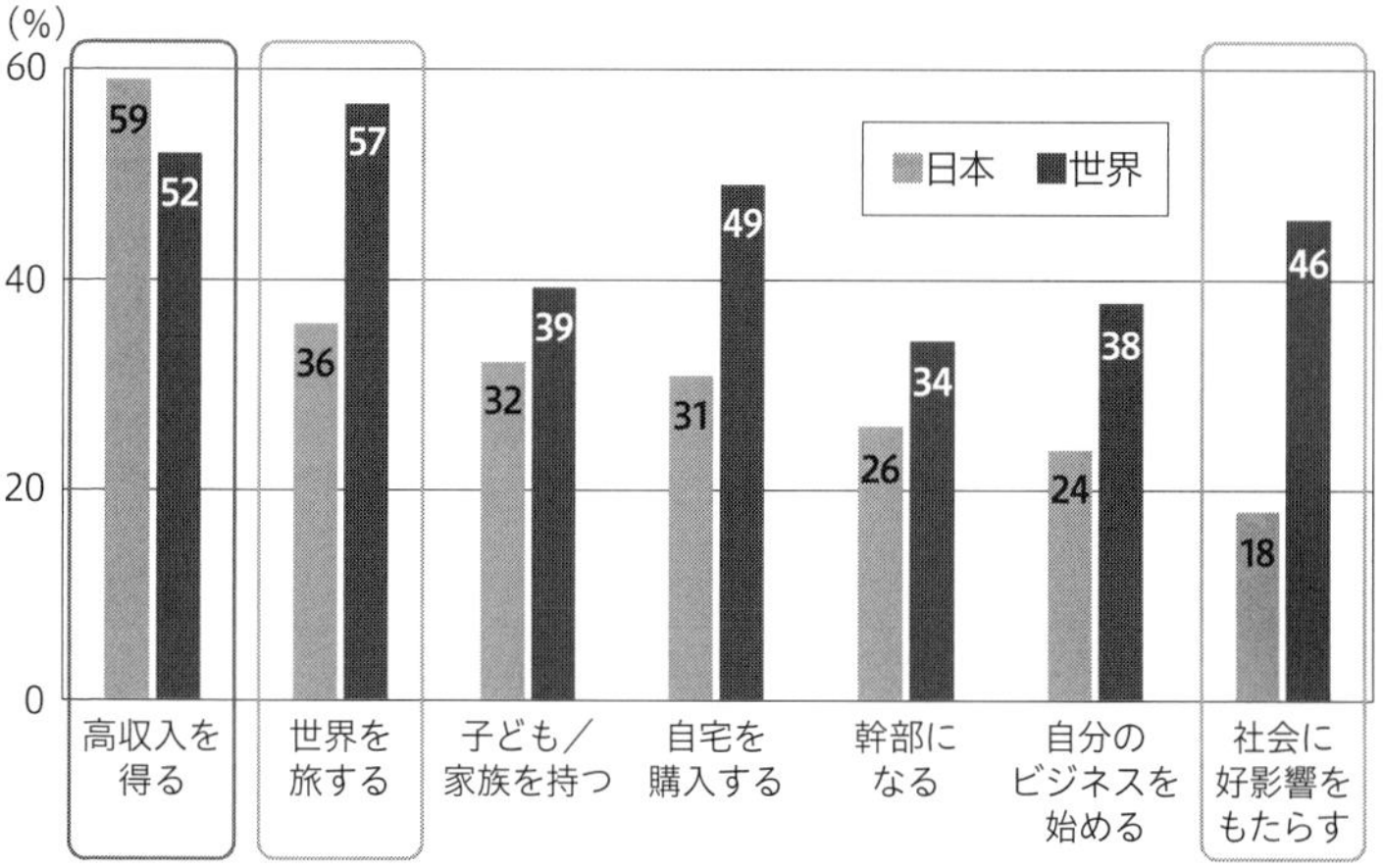


出典：デロイト グローバル「2019年 デロイト ミレニアル年次調査」

## 図表2-22　社会人1年目から貯蓄できていた割合

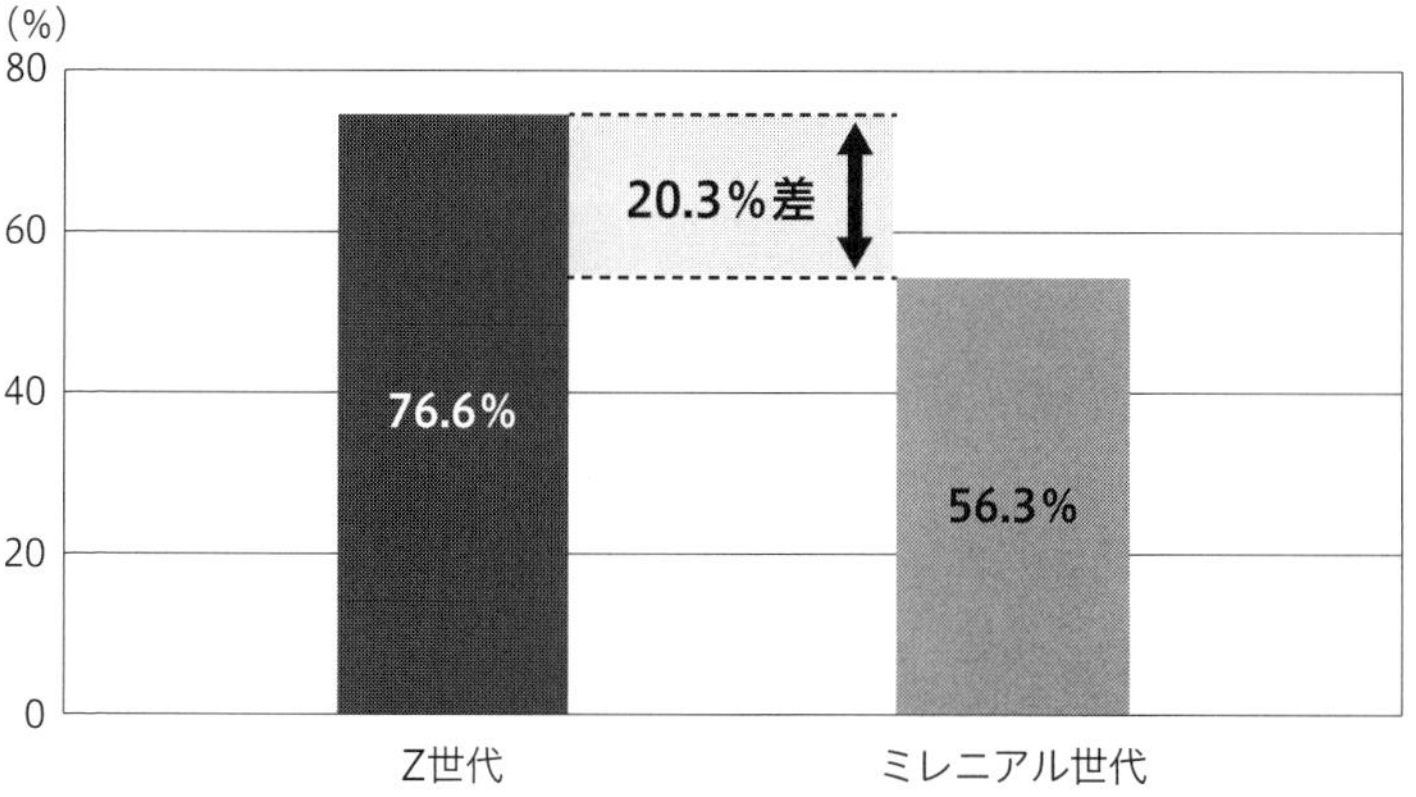


出典：松井証券株式会社「『初任給』と『理想の働き方』に関する世代別の実態調査」
(2021年4月1日時点)

が、これらを別の角度から眺めてみると、彼らは資産形成に繋がるように、これまでになく仕事と生活を両立させながら、様々なことに励もうとする世代ではないか、とも思えてきます。

「最近の若い人を飲み会に誘うと断られる」といった話を聞くのも、若い世代が同調圧力に負けず、自らのストレスを減らし、仕事で成果を上げることに励みたい一心からくる行動なのではないかと感じます。それは決して「愛社精神が低い」とか「チームワークができない」とか批判的な文脈だけで語られるべきことではないのです。

今の若者たちは、本気で仕事をしに来ている初めての世代なのかもしれません。

その目的に、貯蓄や資産形成といった経済的な安定を掲げるのも良いでしょう。「楽しく働きたい」や「個人の生活と仕事を両立させたい」という就職観があってもいい。いずれにせよ、個々人が目的をしっかりと持った上で、そのために仕事をしようとしている世代であることは、この章の冒頭に書いたリーダーシップの要件とも重なる、大切な変化の一つだといえます。

## 日本の採用・登用システムの問題点

ミレニアル世代やZ世代が「本気で仕事をしに来ている初めての世代」なのであれば、それを受け止める大人たちはどうでしょうか。これは前述の通り、特に大企業では定期的な転属・転勤に

## 図表2-23　ミレニアル世代のキャリア意識

**ミレニアル世代は、驚くほどキャリアを楽観視しています。**3分の2が当面の就業見通しに楽観的で、62%は主な収入源が明日途絶えても3カ月以内に前と同等以上の仕事を見つけられると確信しています。全体としてメキシコ、中国、スイス、ドイツのミレニアル世代が最も楽観的で、日本、ギリシャ、イタリアは最も悲観的です。
これには各国の経済、政治、文化的要因が反映されています。世界で多くのミレニアル世代が、明るい未来とキャリアの成功を見据えています。

出所：マンパワーグループ「ミレニアル世代のキャリア：2020年に向けたビジョン」を基に作成

## 図表2-24　ミレニアル世代のキャリア意識

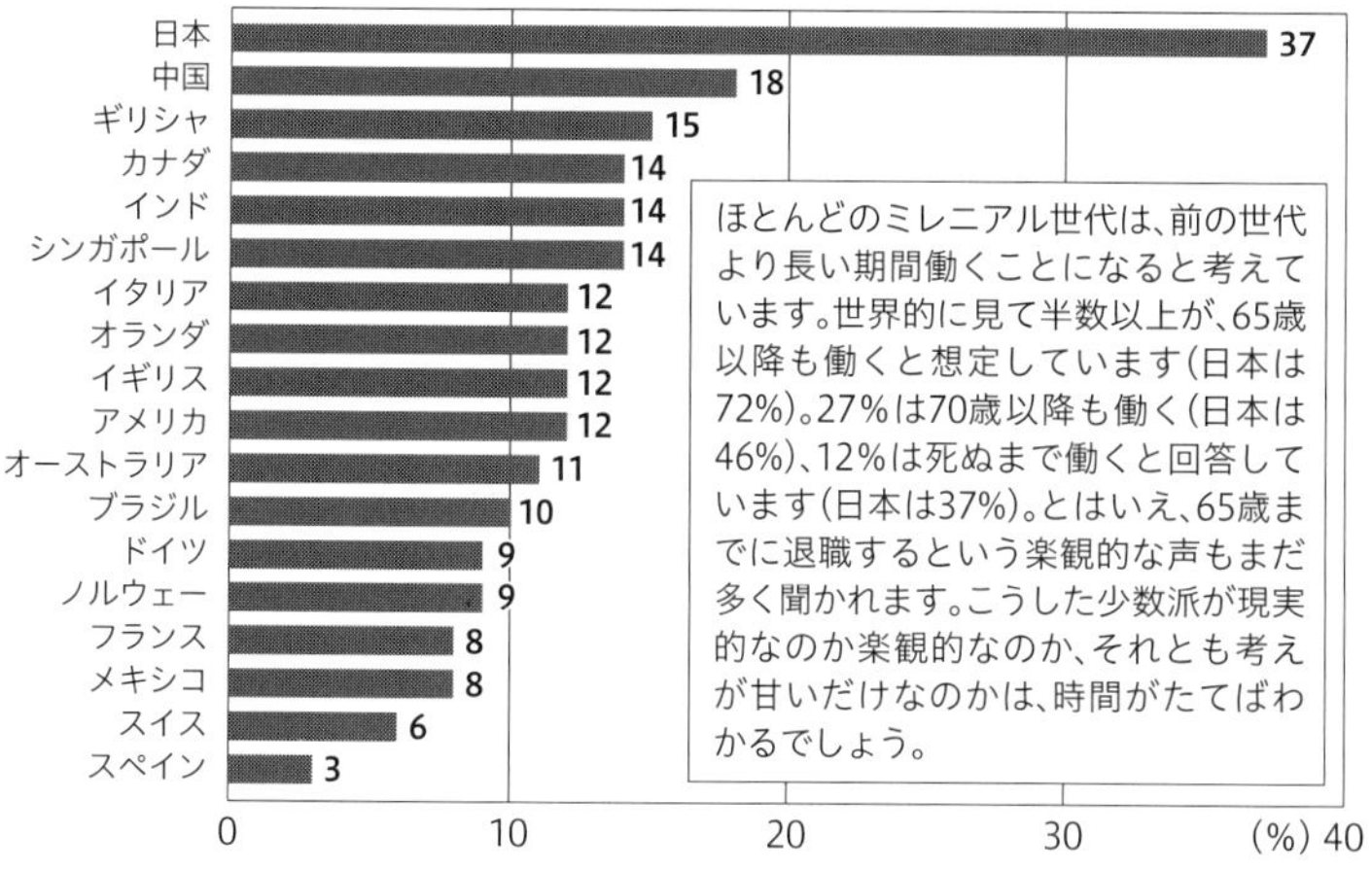


出所：マンパワーグループ「ミレニアル世代のキャリア：2020年に向けたビジョン」を基に作成

よってジェネラリストを育成しようとしていますから、特定の職域を突き詰めるようなプロフェッショナリズムとは相性が良くありません。

例えば、アメリカのように採用する側もプロフェッショナリズムを最初から求めているとするならば、自社の経験だけでは社員のスキルに偏りが出ます。そのため、自社以外で経験を積んだ人を交える意味でも中途採用を行うでしょう。もし、グローバル企業であるならば、国境の垣根をなくし、そのポジションにとって最も良い人を連れてこようとします。

日本のようなジェネラリストを育成する環境下では、そういった発想にはなりにくいのです。例えば、国家公務員第一種のような職業を引き合いに出しても、おおよそ2年ごとにあらゆる部署を巡って最後に次官へと登り詰めるというキャリア形成がなされるわけですが、日本企業でもよく見られるこれらの育成ステップは、リーダーシップの醸成に繋がりません。社内におけるすべての業務を知っていることと、その人がリーダーに向いているかは別問題だからです。

**杉江**　「社内に精通した人が順番に社長になります」といった日本のサラリーマン社長型の登用システムを取ると、社歴が長く、年齢が高い人間のほうが、たくさんの領域を知っているわけですから、最も情報を持っている人として社長に就き、さらに情報が集まる座組になります。この人がリーダーシップを発揮するやり方としては「自分が持っている情報量の多さで圧倒する」などが考えられますが、それも僕らが定義した「これからのリーダーシップ」とは相いれないところがありますよね。

**シルビア**　まさにそうですよ。これは日本だけに限らないのですが、中途採用で多いケースが「自分よりデキる人を採用しない」ということ。なぜなら、自らがジェネラリストであるがゆえに、プロフェッショナルが入って目立つと、自分が出し抜かれて立場が危うくなると考えるからです。でも、それでは組織はだんだんダメになる。そういうときこそ発想を逆にして、自分が至らないからこそデキる人を採用し、それによって自分もレベルアップをしようと考えることが大切です。これはまさに採用する側の課題の一つだと思います。

**杉江**　それは日本で「あるある」な考えだね。事なかれ主義の中で目立つ人、良くも悪くも前例を否定する人、従来の方法とは異なる進め方をする人……そういった人が来ると、その社内においては「エリート」扱いだったはずのリーダーにとって、他者からの見え方が変わってしまうのが怖い。でもそれって、自分に自信がないのが最大の問題なんだろうね。会社の中では存在感があると思っている一方で、会社から一歩外に出ると「自分が何者なのか、何ができるのか」がわかっていない。あるいは、全然自信がない。結局、会社の中でのポジションが最も大事なものになっちゃって。

**シルビア**　そうですよね。それって「何が正しいか」を判断しているわけではなくて、やっぱり同調圧力の中での生き方なんだと思います。上司に認められる、話を通せるというのが「正しいこと」になってしまって、考える能力がだんだんなくなってしまう……。

ＯＥＣＤによる国際比較においても、海外と比べて日本はスキルや学歴のミスマッチが最も高い水準であるとされ、「就業者の学歴や学業と現在の仕事に関連がない」といった点が特異性として挙げられるほどです（図表２－25）。

しかし、日本企業すべてがジェネラリストのキャリアを志向させるばかりでもありません。特に最近はスタートアップ企業を中心に、よりプロフェッショナリズム型の雇用や採用を重視する傾向も強くなっています。

私たちPaidyも、まさにその企業の一つといえます。

これから社会に出る方や、あるいは転職をしていこうと考える方のために、Paidyにおける面接の鉄板質問を紹介しましょう。

これらの事例を通じて、今後、活躍できる人材になるためのヒントが見えてくるはずです。

**シルビア**　私はPaidyの採用面接では「この人は自分で考えられるか」を最も大事な選択基準に置いていますよ。

Paidyの採用面接にシルビアが携わるようになってから、日本人の「典型的な履歴書」を前に

## 図表2-25　スキルや学歴のミスマッチの国際比較

我が国はスキルや学歴のミスマッチがOECD諸国の中で最も高い水準となっており、職務内容が学問の専攻分野と関連していない者、就業者の学歴と現在の仕事に必要とされる学歴にミスマッチが生じている者、またはその両方が生じている者が多くを占めている。

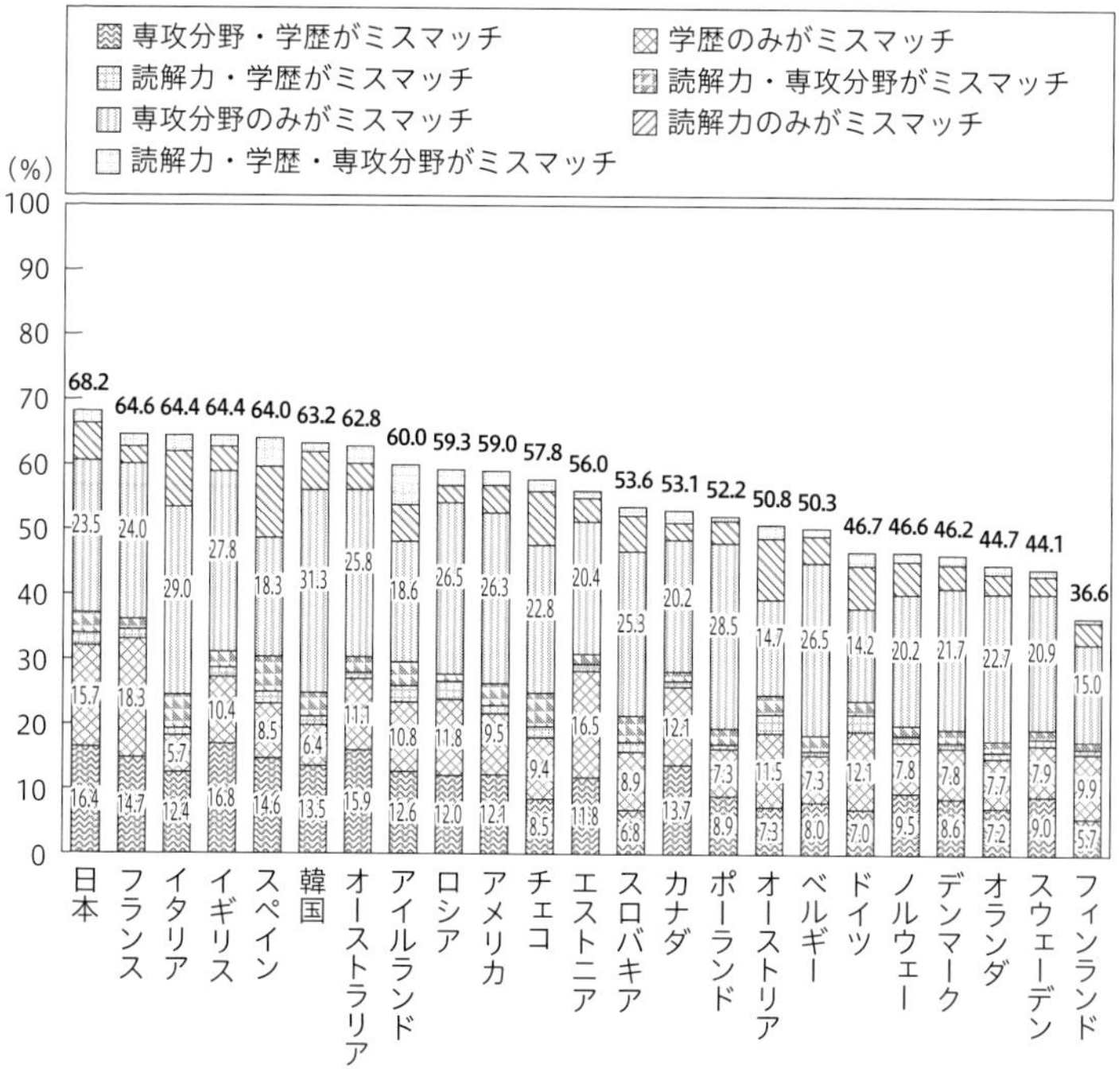


(注) 1)「読解力(学歴)がミスマッチ」は自身の読解力(学歴)が現在就いている職務で求められる水準より高いまたは低い水準となっていると回答した労働者の割合を指す。
「専攻分野がミスマッチ」は、現在就いている職務が自身の学問における専攻分野と関連していない者の割合を指す。
2)OECD「国際成人力調査(PIAAC)」を用いて労働者に尋ねて算出した2012年の数値を示している。

(資料)OECD「Assessing and Anticipating Changing Skill Needs」(2016)を基に作成
出典：厚生労働省「平成30年度 労働経済の分析ー働き方の多様化に応じた人材育成の在り方についてー」

して、候補者への期待値が下がってしまうケースがよく見られるようになりました。日本の履歴書は「どの会社で、何をやったか」を中心に書くものが多く、「どういった結果を残したか」が書かれていないものが少なくありません。「もし書かれていなければ要注意」と見ています。

**シルビア**　面接では「ちょっとトリッキーなクエスチョン」を投げてみて、その場で反応できるかを聞きます。例えば「あなたが明日、生まれ変われるとしたら、どんな動物に生まれ変わりますか？　それはなぜですか？」とか「最近学んだことを一つ教えてください」とか。そこで躊躇したり、聞き慣れない質問にフリーズしちゃったりする人も結構います。そういう人は、実際に仕事でも同様の環境になったら、同じように反応するだろうと思うんです。だから、Paidy のチームにも合わないし、激変している世の中でフレキシブルに対応できない人は、能力を発揮する可能性も低いと思うのです。

「最近学んだことを一つ教えてください」という質問からは、その人が日頃から向学心や好奇心がどれぐらいあるのか、自分をスキルアップする意欲があるのかなどが見えてきます。

**杉江**　僕が面接で、よくするサプライズ質問が「あなたの信じていることで、10人中9人から否定されることって何ですか？」。つまり、「あなたはどうユニークなんですか？」って聞きたいんです。ストレートに答えだけを用意できない問いなので、考えながら話すロジカルな表現の仕方やクリエイティビティも見えてくる。それから「今回の転職で、あなたが活かせる強みは何ですか。Paidy に加わることで鍛えたい筋肉は何ですか。どうして Paidy がベストなトレーニング環境だと思うんですか？　あなたは何を得て、ここから去っていきたいですか？」といったことも毎回聞くかな。それは、何度も繰り返しになりますが、目的意識を持たなければ成長はないと考えるから。

日本企業でジェネラリスト教育の環境下にあると、特に抜けがちなのが目的意識です。ただ、それも無理はありません。何かを突き詰めようとするプロフェッショナリズムがあれば、その目的地は見えやすいところもありますが、数年に一度、キャリアにリセットがかかるようでは、そのような目線を持つことも難しいでしょう。

Paidy の面接で、目的がない人によくある答えが「急成長中のスタートアップって面白そうだから」というもの。その答えには、やはり目的がありません。企業が成長していく中で、そこに足りないものを自らがどのように足し、共に成長できるのかを説明できるようでなければ、採用する側とされる側の目的は重なりません。

**杉江**　ビジネスパーソンをアスリートに例えるなら、自分の鍛えたい筋肉を考えてトレーニングしないと、思う自分にはなれない。今の自分の課題を明確に理解していない人って、ものすごく多いんです。例えば、「腹直筋を鍛えて体の巻き込みを高速化することによって、もっと速いボールを投げたい」といったように、目的とそれに最適なトレーニングがわかっていれば一流のピッチャーになれるかもしれない。それを理解せずに、ずっと投げ続けていたって消耗するだけですよ。意志を持ち、データを活用して、イメージした投球の軌道を求めていかないとね。

普段から、自分自身のことをどのように見ているか。硬い言い方をすると、「自分のメタ認知ができているか」という観点は、今後のあなたにもきっと役に立つはずです。誰もが生まれながらにできるものではなく、後天的に身に付けるスキルですから、もし自分に足りないと思うのであれば、一度取り組んでみてもいいでしょう。

**杉江**　若者には、仕事を最初に見つけ出すときも、次に転職を考えていくときにも、あるいは仕事をしている間においても、常に「どんな自分になりたいか」を意識する人になってほしいと思うんです。そうでないと世界で勝負はできない。それに、他人に褒められたいと感じていても、他人に心から褒められる機会なんて少ないものですよ。後述しますが、それが日本の課題でもあるのです。まずは、自分が自分を認めてあげられるのが一番いいこと。他人本位になってしまうと、自分の運命まで他人にコントロールされることになってしまう。だから、今働く大人たちは、若者が自分の在りたい姿を見いだせるように手を差し伸べ、また仕事の与え方も変えていかないといけませんよね。

## 若者はどう動くべきなのか

しかしながら、若者からは「やりたいことがわからない」という声も上がっています。CCC MARKETING HOLDINGSが18歳～20歳の男女600人に、インターネット上での意識調査を行ったところ、将来やりたいことが「決まっている」「だいたい決まっている」と答えた人は全体の6割。逆にいえば、4割の人はそれをまだ見いだせていないわけです。

また、内閣府による「平成26年版 子ども・若者白書」では、若者が現在に思い悩む姿が見えてきます。満13歳～29歳の若者を対象にしたこの意識調査からは、韓国やアメリカ、イギリスなどとの比較において、日本の若者は自己肯定感が低く、憂鬱《ゆううつ》だと感じることが多く、自分の将来にも明るい希望を持てていませんでした（図表2－26～2－28）。

将来に迷ってしまう若者が「やりたいこと」を見いだしたり、自分や仕事に対してポジティブになるにはどうすればいいのか、考えてみました。もちろん、難しい課題ですが、これまでの経験か

**図表2-26　若者の自己肯定感についての国際比較（自分自身に満足している）**

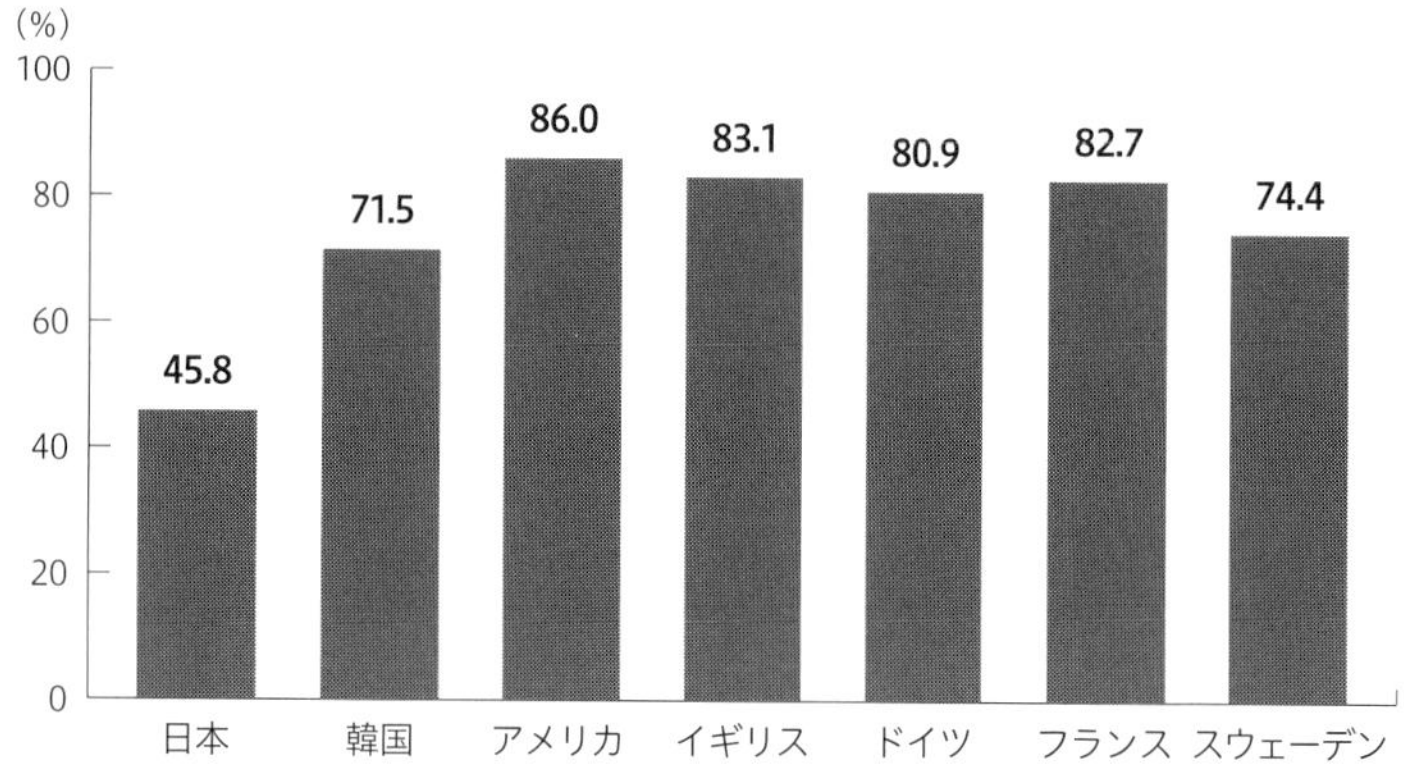


（注）「次のことがらがあなた自身にどのくらい当てはまりますか」との問いに対し、「私は、自分自身に満足している」に「そう思う」「どちらかといえばそう思う」と回答した者の合計。
出所：内閣府「平成26年版 子ども・若者白書」を基に作成

**図表2-27　若者の自己肯定感についての国際比較（憂鬱だと感じた）**

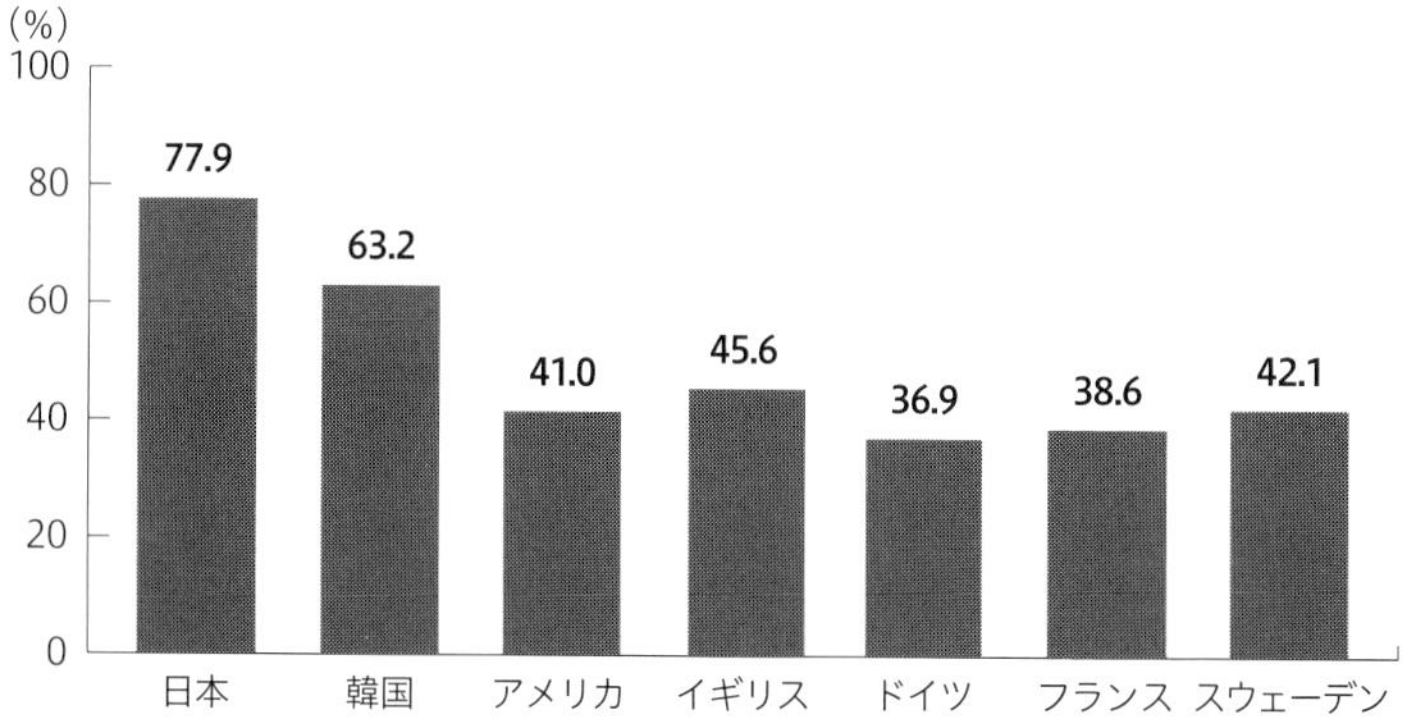


（注）この１週間の心の状態について「次のような気分やことがらに関して、当てはまるものをそれぞれ1つ選んでください。」との問いに対し、「憂鬱だと感じたこと」に「あった」「どちらかといえばあった」と回答した者の合計。
出所：内閣府「平成26年版 子ども・若者白書」を基に作成

**図表2-28　若者の自らの将来に対するイメージの国際比較（将来への希望）**

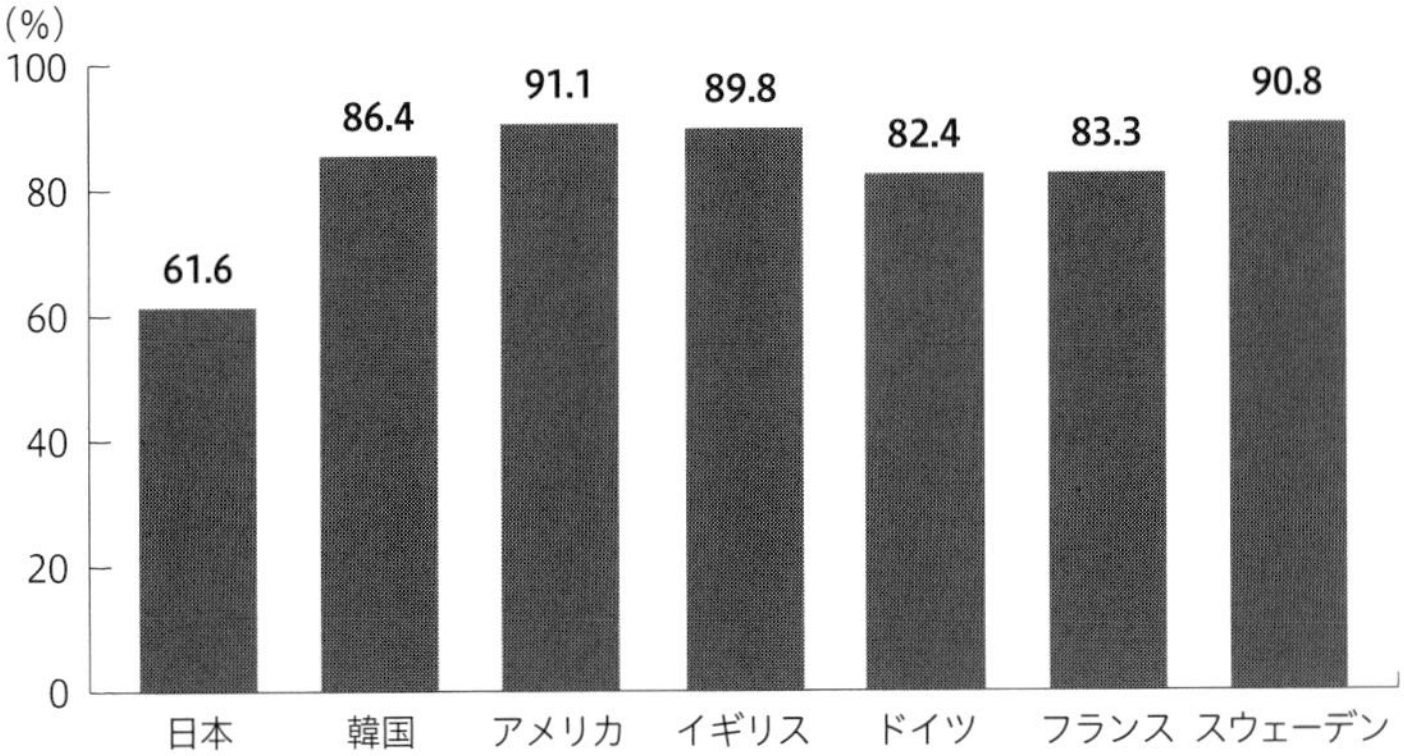


(注)「あなたは自分の将来について明るい希望を持っていますか」との問いに対し、「希望がある」「どちらかといえば希望がある」と回答した者の合計。
出所：内閣府「平成26年版 子ども・若者白書」を基に作成

らいくつかのアプローチは見つけ出すことができました。

**杉江**　スポーツに例えると、まずはカテゴリーを知るのが第一歩ですよね。野球、サッカー、水泳といったカテゴリーから「面白そうだな」と思って、初めて興味が湧く。仕事も同じで、「仕事とは何か」を知らなければ決められないから、仕事をしている人をたくさん見て、そして情報を得ることが大事ですね。「投げるのが得意」だとしても、野球を知らなければピッチャーにはなれないし、砲丸投げを知らなければ競技に参加もできないんですから。

**シルビア**　確かに視野を広げて知ることは大前提ですよね。でも、若者がカテゴリーやその内容を「知る」ことを難しいと感じるのは、きっと身近にロールモデルがいないから。日本の大学に入学したときに印象的なことがありました。友達が「うちのお父さんが働いていて」と言うので「何をしているんですか?」と聞いたんです。そうしたら「いや、よくわからない。会社員だから」って言われて。会社員という枠組みの中で生きていると、その子どもでさえ親の仕事の中身が見えてこないんですね。「どこどこの会社に勤めている」は「何をしているか」の答えにはなりません。つまり、「あなたは何者?」という質問に答えられないわけです。

**杉江**　それを聞いて思うのは、若者たちが自分の適性を見つけられないのは、周囲がまだまだ自分のことを知らない大人ばかりだからなのかもしれません。若者はカテゴリーを学びようがないってことなのかも。そもそも日本の会社システムが総合職制度に基づいていて、「あなたは何者?」の前に「あなたはA社の社員である」が先になって定義されてしまう。大人自身もプロフェッショナルとしての自覚もなければ、自己発見もないという状況だと思う。そういった点でも、日本人だけを見ていると世界の基準から外れていっちゃうよね……。

世界の基準で見れば、あらゆる国で、あらゆる人が、プロとしてあらゆる仕事をしています。若者にも、そのような視点で世の中を見てみること、たくさんの情報に出合うことが必要なのかもしれません。少なくとも、日本の中で日本のことを見ているだけでは、気付けないことがたくさんあるのです。

**杉江**　厳しい現実だけど、世界基準で見れば、日本はここ30年くらいずっと負け続けている国なんです。30年負け続けた会社員モデルの中で、失敗してきた大人たちからしか学ばない理由なんて、そもそもなくて。大人たちだって根本的な「自分らしさ」に向き合うために何をなすべきなのか、という問題を抱えているわけです。つまり、大人自身が「自分らしく生きる術」を見つけられずに問題を抱えているのに、ロールモデルになれるはずもないわけです。日本の大人はリカレント教育しかり、もっともっとカッコよくならなきゃダメですね。

若者だけでなく、大人にとっても「どんな自分になりたいか」を見つけることの課題が存在していることが見えてきました。しかし、「どんな自分になりたいか」を見つめるのは、必ずしも一人でやらなくてはならないことでもありません。周りと一緒に生きていく中で、他人からその資質を見初められること、あるいは褒められることで、自分を知っていくというプロセスもあるのです。

**シルビア**　私自身がまさにそうだったんですけど、今はPaidyのCMOですが、自分をマーケターだとは思っていないんです。一人のストラテジストとして、どの領域で結果が出せるかを考えていて。このストラテジストという生き方も、最初に入った会社の上司が、ずっとサイコロジーを背景に物事を深く考えるストラテジストとして活躍していて、その上司に強く刺激を受け、その後の生き方にも大きく影響を受けました。

今Paidyというテックカンパニーで、自分たちのプロダクトが人にどんなインパクトを与えられるかを考えることで、いくつもの気付きがあります。周りからの刺激や影響に、自分としての考えを掛け合わせていくと、「めざしていること」も少しずつ変わっていく。今の私は、そんなふうに出来上がっていきました。

**杉江**　「褒める文化」や「良いところを見つけて伸ばす文化」が必要な理由ですね。みんな、なぜか欠点を直すことばかりに目を向けてしまうけど。

例えば、人事評価にしても「あなたは何ができない」なんて話をする前に、「あなたは何が得意ですか」「何が好きですか」「どのぐらいの時間を好きなことに費やしたいですか」みたいな話から、「あなたはどんな大人になれるのか」という会話が先にあるような場所で生きたいよね。それに、「若いうちから褒められていること」って、いくつかあるものですよ。「自分では、これがユニークだったなんて思わなかった」ということだけどね。

僕も初めに入った銀行で、「あなたは絶対に目的と手段を間違えない。人間は、しばしば手段が目的になってしまうんだけれども、あなたは最後まで目的にこだわる人だ」と言われて。平たく言うと「軸がブレない」という気質があるらしいとわかってきた。それに加えて、数字などから全体のビッグピクチャーを見ることに長けているということも。「軸がブレない」と「数字から物事の姿が見える」が僕の根源的な強みだとすれば、その強みに紐づく経営者としてのリー

図表2-29　「いろいろな会社で経験を積む」と「一つの会社で長く働く」では、どちらが自身のめざす働き方に合致していますか？

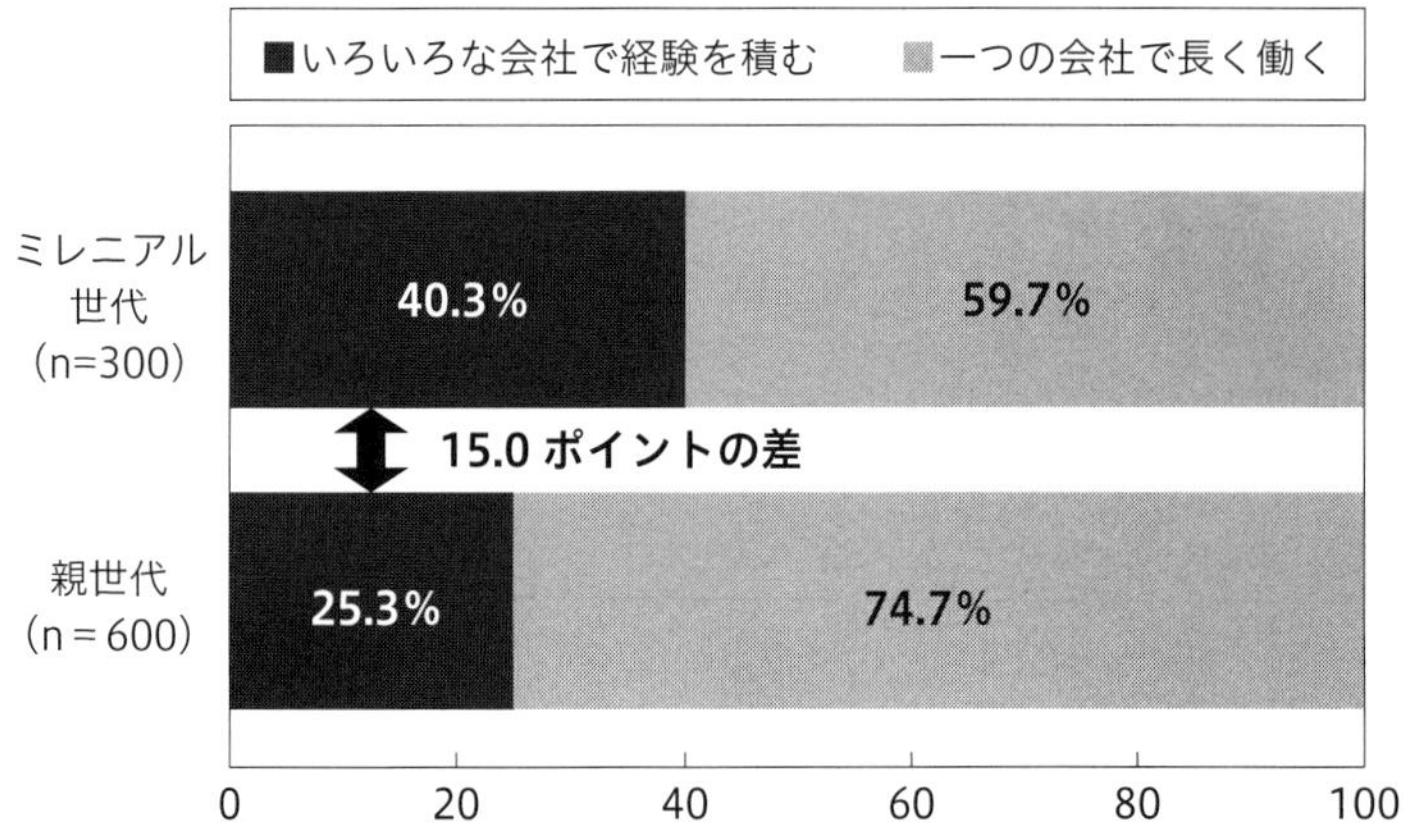


出典：ジャパンネット銀行「『仕事・働き方』に関する意識・実態調査」(2018年)

図表2-30　起業経験がありますか？ または今後起業したいと思っていますか？

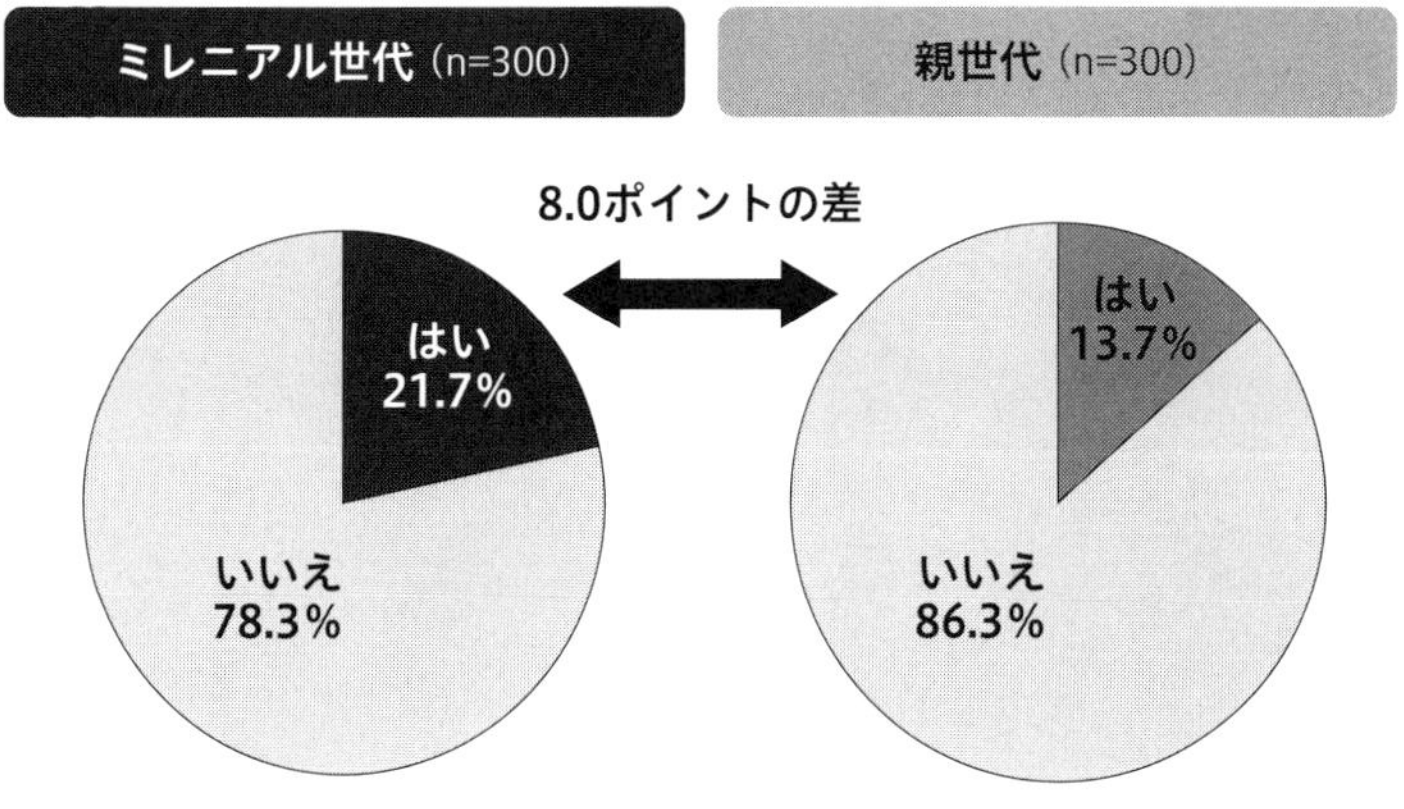


(n=600)

出典：ジャパンネット銀行「『仕事・働き方』に関する意識・実態調査」(2018年)

ダーシップが、きっと僕なりの生き様なんだと、だんだんわかってきた感じです。

総務省統計局「労働力調査」を基にしたデータでは、日本の就業者に占める雇用者（いわゆる「サラリーマン」で役員を除く）の割合は2020年時点で84％となっています。

働く人の多くがサラリーマンである今、そういった人を漠然と見てしまっていては、「やりたいこと」や「めざしていること」も見えにくいでしょう。就職ではなく「就社」という言葉もあるように、そのままでは「会社に入ること」だけが目的化して、そこからの生き方を見失いかねません。

この章で見てきたように、日本の雇用・労働環境は世界基準で見てもユニークであり、この枠の中だけで未来を探そうとするのは、もったいないことです。

最高に明るい未来を創るためには、まずは自らが持つ強み、人から褒められたことなどを通じて、自分という存在の解像度を上げていくプロセスが必要なのです。

第3章

# 日本人の働く意義

## 働くことで得られる「三つの報酬」

第2章では日本の就活・雇用の環境がユニークなものであること、若者はロールモデルとなるべき大人を見つけにくいこと、自らをメタ認知して目的を持った生き方へシフトしていくべきであることなどをまとめていきました。続くこの第3章でも、私たちの日々にとって大きな時間を占める「働く」というテーマについて深掘りをしていきます。

日本がサラリーマン大国であり、また主に大企業が求めてきたジェネラリスト育成に偏っていることによる弊害は前章でも書きました。では、現在の会社員たちは、そのまま会社にとどまりながら、日々の仕事を進めていくことに満足しているのでしょうか。

アジア・パシフィックの国や地域を対象とした調査で、日本は会社全体、人間関係、プライベートへの影響といった「勤務先の満足度」において、14の国・地域の平均を大きく下回る結果が出ています（図表3－1）。特に直属の上司に対しては50・4%と、実に半数の人が不満を抱いている結果になっています。また、会社全体も52・3%ですから、こちらも約半数は不満があるということになります。

会社への不満を解消する方法としては、社内改革に乗り出したり、実績をつくって仕事の裁量を上げたりするといったことも考えられます。ただし、そのためには多くの不満因子とも戦わねばな

**図表3-1　勤務先に関する満足度**

| | 14カ国・地域平均 | 日本 |
|---|---|---|
| 会社全体 | 80.2% | 52.3% |
| 職場の人間関係 | 79.3% | 55.7% |
| 直属上司 | 74.5% | 50.4% |
| 仕事内容 | 81.0% | 58.2% |
| プライベートへの影響 | 78.5% | 60.2% |

出所：パーソル総合研究所「APAC就業実態・成長意識調査（2019年）」を基に作成

りません。そこで、この方法以外に一つ取り得るのは「転職」という選択です。

しかし、転職という選択肢については前章でも述べたように、日本人は平均転職回数が諸外国と比べても少なく、人材の流動性は低い国です（図表3－2）。

さらに、第2章でも取り上げましたが、リクルートワークス研究所の調査によれば、日本は転職後に年収が上がった人の割合が39・7%と調査対象国の中で最も低いデータが出ています（図表2－15参照）。一方で、パーソル総合研究所「APAC就業実態・成長意識調査（2019年）」を見ると、日本以外のアジア・パシフィックの国と地域では、6割以上が一つ前の勤務先から年収や月収が上がっています（図表3－3）。この要因の一つとして考えられることは、日本では、積んできたキャリアが転職先にとって必ずしもプラスとなっていない、有望なポジションでの採用ではない、キャリアリ

## 図表3-2　初職からの離職回数に関する年齢別割合

**男性**　男性では、30代から50代半ばまでの年齢層で、
約半数が初職から離職することなく就業し続けている者で占められている。

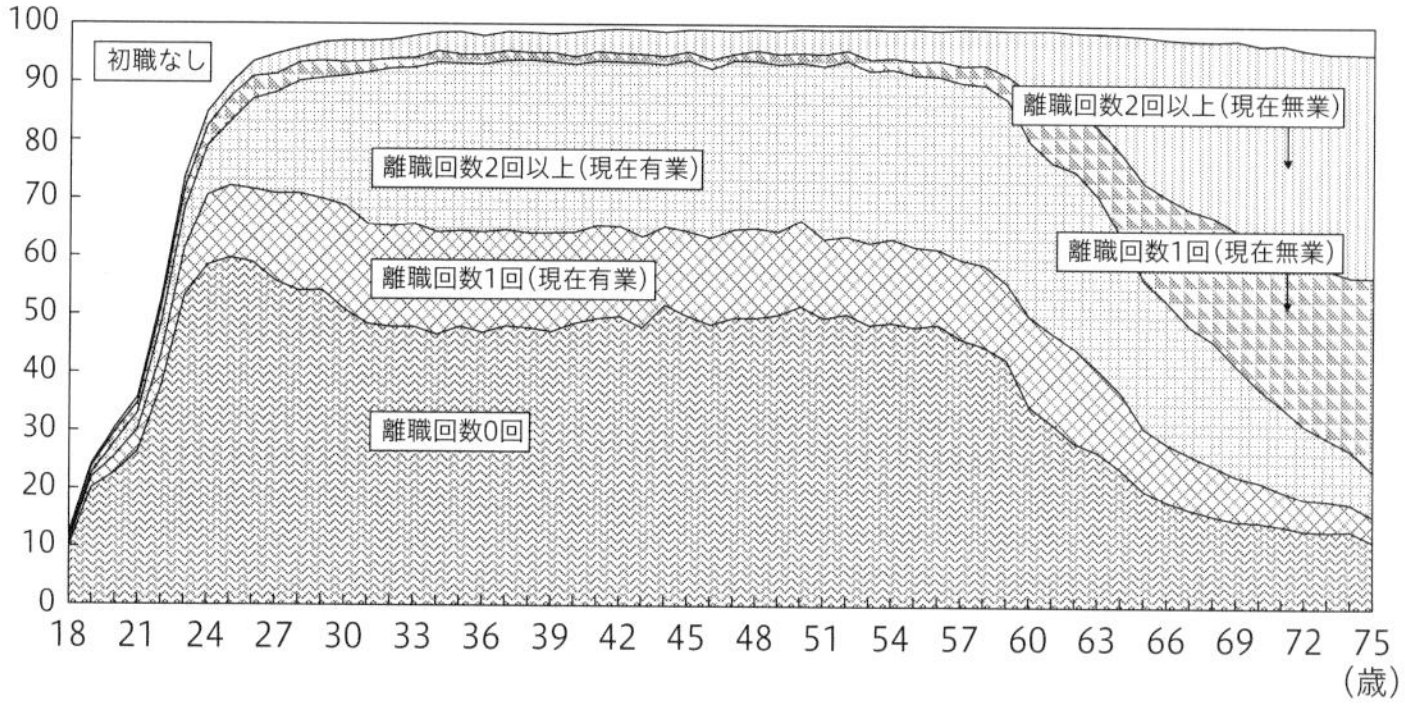


**女性**　女性では、初職から離職せずに就業し続けている者は少数派であり、
40代後半では、約4割の者が初職から2回以上転職している。

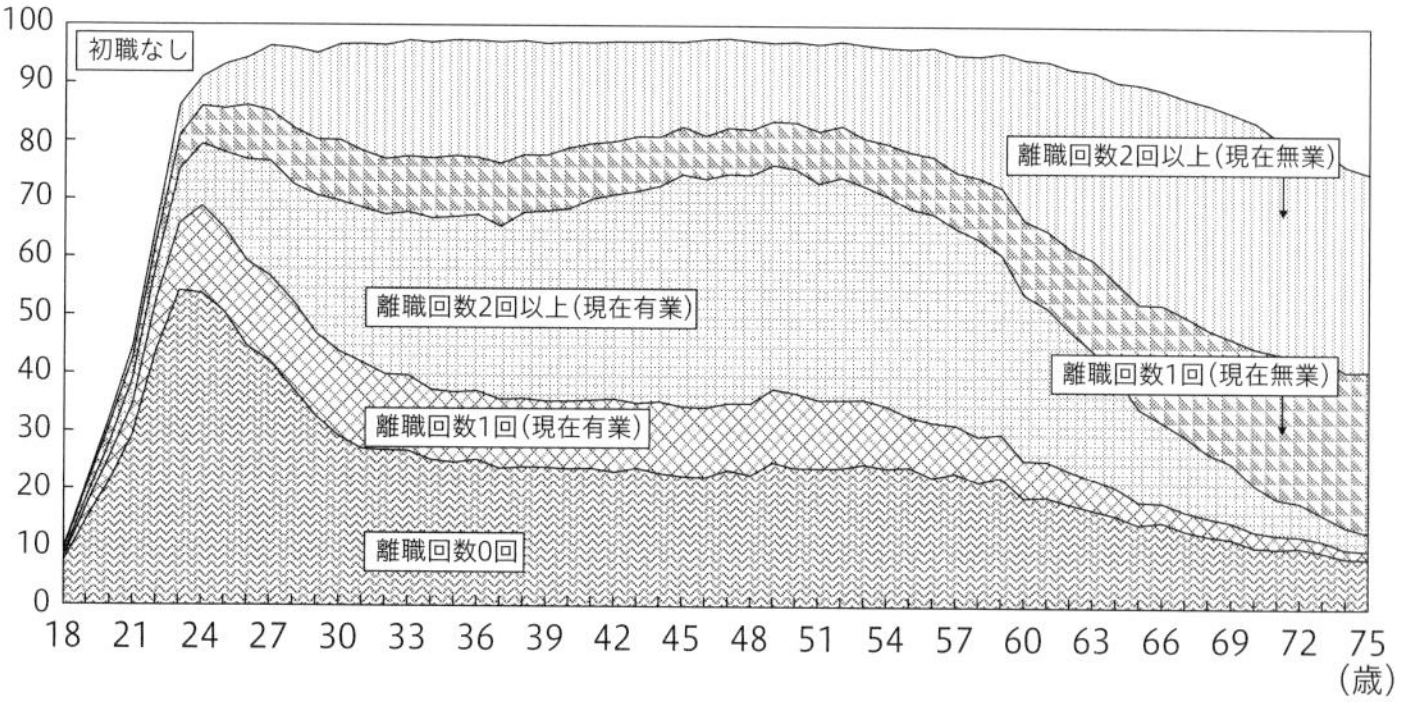


男性の約半数は、初職から定年まで一度も離職することなく過ごし、
6割以上の男性は、転職回数は多くても1回となる

（注1）現職が初職である者を「離職回数0 回」、前職が初職である者を「離職回数1 回」、その他が初職である者を「離職回数2回以上」とした。
（注2）初職の有無が不詳な者は、集計対象から除いた。
出所：厚生労働省「平成26年版 労働経済の分析」を基に作成

## 図表3-3　一つ前の勤務先から年収／月収はどのように変わりましたか

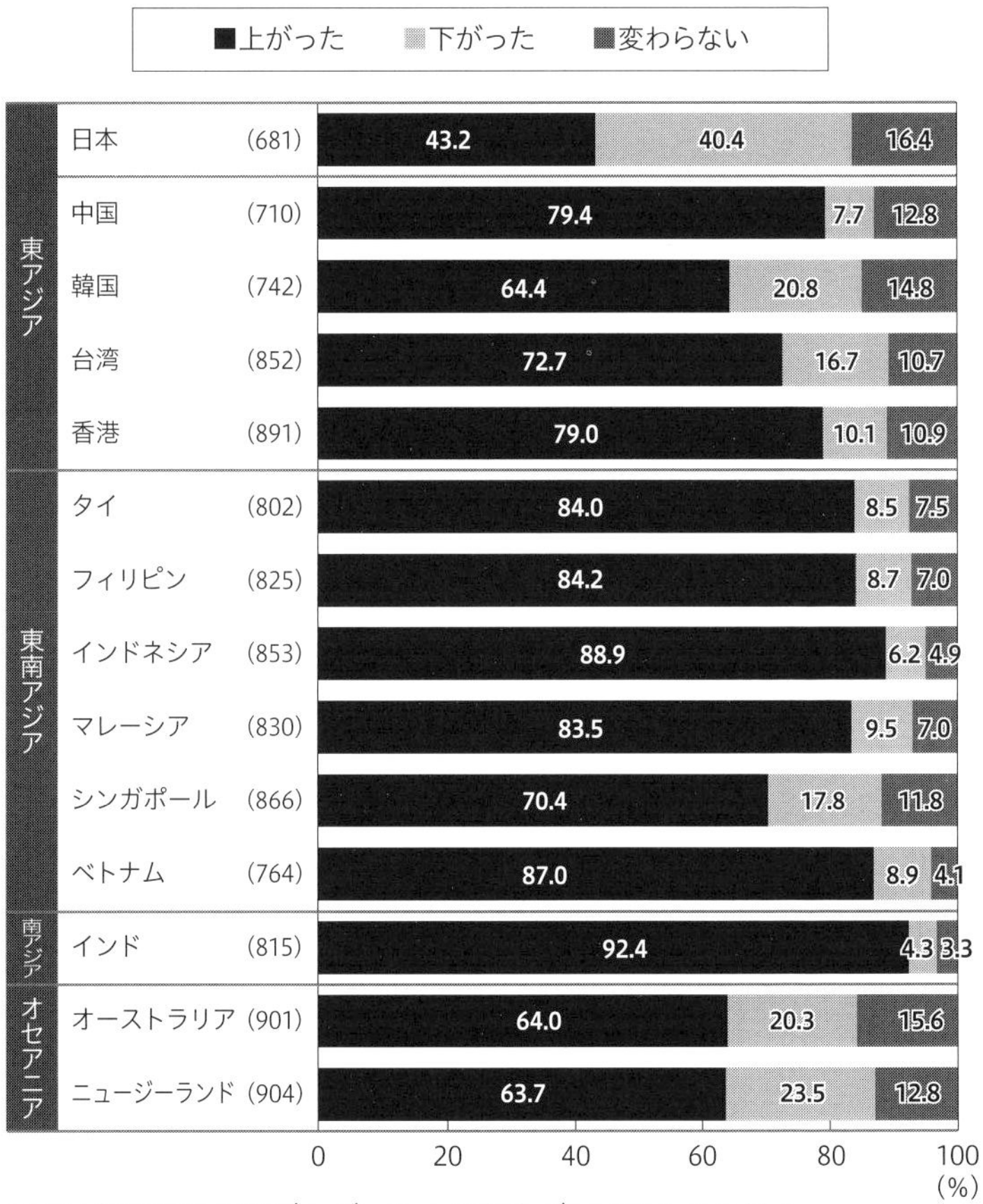


日本は転職後に年収が上がった人の割合が43.2%と最も低く、
日本以外はいずれも6割以上が上がっている。
日本は年収が下がった割合(40.4%)と変わらない割合(16.4%)の合計が、
5割を超える。

出所：パーソル総合研究所「APAC就業実態・成長意識調査(2019年)」を基に作成

セットを伴う転職となっている、実質的な定年再雇用……などが想像できます。

ここまでをまとめると、現状の日本の職場では、半数以上の人が不満を抱えているが、転職という手段を選ぶと収入が下がってしまうような現状がある、となります。

**シルビア**　日本では転職すればするほど、その人は「会社と仕事に対するコミットメントがない」というふうに見られているんじゃないかしら。私自身がこれまで様々な企業を経てきた結果、日本の転職事情についてこのように感じています。

「ジョブホッパー」という言葉もありますが、日本では転職が「根気がないから続かなかった」や「人間関係で難がありそうだ」といったイメージに繋がり、コミットメントが低い人材として評価されるということでしょう。もちろん、一部にはそういった要因がある人もいますが、前章で触れたように、しっかりとした結果を職務経歴として積み重ねていれば、そのような評価も防げるようになります。

また、働く国によって、そもそもの就職・転職に対する考え方の違いも作用しているようです。

**シルビア**　私がアメリカで働いていたとき、特に感じたのは「みんないつかは転職するだろう」という前提で入社すること。そのタイミングのために、働く人に最良の価値を発揮させるにはどうすればいいのかを、上司もチームも現実的に考えているようでした。そのほうが働く人のモチベーションにも繋がるでしょう。働く期間は短くてもいいんです。むしろ、アメリカでは「短期間で結果を出せる」というコミットメントが重視されるくらい。

**杉江**　働くことから得られる報酬って、大きく三つの種類があると思っていて。金銭的報酬、職場の仲間とのリレーションという報酬、経験によって得られるスキルや自信という報酬。この中で日本は圧倒的に二つ目の一部が重視されているのです。要するに、働くことによって「周りの人に認められ、褒められる」という報酬のこと。ただ、周りの人からの評価だけを追い掛け始めてしまうと、結局は昇進のための上司筋への擦り寄りや社内の人脈資産の形成といった志向になり、必然的に同調圧力に絡め取られてしまう。「結果を出すため」の仕事ではなくなってしまうんです。そもそも「ポジション」や「社内人脈」は、チームで仕事をうまく進めるための手段にすぎないともいえる。それらが目的化してしまうのが、日本の会社集団における最大の病理だと思います。

リクルートワークス研究所が発行している雑誌「Works」によるアメリカ、インド、中国、タイ、日本の管理職を対象にした調査で、「現在のポジションを得るために役立ったこと」への回答として、日本は人脈形成を挙げる人が最も多かったとの結果が出ています（図表3−4）。入社時の成績や資格といった明確な基準がある他の対象国と比べ、日本で「人脈」が重視されているの

## 図表3-4　現在のポジションを得るための役立ち度（%）

| | | 最終学歴 | 最終学歴の専攻 | 海外留学 | 資格・免許 | 入社時の成績 | 研修や教育訓練 | 今まで築いてきた人脈 | 支店や工場などの現場経験 | 海外勤務の経験 | 新事業・新規プロジェクトの立ち上げ経験 |
|---|---|---|---|---|---|---|---|---|---|---|---|
| アメリカ | かなり役に立った | **35.6** | **35.9** | 7.8 | 30.5 | **56.3** | 19.7 | 34.9 | 27.5 | 5.4 | 12.9 |
| | 役に立った・計 | 76.6 | 74.9 | 18.3 | 57.6 | 87.5 | 58.6 | 72.5 | 54.6 | 16.6 | 33.9 |
| インド | かなり役に立った | **70.0** | 65.2 | 43.6 | **66.8** | **71.6** | 58.4 | 55.6 | 60.4 | 45.6 | 57.6 |
| | 役に立った・計 | 97.6 | 98.4 | 75.6 | 94.8 | 99.2 | 95.2 | 93.6 | 91.2 | 75.2 | 90.4 |
| 中国 | かなり役に立った | 34.7 | 33.8 | 17.9 | **38.3** | **38.3** | 32.1 | **44.8** | 28.2 | 21.1 | 32.8 |
| | 役に立った・計 | 96.1 | 88.6 | 62.0 | 88.3 | 90.9 | 93.8 | 88.3 | 87.7 | 59.1 | 89.3 |
| タイ | かなり役に立った | **52.4** | 45.8 | 33.2 | 41.3 | 42.1 | **51.7** | 30.3 | **53.1** | 42.4 | 49.4 |
| | 役に立った・計 | 96.7 | 90.0 | 83.0 | 88.6 | 97.0 | 96.3 | 70.5 | 94.8 | 83.0 | 94.1 |
| 日本 | かなり役に立った | 7.0 | 4.4 | 3.5 | 3.7 | 2.8 | 2.6 | **18.6** | **15.2** | 4.7 | **15.2** |
| | 役に立った・計 | 58.3 | 41.7 | 11.4 | 31.0 | 21.9 | 56.9 | 75.3 | 54.3 | 14.7 | 58.5 |

※「役に立った・計」は「かなり役に立った」と「多少役に立った」の合計
※太字は、各国の選択率上位3項目
出所：リクルートワークス研究所発行「Works」（2015年2月発行）を基に作成

は、まさに病理の表れの一つともいえそうです（もっとも、最終学歴に必ずしも縛られないという事実は誇るべきことなのかもしれません）。

こうした傾向も踏まえた上で、特に若い世代が大切にするべき報酬は、３番目の「経験によって得られるスキルや自信という報酬」だと考えます。というのも、金銭上の報酬は、経験によってビジネス的な筋肉がつけば、後からついてきます。リレーション上の報酬は人脈や友情、愛着などの形でもたらされるものではありますが、同調圧力と裏腹になります。経験で得られる報酬＝ビジネス的筋肉を定義し、自分自身から進んで蓄えていくことが、明るい未来を創るためにも大切な力となるのです。

**シルビア**　私もインタビューを受けるたびに「なぜ、何度も転職したの？」と聞かれるんですね。重要な理由は、その都度、新しいことが学べるからです。新しいことが学べれば、より良い結果が生み出せるって、私は信じているんです。より良い結果を生み出せば、それは会社のためにも、自分のためにもなります。つまり、自分が出せるアウトプットをアップデートする力をつけることが、転職の意義の一つなんです。でも、ずっと同じ会社で働いている人は、その変化と真っすぐ向き合っていないんじゃないかしら。

電通を退職した理由も、まさにこの新しいことを学ぶためでした。一定の成果を出した後、「これからの自分はなぜ電通にいて、何のために毎日働くのか」という未来のイメージとゴールを考えたときに、もはやそれ以上は同じ職場では達成できないと感じたからです。今までを上回る成果が出せないと判断したことで転職に至りました。

自分はそれ以上の成果が出せない、と考えて辞めるのは、無責任どころか、逆に責任感のある人の特性だと思います。私は最初の5年間、日本の同じ会社にいて、行き詰まりを感じたことがあったんです。それでは自分のためにも会社のためにも良くない。新しい成果を出すためには、新しい刺激がないと無理かもしれないと考えて、渡米することに決めたんです。もし、毎日同じことをして、似たような成果を出す人でいっぱいになれば、その会社は成長できないでしょうから。

**杉江**　若者にも変化が必要なのかもしれないけれど、まず上の世代こそ変わらないと。まず、飲み会のネタから変えなきゃダメですよ。「自分の同期が昇進した」とか、「次に部長になるのはアイツらしい」とか、内輪の話ばかりしている……。もっと建設的な未来の話をしたり、飲み会をする相手を変えたりしない限りは、飲み会で過ごす3時間が人生にインパクトをまったく与えない。必ずしも転職だけが選択肢ではないけれど、周りの人と比べての成功や失敗を自分の尺度にするのはやめましょう。大切なのは「今から先、あなたが何を実現したいか」です。今の若い世代は真剣に仕事をしに来ているから、せっかくの飲み会で話すなら、きっとそういう実のある話を求めているんだろうし。世の中の構造上、ヒエラルキーの上位を担いがちな世代が変わらない限り、同調圧力は続くわけですから、つまらない飲み会から軽やかに離れていく若者こそを評価すべきでは、と思います。

## 機会をつくるのはリーダーの責務

これ以上同じ職場で働いていても力量に見合った成果を出せないと感じる。そして、新しい刺激を求めて転職をする。こういった選択肢は、働き手として選ぶ道の一つです。

しかし、「同じ会社にいても、新しい刺激を得て、より高い成果を出せると思える」という環境があれば、今の道を歩み続けることを選ぶのも可能なはずです。

このような環境をつくることこそが、リーダーの責務の一つといえます。

**杉江**　これは日本の会社の足りないところなのですが、アメリカでもヨーロッパでも、雇うときの前提として、人を採用したら、その人に対して成長できる機会を提供したり、その人を楽しませたりするのは会社の役割だと思っているよね。日本のリーダーたちはワクワクする仕事、刺激のある仕事、成長できる仕事を提供するのが自分の仕事だと思えていますかね？　世の中の社長に訴えたい。雇用を守るのが社長の仕事じゃないんです。もっともっと人材を楽しい仕事に振り向ける、やりがいのある仕事に振り向ける、成長できる仕事に振り向けるべきです。日本人の経営者はよく言うんです。「雇用は聖域だ」とか、「社員は守るものだ」って。僕は違うと思っていて。「守るものじゃなくて、育つ機会を与えるものなんだよ」、と。

**シルビア**　そうですね。社長とすべての管理職の責任でもあると思います。チームメンバーにやりがいのある仕事が本当につくれるか。

**杉江**　だから、もし自分よりもうまくその人の良さを活かせる場所、活かせる経営者がいるなら、快く送り出してあげたらいいと思うんですよ。

送り出すことは、部下だけの話にとどまりません。リーダー自らにもその選択を常に突きつけることで、会社の継続的な成長が実現できるのです。

**シルビア**　管理職が部下にやりがいのある仕事をつくるだけでなく、それでももし自分よりも成長できたとしたら、今度は自分が「さよなら」を言うことも考えないとね。管理職や社長が自分より良い人材を入れることを恐れてはいけない。それで自分も共に成長できたらいいし、仮に成長できなかったとしたら、責任を取って会社を去る。こうすると会社全体の底上げにもなりますからね。

パーソル総合研究所の調べでは、現在日本で非管理職として働く人の中で管理職志向がある人の割合は21・4％にとどまり、調査対象国である14の国・地域で最下位となりました（図表3－5）。調査レポートには「出世意欲が最も低い」とも書かれていますが、ここで思い出すのは、第2章で触れましたが現在の高校生たちの多くがリーダーになりたいという意欲を持っているということです（図表2－1参照）。つまり、会社に入って仕事をするうちに自分の目の前にいる管理職という存在をロールモデル化したときに、その意欲が萎えてしまうということなのかもしれません。

若者世代がリーダーになりたいという意欲を失わず、それを自社が成長する燃料として活用できるか否かを、大人たち世代も問われているという構図が見えてくるようです。

**杉江**　家族と会社は明らかに違うんです。自分の生みの親はどうやったって変えられないけれど、会社というのは意思を持って集う仲間であって、いろんな人がいていい。自分を最も活かしてくれる会社という仲間とお付き合いすべきだと思うし、ズレたり間違ったりしたら場を変えればいい。いつまでも同じ場所が自分にとって最も成長できる機会、貢献できる機会だとは限らない。一人一人が今最も輝ける場所を選べばいいんです。間違っても、「目の前にいる人たちに迷惑を

## 図表3-5　管理職志向・出世意欲について

あなたは、現在の会社で管理職になりたいと感じますか。(5段階尺度)

※スコアは、「そう思う」「ややそう思う」の合算値

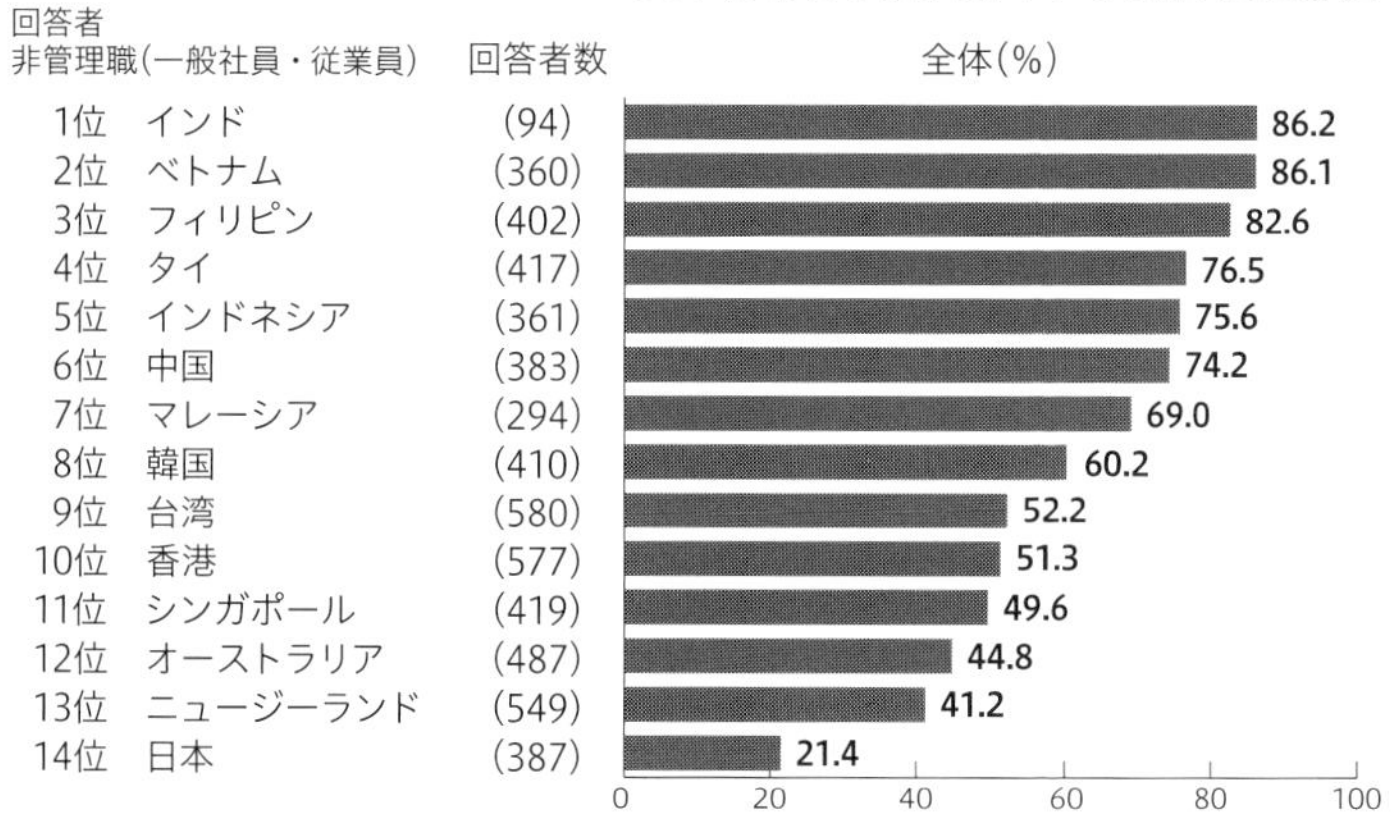


あなたは、出世したいと思いますか。(5段階尺度)　※スコアは5段階尺度の平均値

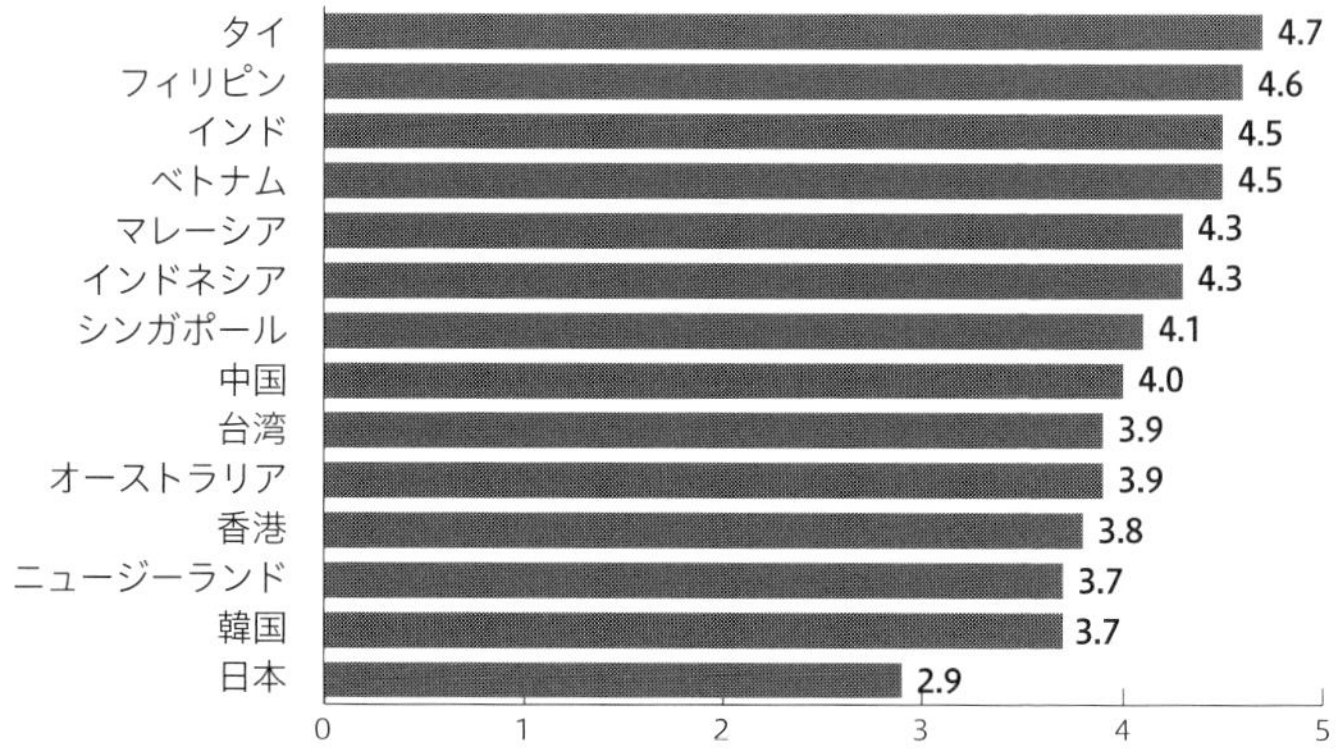


日本は管理職になりたい人の割合が21.4%で、14の国・地域で最も低かった。
逆に言えば、日本では積極的な管理職志向がない人は78.6%にも上る。
日本は出世意欲も最も低い。

出所：パーソル総合研究所「APAC就業実態・成長意識調査(2019年)」を基に作成

かけてしまう」なんて考えなくていい。あなたの人生を周りの人が一生面倒見てくれると思った途端に、同調圧力に絡め取られてしまうから。「みんな仲間を大事にして支えあいながら頑張りましょう」といって、少しも動かない労働制度や慣習に染まらないでほしい。

**シルビア**　そうですよね。「入ったら、辞められない、辞めさせられない」っていうのは、私が好きな映画の『ゴッドファーザー』だけでいい（笑）。あれはマフィアのファミリーの話ですけど。

## 急成長するスタートアップで働く期待値

リーダーや管理職の責務は「部下にやりがいのある仕事をつくる」ということにある。その考えを徹底し、Paidy でも当然実践しています。大切なのは、やりがいのある仕事をつくり、それに対してオーナーシップを持たせることです。

オーナーシップを持たせることでメンバーの自信や責任感も養われます。もし失敗したとしても、最後の責任は管理職が持つという気持ちですが、まずは失敗をメンバーが体験することで、それは成長機会に変わっていくのです。

**杉江**　面接でも尋ねている「本人の成長意欲のあるところ」と「Paidy が与えられる仕事のオポチュニティ（機会）」が一致しているかどうかっていうことがすごく大事なことだと思うんです

よ。それが一致していないと、仮にPaidyが会社として好きであっても、望む仕事ができないようであれば、不満足に繋がりますから。もちろん時間とともに変わっていく可能性もあるし、1年目には価値が発揮できるけれども、年数を経て会社の期待値も変わったり、本人のやりたいことも変わったりするから、その時点でお互いが問題意識を持って話をすべき。その人が「何が好きで、何が得意で、何をもっとできるようになりたいか」といった内容を管理職が理解し、それらと今の会社の環境が合っているかを定期的にチェックすることです。そして、その人は他の会社のほうが輝けるということであれば、送り出すことも必要です。

**シルビア**　会社が本当に猛スピードで変わっちゃうから、それによって期待値も変わる。具体例だと、私が入社したときにはマーケティングのチームは6人いたのですが、1人を除いて辞めてもらったという経緯がありました。私や会社の期待値の変化と、その人たちのスキルが追い付いてこなかったからです。というと、「あぁ、なんて冷たい企業なんだ！」って思うかもしれませんけど、本人たちの成長を願ってこそのことです。言い換えれば、現状のスキルに合った別の仕事をすることで、その人たちは自分の適性を確認しながらスキルアップできる機会を得られるのです。なお、その後には、より今のPaidyとのフィットがよく、成長できそうな人材をチームに加えることで生産性も劇的に上がり、チームとしての質も大きく上がりました。これは短期間で期待値が大きく変わったからこそ、チームも変えざるを得なくなった例ですね。

Paidyのように1年間で業績が2倍になるような急成長企業の場合、こういった会話は頻繁に必要になります。なぜなら、去年の会社と今年の会社がまったく違う状態だからです。求めるもの、求められるものの水準も変わります。3年前までエースだといわれた人が現在では平均的、というようなことも、よく起きることの一つです。ただ、それだけ会社としての変化が大きいため、成長機会に富むといえるかもしれません。急成長をするスタートアップで働くことへの期待の一つといえるでしょう。

日本は長らく「成長後進国」にとどまってきました。世界の変化に対応しきれていない国、古い慣習から脱しきれていない組織ともいえるでしょうか。こうした状況においては、働く人の課題に気付きにくく、求められるものも変わりにくい。本人の人間としての成長も遅くなっていくという負のスパイラルが起こりがちです。会社としての「在り方」はそのままであっても、変わらなければいけない部分は認め、変化を促していく。そうしなければ、メンバーに新しい刺激がなくなり、社員が同質化し、会社の成長も止まってしまうのです。

**杉江**　Paidyでは「あえて捨てる」という選択をすることがあるよね。言い換えると「新しい自分を試す」ってこと。2倍、3倍と毎年成長していく会社ですら、それを意識してやらなきゃいけないのだから、大きな会社であればあるほどもっと意識しないと。どんどんファミリー化して「ゴッドファーザー」が生まれていく悪循環になるのは、気を付けたほうがいいと思うんですね。

Paidyが自ら選び取った大きな変化で象徴的だったのは、ファウンダー（創業者）であるCTO（Chief Technology Officer：最高技術責任者）が自ら辞めたときのことです。彼は、Paidyのテクノロジーのすべてを知っていて、すべてを一人でできた人でした。しかしそうなると、CTOはすべての技術に対してプロフェッショナルでなくてはならず、またコマンド&コントロールですべてを自分でなすべき状況ともいえるので、存在がボトルネックにもなってしまいます。全体がうまく回っているときなら良いのですが、やがてそのボトルネックが課題となって事業のスケーリングが遅くなることがありました。

そこで、現在のCTOを迎え入れる話が浮かんだのですが、この発案は、ボトルネックになってしまっていた前CTOが自ら言いだしたことでした。

「俺が居続けたらPaidyはスケールしない。ずっと『子どものサッカー』をやり続けることになる。もっともっと、まずは役割分担を明確にしなきゃいけないし、事業戦略に即したアジャイルな組織にならなきゃいけないんだ」

Paidyの変遷を見てきたCTOだからこそ、彼はそう考えたのでしょう。結果として前CTOは降り、新しいCTOが就任した。しばらく2人は伴走していき、前CTOはその後、最適なタイミングでPaidyを離れることになりました。

**杉江**　これと同じようなことが、あらゆるレベルで起きている感じだよね。僕がPaidyに加わることになったのも同じような流れだし。ファウンダーたち自身が「もっとスケールするためにチームと自分たち自身を最適化していこう」っていうメンタリティを持っているから。

**シルビア**　やっぱりそうやって自分も責任を持ってアクションを取らないと、基本的に自分のためにも会社のためにもならないですよね。それって本当に勇気が必要なことだけれど。でも、成長をして、何をどこまでめざしているか、という目標に立ち返れば当然の話にはなるんですけれど。

## 働くことの意味を問う

変わっていくことを厭《いと》いがち、同質化が進みがちな日本企業は、将来的に変わっていけるのでしょうか。あるいは、そこで働くという選択をする人は、常に何を意識すべきなのか——。若者世代が「本気で仕事をしに来ている」ということと自らの成長機会を求めていくことは、状況をポジティブに変える必然の流れともいえるのかもしれません。

2021年に新卒大学生向けの就活情報サイト「就活の教科書」を運営するSynergy Careerがアンケート調査をしたところ、新型コロナウイルス感染症の流行後、大学生の中では会社に求めるものに変化が起きていたことが明らかになりました（図表3－6）。

新型コロナウイルス感染症の流行前から「興味のある分野で仕事をすること」がトップであることには変わりませんが、流行後は「成長できる環境」「ワークライフバランスが実現しやすいこと」「長期にわたる安定した雇用機会があること」などが台頭してきたのです。

他にも、i-plugが大学生・大学院生の就職活動に対する意識の実態把握を目的に、2020年2月に実施した就活生の「企業の魅力と働き方」に関する意識調査でも、魅力を感じる企業の特徴に「成長できる環境がある」を挙げる学生も多くいました（図表3－7）。

こういったデータは他にもありますが、入社動機の大部分を自身の成長に求める声が高まってきた中で、「働くことの意味」を一度考えてみるのも良いでしょう。

**杉江**　自分に関して言えば、僕が働く意味は単純で、「自分が今日より明日、違う人間になる」ためのインプットかな。成長し続けていたいのです。刺激を得ることとの最終的な目的は、自分自身を変えること。進化させること。

**シルビア**　私は日々、新しい刺激が欲しいから。それを能動的に取りにいきたい。それによって日々が楽しいですし、課題があればあるほど、やりがいを感じられます。解決できたら満足感もありますし。周りもより良くなって、みんなが楽しくなればいいですよね。そうすれば日々成長できるんです。

**杉江**　今は、自分の娘たちに「成長意欲を見せたい」っていうのも少しあるな。「お父さんだって

## 図表3-6　新型コロナウイルス流行前と流行後に会社に求めることは何でしたか？

### 新型コロナウイルス流行前に会社に求めることは何でしたか？

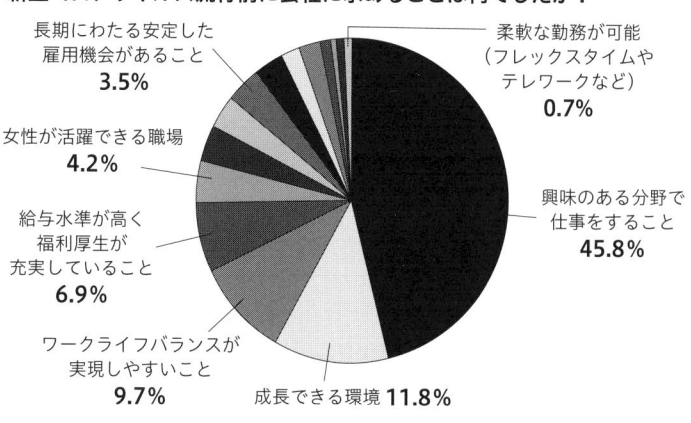

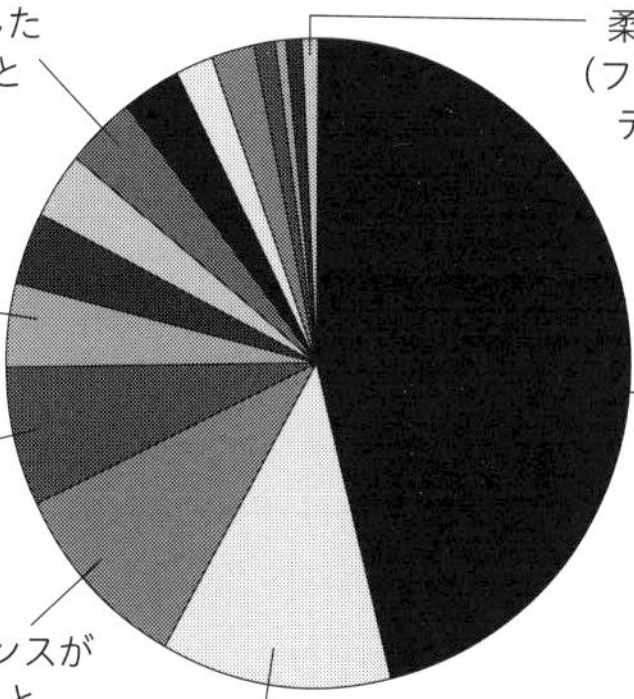


### 新型コロナウイルス流行後に会社に求めることは何ですか？

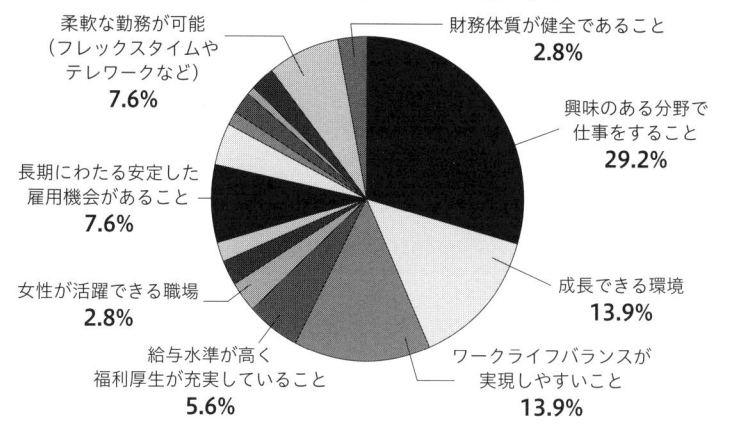

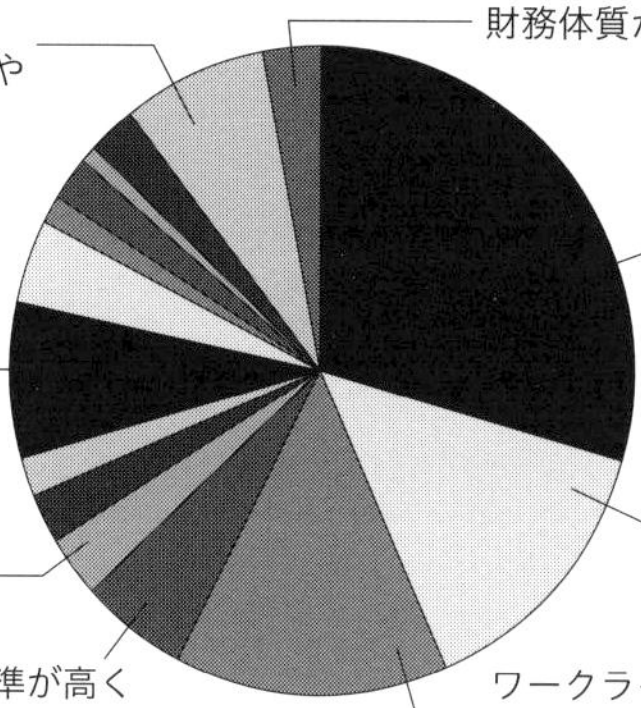


流行後：「興味のある分野で仕事をすること」が16.6%減少し、「ワークライフバランスが実現しやすいこと」「成長できる環境」が上位を占めるようになった

出典：「就活の教科書」を運営するSynergy Careerによるアンケート調査（2021年）

**図表3-7　魅力を感じる企業の特徴**

| どのような企業に魅力を感じるか | 男性 | 女性 | その他 |
|---|---|---|---|
| 回答数 | 2,156 | 2,037 | 6 |
| 社内の雰囲気が良い | 68.7% | 82.9% | 83.3% |
| 成長できる環境がある | 55.2% | 45.1% | 83.3% |
| 給与、待遇が良い | 46.3% | 37.7% | 33.3% |
| 完全週休2日制 | 28.2% | 33.9% | 66.7% |
| 将来性がある | 27.6% | 30.8% | 66.7% |
| やりがいがある | 25.4% | 26.3% | 0.0% |
| 理念やビジョンに共感できる | 28.0% | 21.6% | 33.3% |
| 教育・研修に力を入れている | 19.3% | 14.2% | 33.3% |
| 安定した事業を続けている | 17.7% | 15.8% | 0.0% |
| 新しいことにチャレンジしている | 2.8% | 27.6% | 0.0% |
| 年齢に関係なく実力で昇進のチャンスがある | 14.1% | 13.7% | 33.3% |
| 知名度がある | 13.5% | 7.9% | 0.0% |
| 産休育休後の復帰率が高い | 8.1% | 4.8% | 0.0% |
| 海外で働けるチャンスがある | 50.4% | 46.6% | 50.0% |
| 高い技術力を持っている | 42.7% | 51.1% | 33.3% |
| 経営陣に魅力がある | 31.6% | 38.2% | 66.7% |
| その他 | 0.9% | 0.9% | 0.0% |

第1位は「社内の雰囲気が良い」ことで女性は男性よりも関心が高い。男性は、女性よりも「成長できる環境ある」「給与、待遇が良い」ことに関心が高い。

出所：i-plugの【2021年卒版】就活生の「企業の魅力と働き方」に関する意識調査アンケート（2020年2月）を基に作成

この年になっても成長を楽しめるんだから、あなたたちもね！」っていうメッセージは、だんだんと出したくなるもので。そんなふうに「これからの人たち」に目が行くようになってきた。僕はスタートアップの経営者に向けて『スタートアップ・マネジメント』という翻訳書を刊行したのですが、それも自分の歩みから学んできたことの記録を残しておくことで、それを読む数時間で、僕らの苦闘を軽やかに乗り越えていってくれるならいいなと思ったから。次の世代へのバトンタッチは考えるね。

次の世代へのバトンタッチを考えるように、社会に対しての「還元」というのも、働く意味としては大きな理由になり得るのです。

**杉江**　例えば、データとしても、女性管理職の割合は日本ではまだまだ低いまま（図表3－8）。CMOという立場で奮闘するシルビアは、まさにそうしたバトンタッチを実践する当事者の一人です。

**シルビア**　私は「女性であること」と、それから歴史的にハンディキャップを抱えたハンガリーという国の出身者として、何に対しても「不可能なことはないよ」って自分で示したいんです。今、私は旧車のエンジンにハマっていて、お世話になっているメカニックさんがついつい「シルビアは女性だから、できっこないって」みたいな発言や態度をすることがあって。そんなときも

## 図表3-8　就業者及び管理的職業従事者に占める女性の割合

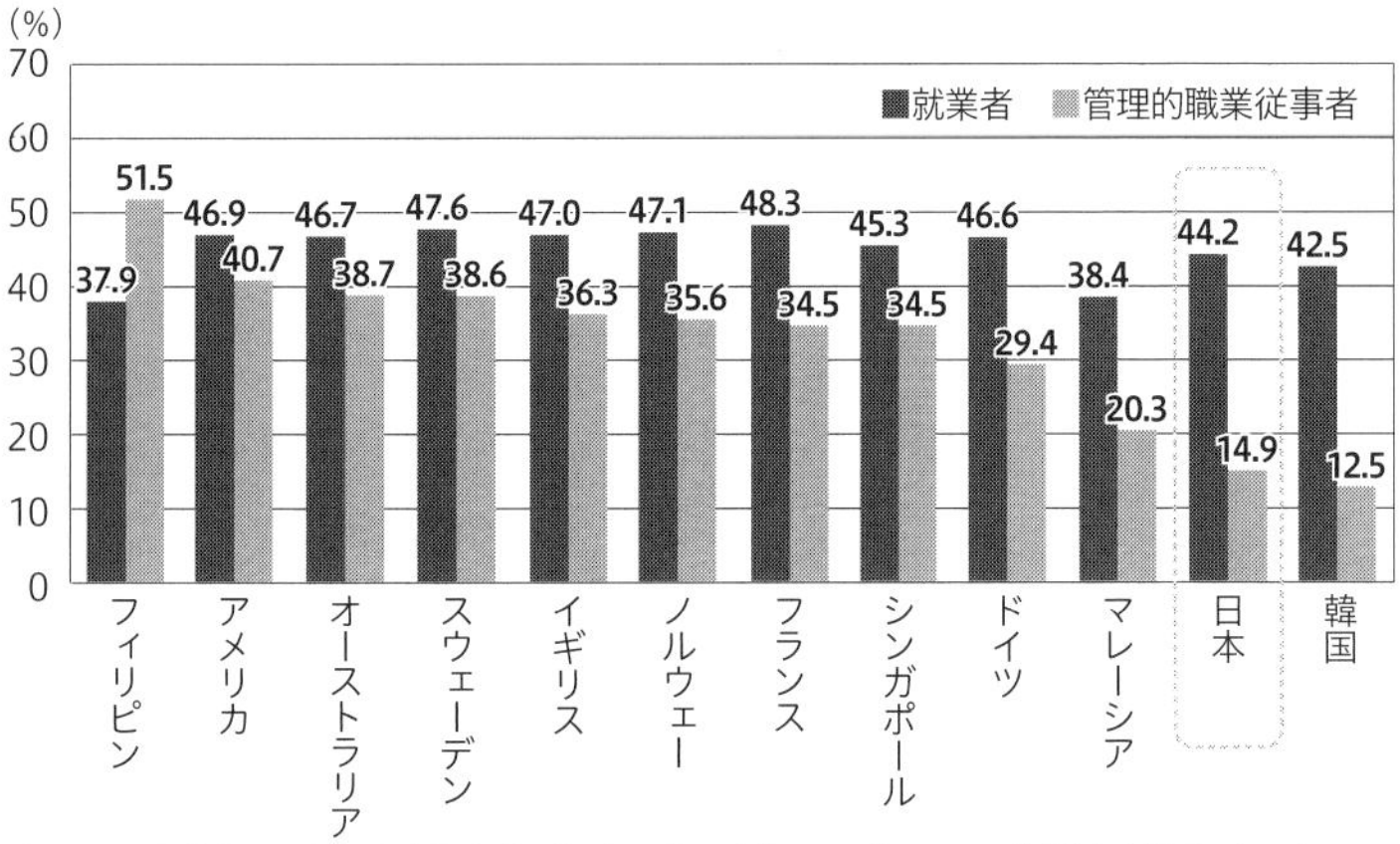


出所：総務省「労働力調査（基本集計）」（平成30年）、その他の国は労働統計総合データベースILOSTATを基に作成

闘争心が湧いて、技術者向けのテキストで勉強しちゃったりもしますね（笑）。これは子どものときからの気質で、仕事面で特に強く出てきます。ただ、まだまだハンガリーのために貢献できていないと思うから、その罪悪感とは格闘中。

自分の成長を楽しむのはもちろんのこと、自分が成長することによって、周りや社会も良くなっていく。これが「働くことの意義」の根幹にあるのです。

## 「成長」とは何か？

ここまで見てきたように「働くこと」と「成長すること」は、とても近い性質を持っており、互いに作用し合う関係にあるといえます。

では、成長とは何でしょうか？

植物が種から芽を出し花開く、というイメージを持つ人もいるかもしれません。確かにあの一連の営みも成長と呼びますが、それが人間にとってそのまま当てはまるかといえば、難しいでしょう。人間は社会的な生き物として、常に他者との関わりを持っています。その場で咲くことを宿命付けられた植物とは似て非なるところがあるのです。

自ら成長を定義することも、最高に明るい未来を創るためには必要な観点です。

**杉江**　僕が常に意識しているのは「生まれ持った才能は何か」です。自分の才能を見つけ出すためには、何かしら新しい摂動を受けるために動かないと、自分の良い面や悪い面がはっきり見えてこない。成長って、自分が生まれ持った才能を発見する作業と、それを発見した後で発揮する作業が含まれているんだよね。もう一つは「足りないもの」を人から助けてもらうにはどうするか。これは年齢を重ねることでより強くなる傾向だと思います。

結果的に、才能っていうのは世の中に返すもの。聖書に「タラントンの教え」って話があって、ご主人がお金を預けて旅に出てしまった後で、「お金を埋めてしまった人」と「お金を上手に使った人」が出てきます。このお金をタラントンと呼び、今の「タレント」という言葉に繋がっているんですが、「授かったものをどう使うか」というのが、まさに成長なんじゃないかな。

**シルビア**　「今まで発見できなかった課題が見える」というのも成長の大事な種。それを解決したり、改善したりするために頑張れますからね。

私はずっと居合道にいそしんできたのですが、基本的に「道」が付くものって終わりがないとされています。つまり、ずっと成長し続ける。居合道なら12本の「制定居合」と呼ばれる型があるのですが、それを完璧にこなすのが一生の仕事の一つなんです。そのために日々鏡の前で稽古をしても、気付くことが毎日のように違う。同じ型の動きをしていても、です。だから「気付いていないことに気付ける」というのは、成長の種なんですよ。賢く気付いて、能動的に行動できれば、成長は続けられますよ。

**杉江**　アメリカの大リーグで活躍しているダルビッシュ選手に関する記事で、こんな言葉に出合いました。彼が好投した後に交代したリリーフのピッチャーが打たれてしまって、ダルビッシュさんの勝利投手の権利が消えてしまったことを試合後に謝られたそうなんです。ダルビッシュさんは「今年何回助けてくれたと思ってるの？　だから気にしないで！　何より最後は勝ったからいいじゃん！」って言葉を返したそうです。自分が勝利投手でゲームを終えるためには、後の投手に助けてもらう必要がある。これを知るのも、すごく大事な成長だと思う。

世の中には、いろんな得意技の持ち主がいて、一人一人は何らかの「タラントン」を持っている。それを見つけ出すこと、あるいは自分が見いだすこと、そしてそれを活かすこと、足らない部分を知り助けに感謝することのすべてが「成長」でいいのかなって。

この一人一人が持つタラントンに気付くためには、外部からの視線が生きてきます。その一つとして機能するのが「他者を褒める文化」。その人の良いところがクローズアップされて浮き出て、本人が自分の利点を活かそうとする意識が芽生えます。さらに、足りない部分も理解でき、他人の力を借りようと努力することもできる。

つまり、他者から褒められることによって、自分のことをより知ることができるわけです。

**シルビア**　誰かが褒めてあげないと、自分では「成長できた！」ってなかなかわからないじゃないですか。あと、言葉にするだけがすべてでもなくて、居合道の先生は、特に口に出して褒めたりはしません。でも、ある時に次の技の動きを教えてくれるようになったら、「もしかして自分が次のレベルに進めたかもしれない」という気持ちになれる。そういうスタイルも「他者を褒める文化」の一つです。何にせよインプットがないとね。

## 会社の選択なんてどうでもいい！

ここまで「働く意義」について深掘りをしてきた中で、すでに気付かれた方もいるかもしれませんが、そもそも「どの会社で働くか」という選択は、この議題には本質的には含まれないということです。「就職する会社によってすべてが片付く」と考えるのではなく、「なりたい大人に近づくためのステップ」として会社を選ぶ。まずは目的とする自分像を実現するために、今の自分をいかに磨くかが大事なのだといえます。

**シルビア**　イギリスに“nanny state”、訳すと「子守国家」という言葉があります。政府が個人の生活や意志に対して過保護なことを揶揄する言葉です。日本はnanny stateの側面があるなと思うんです。「なりたい自分」とか「やりたい仕事」なんて、やっぱり自分で探さなきゃ。自分自身で人生をデザインする気持ちが大切ですよね。

**杉江**　これまでの大人は、大学生までの「努力の貯金」で、就職したら最後まで過ごせると思っていた。だから、同調圧力にも屈しなければならなかったし、とにかくみんなで仲良くすることを重んじてきた。けれども今の若い世代は、そういう見方はしていないんですよね。就職するときに「何を学べるか」で選ぶのもその表れ。とにかく「やりたいことを止めないこと」が大事で、目的に向かって真っすぐ飛び込んでいく「子ども」をお手本にしたいよね。

これまでは「会社に入ること」は、自分をデザインせずとも幸せになれる方法だったかもしれませんが、現在は必ずしもそうとはいえなくなっています。生活にも仕事にも、いろんな歪みが生じている日本においては、特に自分自身の幸せや働き方も含めてデザインし、それに近づくための方法を考えて実践することこそが、実現の道筋になっています。そのプロセスやゴールは誰も教えてはくれないのです。

**杉江**　人間は1年間に8760時間を持っていて、その中で働く時間なんて2000時間ほどしかないのだから、残りの6000時間のほうを大事にするのは、自然な考え方だと思う。僕もコロナ禍で在宅勤務をしていて、いきなり雨がどしゃ降りになれば、娘を最寄りの駅まで車で迎えに行くこともできることに幸せを感じることだってあります。そんなふうに6000時間を意識するのは、僕らより若い世代のほうがずっとわかっている気もしていて。

日本における幸せ自体の変容がコロナ禍によってドライブされたと思うし、日本に住んでいる若者たちは、もっと成熟した捉え方をしていくんでしょうね。

**シルビア**　これまでは「会社で昇進する」とか「収入が上がる」とかいったことが、測りやすい指標として「幸福」と結び付けられてきた。一方、「丁寧に生活する」「趣味を楽しむ」「副業をしたりフリーランスとして働く」というのは、個人によって体感が違うから測りにくい。でも、そういうふうに幸福度の水準も変わってきているのかなって。

私たちの世代以上の人たちは、社会的に認められる前者で「幸せ」や「満足」を判断したけど、今の若い人たちはそれぞれの判断基準がある。それを私たち世代もわかっていないとダメですね。

**杉江**　僕らの世代は「毎日同じ苦行に耐えていくとスキルが身に付く」っていうある意味での徒弟

制度が通用した時代なんです。「苦しくても3年は頑張れ」とかね。でも、今はそうじゃない。そういった同調圧力を強いる昭和モデルは軽やかに乗り越えていかなきゃ。

お金の流れ、幸せの捉え方、時間の使い方……あらゆることに自由度が増してきた現在だからこそ、かつて主流だった「サラリーマンマインド」を手放していく。そこに台頭するのは、自分自身で人生のイニシアチブを取る姿勢です。

そして、大人たちは、自分たちが生きてきたモデルを当てはめて若者世代を判断しないことも、同時に求められるべきことだといえます。

**杉江**　一人一人が自分の幸せを見つけるっていうのは「自分らしさをデザインしていくこと」だと思うんですよね。それが人生の4分の1の時間を使う仕事にも適用されるべき。好きじゃないこと、つまらないことがあったら、軽やかに場を変えていくしかない。自分で自分の人生を決めていける若者世代は、これからいくらでも素晴らしい形を描けるはずだから。

第4章

# 日本の産業と国際競争力

## 未来への投資が日本を強くする

ここまでの章では、日本の教育、就活、雇用について見てきました。世界各国の状況からすると、変化を拒み、他者評価を基準にする傾向が強い国「日本」という一面が見えてきたかと思います。では、これから日本という国をベースに働くことを選ぶとするならば、明るい話題はまったくないのでしょうか。

日本財団が発表した「18歳意識調査」の第20回テーマ「社会や国に対する意識調査」において、自分の国の将来について、中国、インド、ベトナム、インドネシアでは「良くなる」と回答した人が過半数を占める中、日本は全体の1割にも満たない9・6％だけが「良くなる」と答えています（図表4－1）。これは調査対象国9カ国の中で最も低い数字です。一方、「悪くなる」と回答したのは37・9％で、イギリス（43・4％）に次いで高い数値になっています。

このまま、日本は希望のない国になってしまうのでしょうか――。

いえ、そんなことはありません。これは最後の章にも繋がってきますが、それでも「日本はまだ戦える」という考えを、私たちは持っています。日本の未来を支える若者世代の奮起、そして

## 図表4-1　自分の国の将来についてどう思っていますか（選択回答）

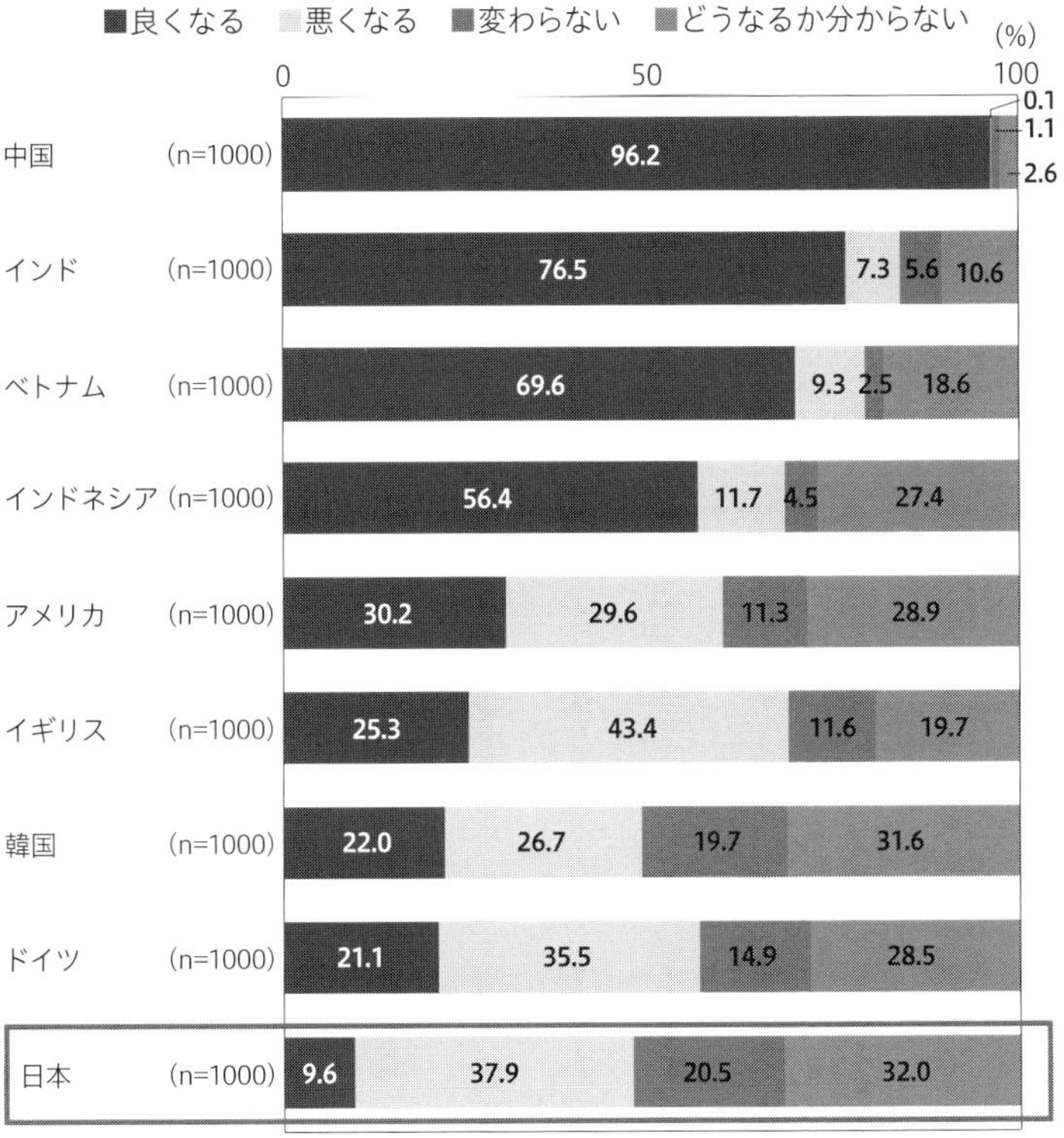


※「良くなる」スコアが高い順

**自分の国について、「良くなる」と回答した人が過半数を占めたのは、**

**「中国」「インド」「ベトナム」「インドネシア」。**

**特に「中国」は96.2%と、ほとんどの人が「良くなる」と回答。**

・「日本」は「良くなる」が9.6%で9カ国中最下位。
「悪くなる」のスコアは高く、イギリスに次いで2位。

「変わらない」20.5%、「どうなるか分からない」32.0%がそれぞれ9カ国中最多で、国の将来に対する展望を持てない人の割合が多い。

出所：日本財団「18歳意識調査」第20回テーマ「社会や国に対する意識調査」を基に作成

先行する大人世代の変化によって、日本には新しい世紀に向かっていける可能性が十分に残されているのです。

ビジネス環境においては、日本はかなりの部分でユニークさを有し、産業領域によっては圧倒的な世界シェアを誇る企業もあり、日々進歩を重ねる技術分野もあります。

この第4章では、日本がビジネスというフィールドでいかに世界と渡り合うのか、またそこから日本が今後も成長し、働く私たちが仕事を通じて成長していけるのかなどについて考えてみます。

まずは、日本が置かれている立ち位置についてデータを見ていきましょう。

経済成長と国際競争力について確認してみると、内閣官房が実質GDPや1人当たり名目GDPの推移をまとめています（図表4－2）。急伸長する中国はさておいても、日本は海外諸国、また近隣諸国と比べても横ばいの状態が続いています。言い換えると、周りの成長速度に置いていかれているような格好ともいえるでしょうか。

各種GDPだけでなく、日本企業の競争力についても見てみると、株式時価総額ランキングトップ30においては、蚊帳の外という印象です（図表4－3）。上位の多くをアメリカ、欧州、中国が占める中で、日本はトヨタ自動車が36位という状況です。このランキングだけを見るならば、「世界的競争環境からは脱落しつつある」と結論づけられます。

## 図表4-2　実質GDPの推移（1995年の実質GDPを100とした場合）

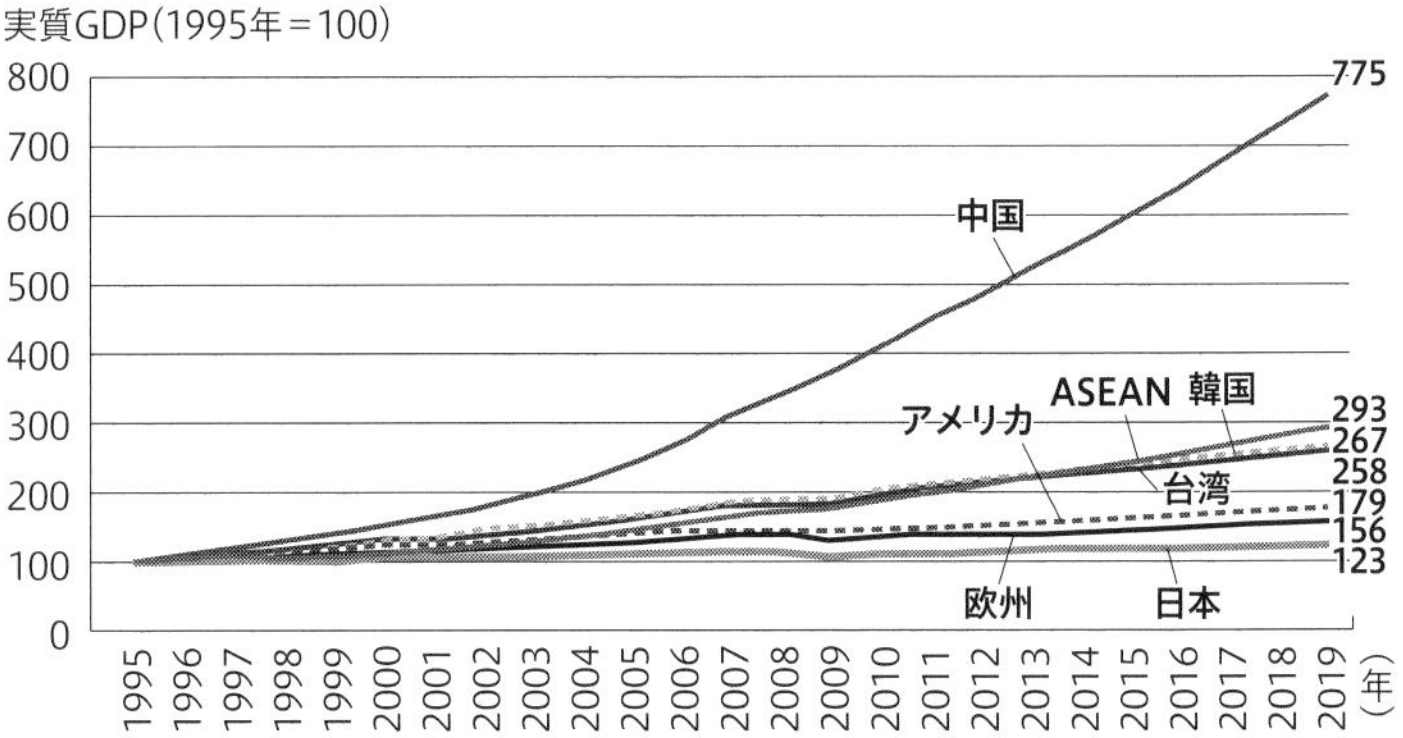


1995年～2019年にかけて、中国のGDPは7.8倍、ASEANは2.9倍、韓国は2.7倍、台湾は2.6倍。一方、日本のGDPはわずか1.2倍にとどまり、成長するアジアの中で、独り低迷している。

### 1人当たり名目GDPの推移

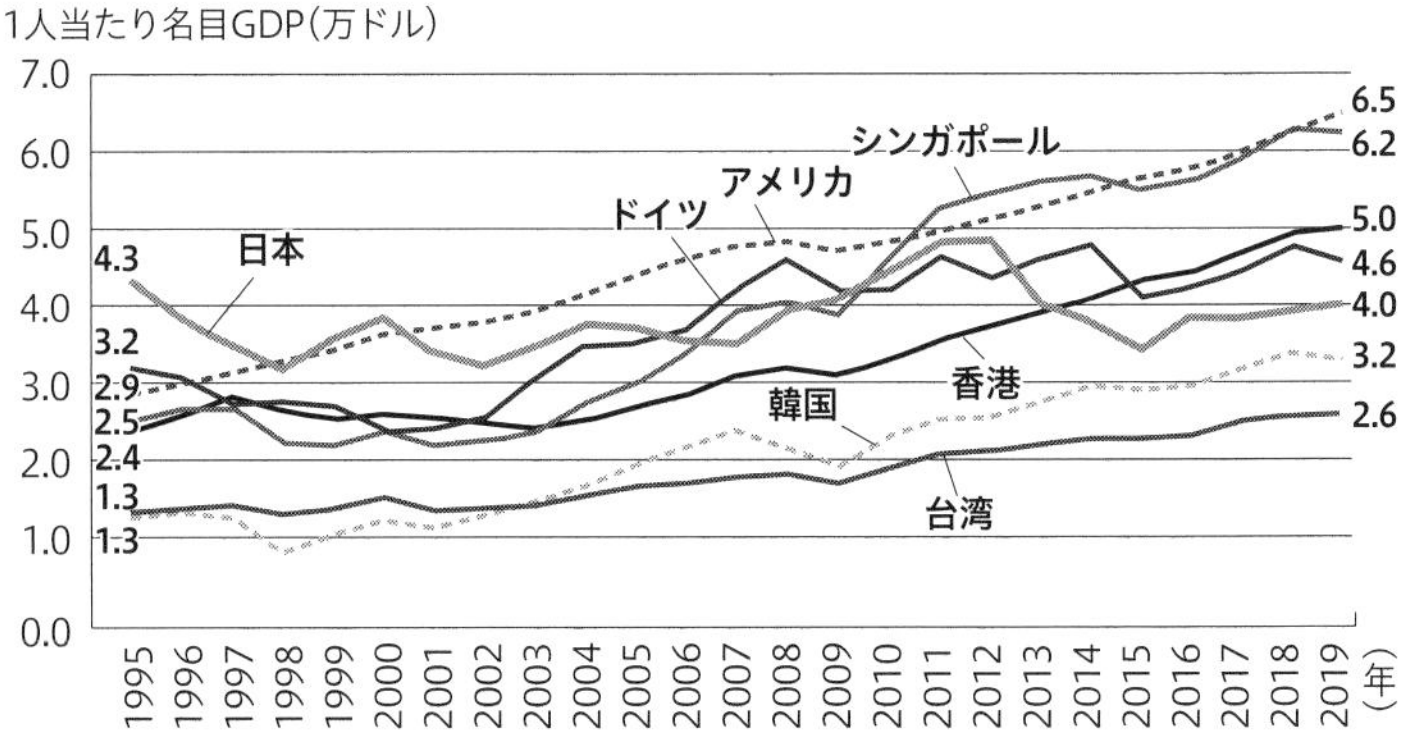


1995年には日本が首位であったが、2019年にはアメリカやドイツだけでなく、シンガポールや香港より低い水準、台湾や韓国との差も縮まっている。

出所：内閣官房「企業組織の変革に関する研究会資料」(2020年12月)を基に作成

## 図表4-3　世界株式時価総額ランキング トップ30

### 2021年6月時点

| 順位 | 企業名 | 時価総額（億ドル） | 国名 |
|---|---|---|---|
| 1 | アップル | 2兆2855 | アメリカ |
| 2 | マイクロソフト | 2兆403 | アメリカ |
| 3 | サウジアラムコ | 1兆8710 | サウジアラビア |
| 4 | アマゾン・ドット・コム | 1兆7350 | アメリカ |
| 5 | アルファベット | 1兆6490 | アメリカ |
| 6 | フェイスブック | 9859 | アメリカ |
| 7 | テンセント | 7224 | 中国 |
| 8 | テスラ | 6548 | アメリカ |
| 9 | バークシャー・ハサウェイ | 6359 | アメリカ |
| 10 | 台湾セミコンダクター | 6232 | 台湾 |
| 11 | アリババ | 6151 | 中国 |
| 12 | VISA | 5145 | アメリカ |
| 13 | エヌビディア | 4985 | アメリカ |
| 14 | サムスン電子 | 4799 | 韓国 |
| 15 | JPモルガン・チェース | 4708 | アメリカ |
| 16 | ジョンソン・エンド・ジョンソン | 4338 | アメリカ |
| 17 | 貴州茅台酒 | 4000 | 中国 |
| 18 | LVMHモエ・ヘネシー・ルイ・ヴィトン | 3975 | フランス |
| 19 | ウォルマート | 3952 | アメリカ |
| 20 | ユナイテッドヘルス | 3779 | アメリカ |
| 21 | マスターカード | 3618 | アメリカ |
| 22 | バンク・オブ・アメリカ | 3533 | アメリカ |
| 23 | ネスレ | 3513 | スイス |
| 24 | ペイパル | 3424 | アメリカ |
| 25 | ホーム・デポ | 3391 | アメリカ |
| 26 | P&G | 3303 | アメリカ |
| 27 | ロシュ | 3257 | スイス |
| 28 | ウォルト・ディズニー | 3194 | アメリカ |
| 29 | ASML | 2908 | オランダ |
| 30 | アドビ | 2799 | アメリカ |
| ⋮ | | | |
| **36** | **トヨタ自動車** | **2444** | **日本** |

(注)国名は株式指数（MSCI）による分類、アメリカ株以外はUSドル建てのADR（OTC）の株式時価総額を優先
出所：Bloombergのデータを基に作成

**1989年当時**

| 順位 | 企業名 | 時価総額（億ドル） | 国名 |
|---|---|---|---|
| **1** | **NTT** | **1638.6** | **日本** |
| **2** | **日本興業銀行** | **715.9** | **日本** |
| **3** | **住友銀行** | **695.9** | **日本** |
| **4** | **富士銀行** | **670.8** | **日本** |
| **5** | **第一勧業銀行** | **660.9** | **日本** |
| 6 | IBM | 646.5 | アメリカ |
| **7** | **三菱銀行** | **592.7** | **日本** |
| 8 | エクソン | 549.2 | アメリカ |
| **9** | **東京電力** | **544.6** | **日本** |
| 10 | ロイヤルダッチ・シェル | 543.6 | イギリス |
| **11** | **トヨタ自動車** | **541.7** | **日本** |
| 12 | GE | 493.6 | アメリカ |
| **13** | **三和銀行** | **492.9** | **日本** |
| **14** | **野村證券** | **444.4** | **日本** |
| **15** | **新日本製薬** | **414.8** | **日本** |
| 16 | AT&T | 381.2 | アメリカ |
| 17 | 日立製作所 | 358.2 | 日本 |
| 18 | 松下電器 | 357.0 | 日本 |
| 19 | フィリップ・モリス | 321.4 | アメリカ |
| **20** | **東芝** | **309.1** | **日本** |
| **21** | **関西電力** | **308.9** | **日本** |
| **22** | **日本長期信用銀行** | **308.5** | **日本** |
| **23** | **東海銀行** | **305.4** | **日本** |
| **24** | **三井銀行** | **296.9** | **日本** |
| 25 | メルク | 275.2 | アメリカ |
| **26** | **日産自動車** | **269.8** | **日本** |
| **27** | **三菱重工業** | **266.5** | **日本** |
| 28 | デュポン | 260.8 | アメリカ |
| 29 | GM | 252.5 | アメリカ |
| **30** | **三菱信託銀行** | **246.7** | **日本** |

（資料）「週刊ダイヤモンド」（2018年8月25日号）を元に作成

## 図表4-4　日本企業が保有する現預金の推移

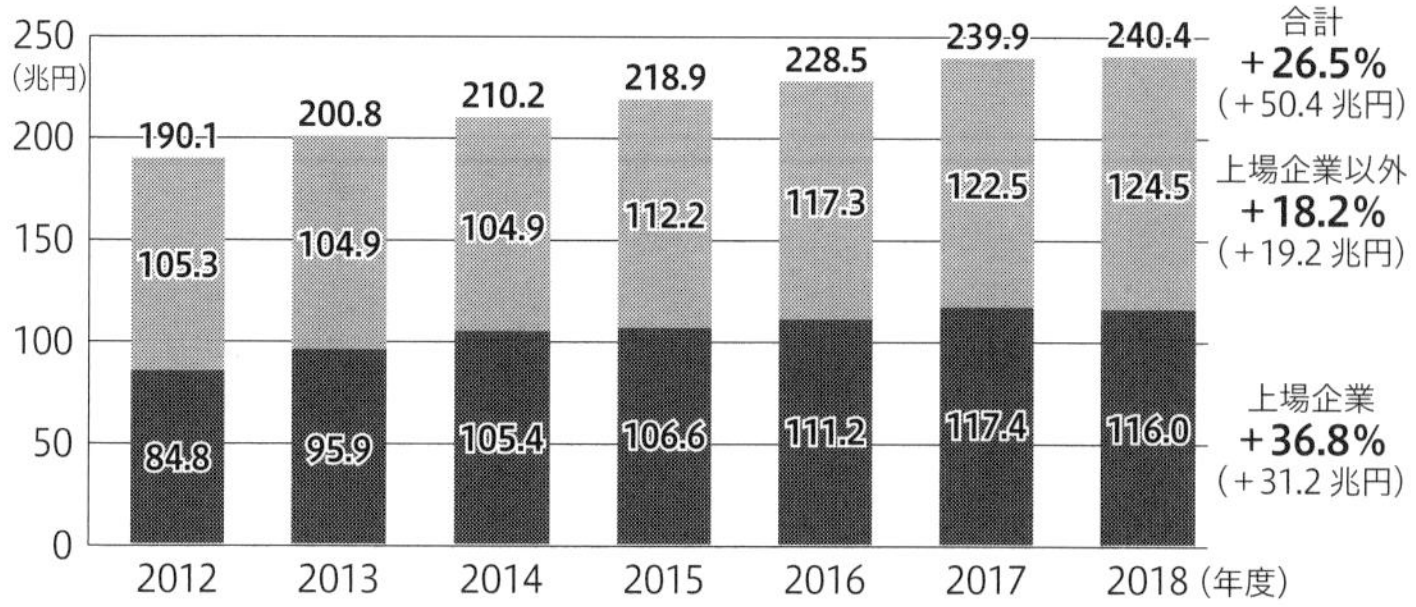


**日本企業が有する現預金は、2012年度から2018年度に50兆円(26.5%)増加。**

(注)金融・保険業を除く数字。
上場企業：東証1部・2部、大証、名証などを含む全上場企業
上場企業以外：日本に本店を有する会社(合名会社、合資会社、合同会社、株式会社)のうち、上記上場企業を除いたもの
現金・預金額：現金、預金、流動資産の有価証券の額の合計
出所：内閣官房「企業組織の変革に関する研究会資料」(2020年12月)を基に作成

それら成長を続ける国との大きな違いの一つに、「未来への投資」が遅れていることにあります。日本企業が有する現預金は2012年度から2018年度にかけて50兆円も増加（図表4－4）。つまり、それだけお金を蓄えることはできているにもかかわらず、このお金を次世代の発展のための投資に回せていないことが2010年代になって大きく響いている、というストーリーが見えてきます。

対照的に投資を進めているのが、時価総額ランキングでも上位に位置するアメリカ企業です。代表格といわれるGAFA（Google、Apple、Facebook、Amazon）は膨大な額の研究開発投資を実施してきました（図表4－5）。

2010年代に、アメリカの上場企業は売上

## 図表4-5　GAFAと日本の大企業の研究開発費（2019年度）

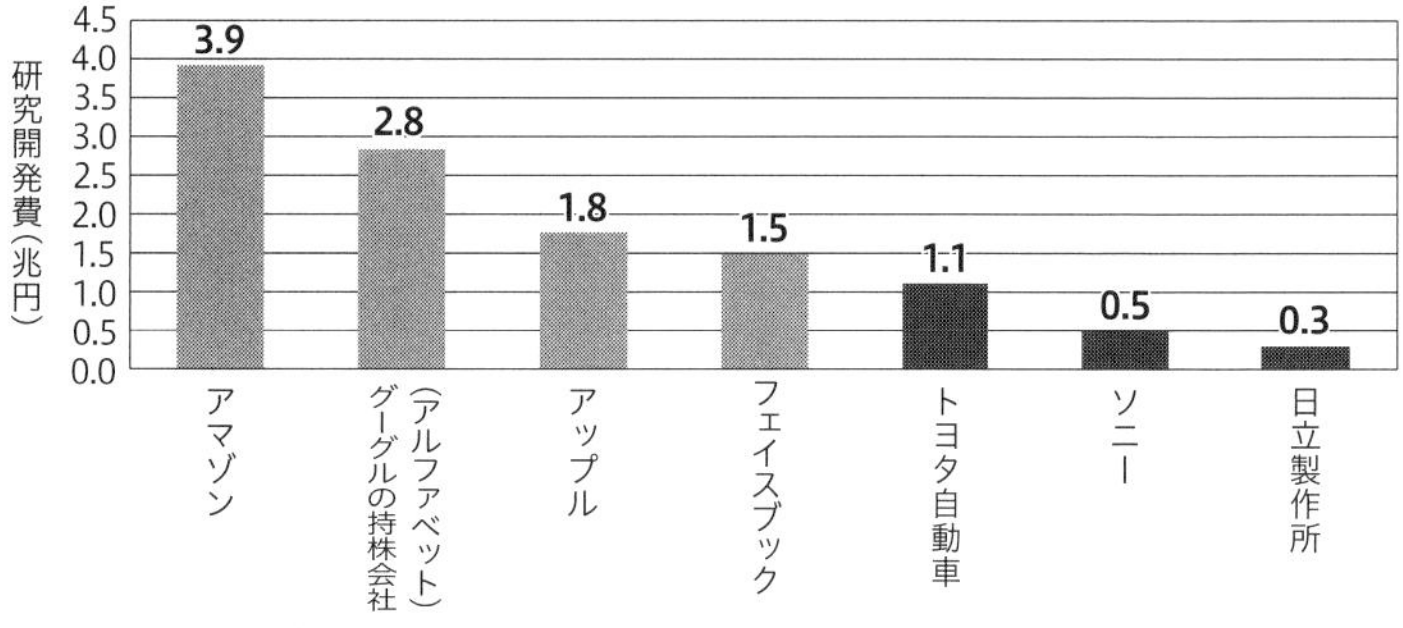


**アメリカのGAFAは、日本企業をはるかに超える研究開発投資を実施。コロナ禍においてGAFAが機動的に対応できているのは、危機前から着実に投資を進めていたから。**

（注）アメリカ企業の研究開発費は、2019年の円ドルレートの平均値で計算。
（日本銀行「東京外為市場における取引状況」における平均レート）
出所：内閣官房「企業組織の変革に関する研究会資料」（2020年12月）を基に作成

高の伸びを大きく上回るほどの研究開発投資を進めてきましたが、日本の上場企業は売上高に連動した投資方針をとってきました（図表４－６）。どういった姿勢で未来に臨もうとするのか、という企業の性格が端的に見える結果です。

かつては日本もその一角として名前を知られたＩＴやデジタル産業についても、ハードウエアでもソフトウエアでも、投資に関してはすっかりアメリカに水をあけられてしまいました。ここでも投資額が拡大するアメリカに対し、日本はほぼ横ばいです（図表４－７）。また、ＧＡＦＡを始めとするアメリカのテック企業は、自前の研究開発のほかにも、極めて積極的な企業買収を仕掛け、それを企業価値向上に繋げています。

データを見る限りでは、日本企業は世界の競争環境からはすでに置いていかれつつある。ま

## 図表4-6　大企業の売上高と研究開発費

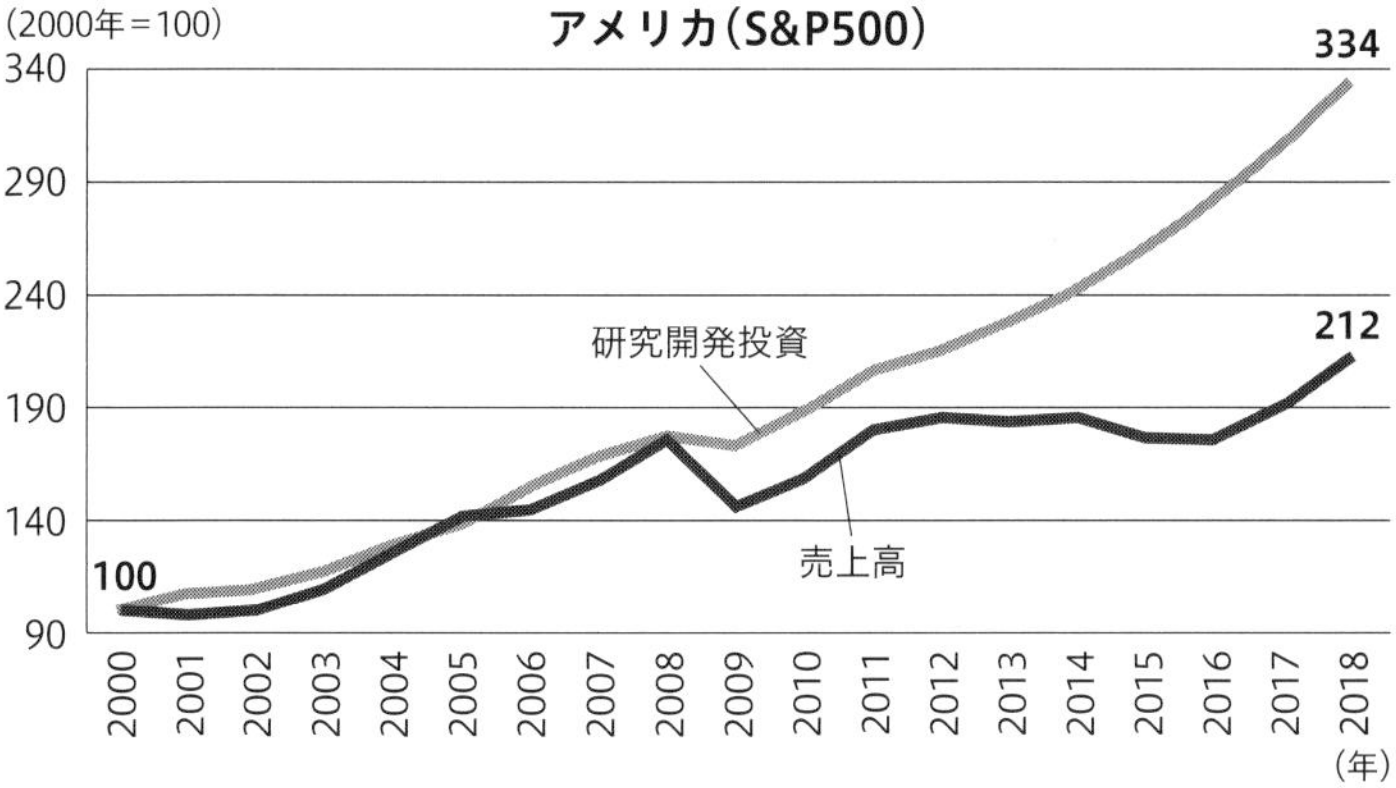


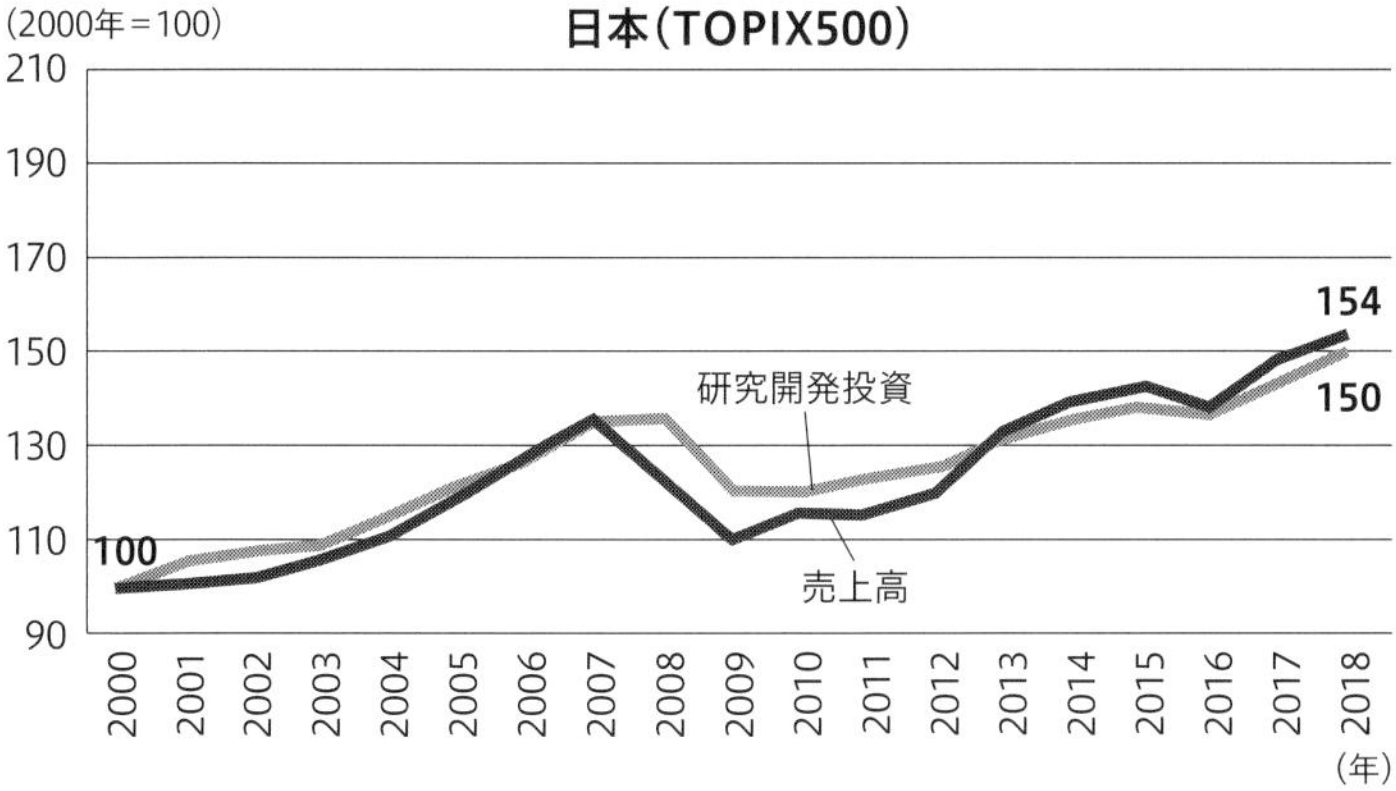


**2010年代に、アメリカの上場企業は売上高の伸びを大きく上回って研究開発投資を増加。**
**一方、日本の上場企業は売上高が伸びた分だけ、研究開発投資を増加。**
**研究開発投資＝未来への投資が進まなかったことが、日米企業の格差を生んでいる原因。**

(注)TOPIX500：東証1部上場企業のうち、株式売買量や時価総額が大きい上位500社で構成する区分
S&P500：アメリカ証券取引所(ニューヨーク証券取引所、NASDAQ等)上場企業のうち、
株式売買量や時価総額が大きい上位500社で構成する区分
サンプルはデータが取得可能な企業(日本：221社、アメリカ：145社)

出所：内閣官房「企業組織の変革に関する研究会資料」(2020年12月)を基に作成

## 図表4-7　日米におけるICT投資の推移（実質）

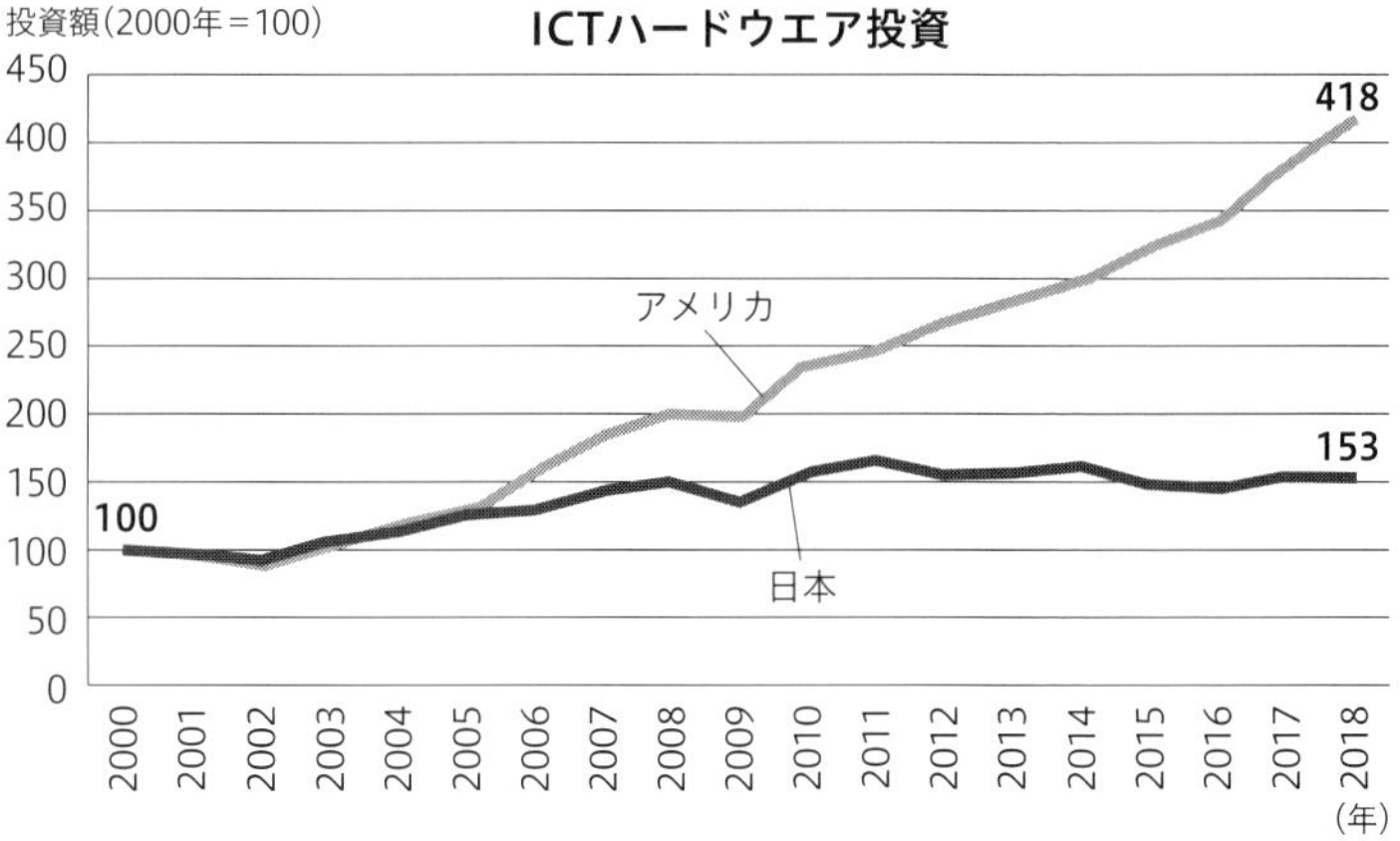


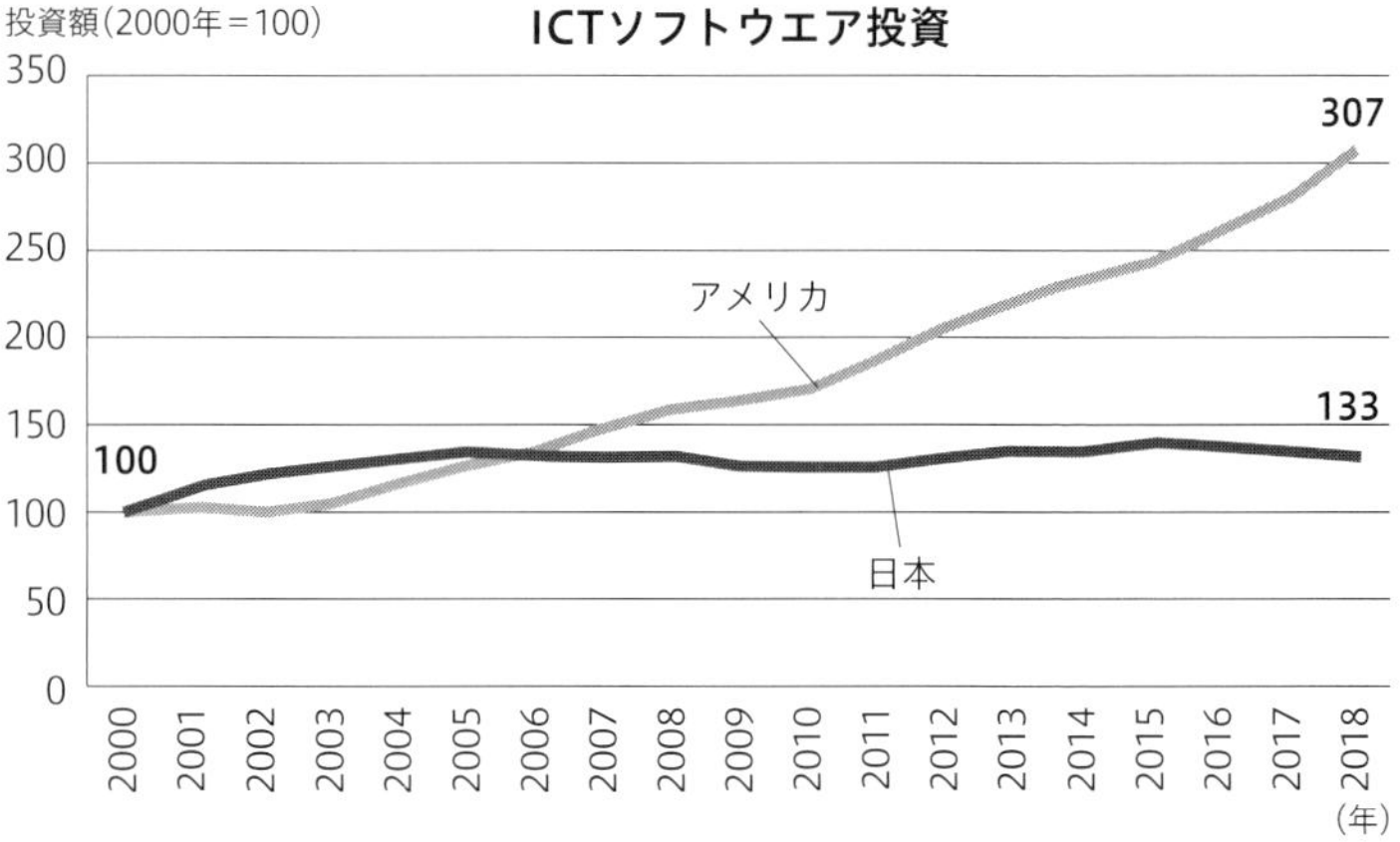


**デジタル投資を見ても、ハードウエアでもソフトウエアでも、米国企業が大きく拡大する一方、日本企業は横ばい。**

(注)ICTハードウエア投資：ICT equipment
ICTソフトウエア投資：Computer software and databases

出所：内閣官房「企業組織の変革に関する研究会資料」(2020年12月)を基に作成

**図表4-8　統合イノベーション戦略2021**

**重点的に取り組むべき施策 ～第6期基本計画・Society 5.0の具体化～**

| | |
|---|---|
| ① | 国民の安全と安心を確保する持続可能で強靱な社会への変革 |
| ② | 知のフロンティアを開拓し価値創造の源泉となる研究力の強化 |
| ③ | 一人ひとりの多様な幸せと課題への挑戦を実現する教育・人材育成 |
| ④ | **官民連携による分野別戦略の推進** |
| ⑤ | 資金循環の活性化 |
| ⑥ | 司令塔機能の強化 |

**④ 官民連携による分野別戦略の推進**

| 戦略的に取り組むべき基盤技術 | 戦略的に取り組むべき応用分野 |
|---|---|
| （1）AI技術 | （5）健康・医療 |
| （2）バイオテクノロジー | （6）宇宙 |
| （3）量子技術 | （7）海洋 |
| （4）マテリアル | （8）食料・農林水産業 |

出所：内閣府「統合イノベーション戦略2021」（2021年6月18日）を基に作成

た未来を切り拓くための研究開発も、アメリカをはじめとする国々とは投資姿勢そのものが異なってしまっている、という点が指摘できるでしょう。しかしながら、現預金自体は日本の上場企業も持っていることはプラス材料です。

どのようにこの資金を活かすべきか。この観点はこれからも議論されるに値するはずです。

## 社会に実装するイノベーションを

では、国家としては今後の戦略をどのように考えているのでしょうか。

一つ参考になるのが、内閣府が2021年6月に発表している「統合イノベーション戦略2021」です（図表4－8）。この戦略図の中では、「各国間の技術覇権争い」や「気候変動

## 図表4-9　現状認識～我が国のマテリアル革新力の強み

| | | |
|---|---|---|
| 「産業」の観点 | ・**輸出産業の要は、素材（輸出総額の2割強）**と自動車。<br>・世界市場の過半シェアを占めるマテリアル製品が多数。 | 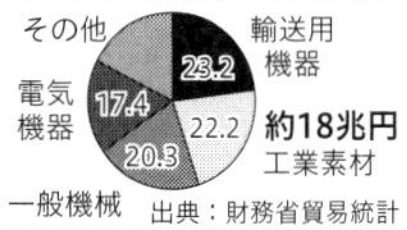 |
| 「基礎」の観点 | ・他分野と比べると、高い国際競争力を維持。世界と戦える研究拠点、質の高い研究者が存在。<br>・**世界最高水準の研究施設・設備、良質なマテリアルデータ**が存在。 | |
| 「融合」の観点 | ・他分野と比べ、日本企業が、日本の大学等の人材や知を積極的に活用する傾向。<br>・リチウムイオン電池、青色LED等、**我が国発のマテリアルが社会変革を牽引**した多くの実績。 | |

出所：文部科学省「マテリアル革新力強化のための政府戦略に向けて」（令和2年6月）を基に作成

問題への対策」といった観点を盛り込み、今後1年間で取り組む科学技術・イノベーション政策がまとめられています。

そこで戦略的に取り組むべき基盤技術・応用分野としては、下記の8点が掲げられています。

（1）AI技術
（2）バイオテクノロジー
（3）量子技術
（4）マテリアル
（5）健康・医療
（6）宇宙
（7）海洋
（8）食料・農林水産業

見ての通り、科学や工学といったものをベースとする領域であることがわかります。実はこれらの領域においては、産業としての市場規模は世界的にも拡大しており、日本からも大きな世界シェアを担う企業が生まれ、また日本国内の各社も売上高を伸ばすことができています。バイオテクノロジーやマテリアルといった産業では、日本にも光明はあるのです。

例えば、日本の輸出産業において、マテリアル（素材）は全体の2割強を担う一大産業です（図表4－9）。他分野と比べても国際競争力を維持しており、大学や企業でも世界水準の研究開発施設を有しています。リチウムイオン電池や青色LEDなど、日本発のマテリアルが世界を動かしてきた実例もあります。持続可能な社会の実現に貢献できる技術は、ここ日本にも豊富にあるのです。ただ、懸念があるとすると、これらの産業を発展させるために必要な研究者や、その志願者といった若者世代が不足しているという実情があります。

科学技術や産業の領域にまたがる言葉として、科学、技術、工学、数学の教育分野の頭文字を取った「STEM（ステム）教育」があります。“Science, Technology, Engineering and Mathematics”の略です。OECD諸国の高等教育（日本の場合は大学が相当）入学者のうち、STEM分野で入学した割合を調査したデータを見てみましょう。

日本はOECD平均よりも入学者の割合が低く、特にICTに関わる志願者が少ないという結果が出ています（図表4－10）。今後、日本が重点的に取り組むためにも、研究者が不足する状況は好ましくありません。

**図表4-10　OECD諸国の高等教育入学者に占めるSTEM分野入学者の割合**

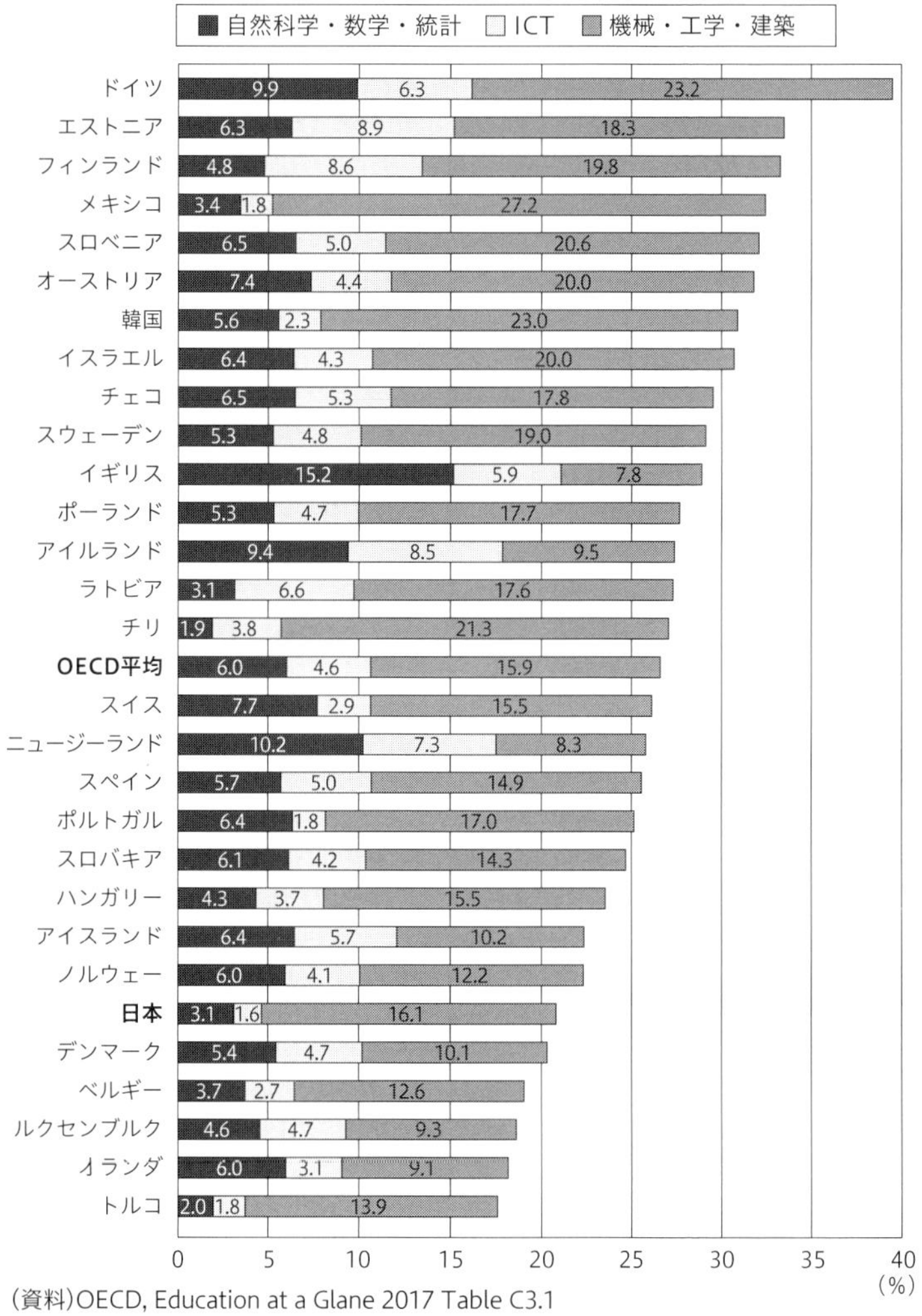


(資料)OECD, Education at a Glane 2017 Table C3.1
出典：JRIレビュー 2018 Vol.5, No.56「女性の活躍推進に向けた高等教育の課題」(2018年)

補足にはなりますが、ＳＴＥＭ教育については女性研究者の割合についても調査したデータがあり、日本ではここ15年間志願者数の変化がほぼ起きていません。全体の大学進学率が上がる中で、今後の日本を占う領域だけに、ＳＴＥＭ教育を選ぶ志願者を男女ともに増やし、彼らに活躍の場を与えていくことも議論されなければならないでしょう。

**杉江**　日本が次に戦う領域を見定めるためにいろいろなデータを見てきましたけれど、日本の識者たちは今後10年、20年、30年あたりでイノベーションが起きる分野のことが、とてもよく見えてはいるんだと感じましたね。ただ、一つ咀嚼し間違えているとすれば、「我が国発のマテリアルが社会変革を牽引」と文科省の報告書に書いてあるけれど、大切なのは結果を出すことであり、社会に実装しなければ意味がないのです。実装のためには、お金と人手が必要になる。旧来の覇権型資本主義ではなく、おそらくは共感型資本主義の中で、より社会から賛同を得ながら、いかに大きなお金を動かしていけるのかという競争に変わりつつあります。この「同意を取る技術」という国際的コンセンサスや規格争いが日本はうまくない。

日本はこれまで規格争いについては、いくつもの負けを重ねてきています。例えば、音声録音の「ＤＡＴ」、ビデオ録画の「ベータマックス」、データ保存の「メモリースティック」など、それらはどれも技術的には優れながらも、世界的な支持を得られず終焉へと向かっています。世界を席巻する電気自動車においても、トヨタ自動車が電気とガソリンの「ハイブリッド自動車」という技術を開発するも、他が追随せず、また国際競争からの賛同を得ることができず、他の国々が電気自動車の開発へ乗り出していってしまいました。ハイブリッド技術は素晴らしい革新ですが、勝負の土俵をずらされてしまっているのが悔しい。経営のセオリーでいえば、普及初期段階からスケールメリットを先取りした価格で勝負して、広く普及させることに成功したはずだったのですが、もっと普及の容易な技術でストーリーを作った後発に共感を奪われてしまった。

これらの例のように「他に誰もついてこなくて負けていく」というのを日本企業は繰り返しているのです。つまり、科学技術が負けたわけではないのです。科学技術は変わらずに大切であり、STEM人材も大事である一方で、「人を巻き込む技術」をいかに習得するかを考えていかなければ、社会に実装や貢献ができていかないのです。

**シルビア**　日本は実装段階での完璧を求め過ぎていて、オーバーエンジニアリングな傾向にもあると感じます。完全でない段階から世に出して、他者を巻き込める力があるか、社会から求められるのかをテストできれば、もっと勝てたかもしれない。それも一つの技術の習得としてあり得るのかなって。

**杉江**　オーバーエンジニアリングにも二つあって、いわゆる「Apple型」ならいいと思うんだ。エンドユーザーが欲しいものをデザイン思考でオーバーエンジニアリングしてつくる。本質的なニーズを見つけて、求められる要求を超え、想像以上の価値を付加するような思考。でも「日本型」はただ技術を磨いているだけなんですよ。より良い先端的技術や、すべての技術的要件を満たすものをつくる。でも、本当に大切なのは「使いやすさ」だったりするわけで。

「日本型」オーバーエンジニアリングの例の一つが燃料電池自動車です。

ガソリン自動車と同じだけの航続距離を得られて、安全で高級な自動車として、トヨタ自動車は「MIRAI」という車を送り出しました。しかし、これも前述のハイブリッド車同様の格好になっている感が否めません。

ガソリンに代わる一大技術として注目されながらも、日本での普及はまだ遠いところにあります。本来は日本社会に馴染む形で普及させることを優先すべきという考えもあります。つまり、航続距離を500kmにするのではなく、航続距離300kmであっても特定地域に集中して水素自動車スタンドを数多く設けることでクリティカルマスを超えようとする方法です。カリフォルニアのテスラは、まさにここから始まっています。

**シルビア**　「その技術が本当に人を見ているのか」っていうデザイン思考が大切ですよね。「技術のための技術」になってしまっているから。日本でうまくいった例ってないんでしょうか？

**杉江**　例えが古いけれど、ソニーのウォークマンかな。発売は1979年です。あれは「屋外でも良い音で音楽が聴けるモノ」が欲しいという一人のユーザー的視点が開発のきっかけになっていて、要件は「小さくすること」だったんです。要するに、「お客さんが何を求めるか」というど真ん中をまず攻めていかなきゃ。最近のソニーはこうしたデザイン思考を取り戻し、復活してきているように見えるね。

**シルビア**　日本は、特定のカテゴリーでクリアしなきゃいけない要件を満たそうとしがちですよね。既存の固定化された「箱」にこだわるのではなくて、もっと不完全でいい。なぜなら不完全だと「カテゴリーの枠から外れる」から。

**杉江**　ビジネスにおいては、自分たちが「勝てる」と思えるニッチな領域をちゃんと探して、そこへストライクゾーンを持ってくるのがすごく大事なんだけど、従来のカテゴリーに合わせて100点を取ろうとする癖が、日本人には根深くあるな。もし、Paidyが「クレジットカードに負けないようにしよう」と考えていたら、これほどの会社には絶対になれなかった。僕らは「代引き決済」の代わりで「ファッション」に特化したから、今の立ち位置にまで来ることができた。まずは小さなカテゴリーで、ニッチでいいからドミナント（支配的優位）になること。それを日本は身に付けないといけないんですよね。

「カテゴリーの枠から外れる」という観点を巧みに使っているのが、アメリカで電気自動車メーカーとして名を挙げたテスラです。率いるのは連続起業家として名高いイーロン・マスクで、宇宙開発企業のSpace Xも含めて、世界中の注目を集める一人です。

**杉江**　テスラが市場で評価される理由は、つくっている電気自動車だけではなくて、「生活そのものをすべて変える」ということの一環として、車という蓄電池を使う。そのコンセプト全体にあるんですよね。宇宙開発も踏まえて「地球上の生活」を変えようとしている。最近は彼の自宅が、折りたたみ式のプレハブ住宅であることも話題になっていた。そういうサステナブルな生活そのもののデザインの一部が自動車である、ってこと。これもカテゴリーの枠から外れているわけで、「エネルギー生活全体を見る」というのがイーロン・マスクの勝ちパターンなんですよ。

このように「勝てる土俵をまず決める」という考え方が、これからの日本の産業にも必要になってくると考えます。そして、上がるべき土俵を定義する上では、今後二つの観点が欠かせません。一つは「SDGsへの意識」。もう一つは「正しくアジェンダ設定ができるリーダーの存在」です。

## 「アジェンダ設定能力」が勝ち筋に繋がる

「SDGsへの意識」については第5章で詳しく触れていくので、ここでは割愛します。もう一点の「正しくアジェンダ設定ができるリーダーの存在」について見ていきましょう。

アジェンダ設定とは、注力すべき領域を狭め、向かうべき場所を指し示すことにあります。その設定を正しくできるか否かには、リーダーの力量が問われます。

ここではPaidyでの例を挙げてみましょう。

現在、Paidyが成長の波に乗り、今後の勝ち筋が見えてきている理由の一つは、まさにデザイン思考があるからです。お客さまに対してどういうメリットを提供すべきかにフォーカスし、一点集中特化型で、他は全部切り捨てていく。その「上がるべき土俵の設定」が正しく機能できているともいえます。

**杉江**　この策定への貢献がシルビアの仕事でもあります。シルビアは「今回大事なところはココで、あとはすべて忘れよう」というアジェンダ設定がすごくうまいリーダーです。僕らが使っている要素技術は必ずしも最先端のものではないけれど、全メンバーの優先順位第1位が揃うから、僕らのビジネスはここまでクリアフォーカスで勝ててきた。

そして、世の中の明らかなイノベーションの方向性にも向かえている。「なるべくたくさんのデータを用意し、人間では説明できないレベルの相関関係も含めて、AIに学習させて確率を高める」というやり方が現代のイノベーションのど真ん中にありますが、そこに対しPaidyはビジネスを仕込んでいる。勝ちパターンを最初からビジネスモデルにある程度織り込んでいるから勝てるんですよ。

Paidy は天才的なデータサイエンティストを山ほど抱えているわけではありません。経営陣の総意として分析しなければいけないデータセット、分析したい仮説やそこから得たい結果が、すべてクリアに設定されているというのが強みになっています。

先ほどの燃料電池自動車の例では、技術は素晴らしくても、勝ちパターンの織り込みという点を考え抜けていないところに弱さがありました。事業領域を適切に定義せず、既存自動車のニーズをリプレイスしようとするのではなく、「勝てる土俵はどこなのか」というアジェンダ設定を正しく実行できなかったことが結果に繋がっているのです。ソニーのウォークマンが勝てた理由も、アジェンダ設定がピッタリと合っていたからといえるでしょう。

**シルビア**　物事を必ずしもいつもゼロからつくり上げるのではなく、世の中にあるものを組み合わせるのも大切。Paidyも、既存技術をうまく組み合わせたところに素晴らしさがあります。他社が扱えないデータを私たちが独占しているわけでもないですしね。ただ、そういう企業こそアジェンダ設定が上手にできないと、基本的には「ただ単に面白いもの」で終わってしまう。儲けも出なければ、市場でも勝てず、世の中や人のためになる良いものもつくれません。

アジェンダ設定を上手にするための方法は、この本だけでは決して語り尽くせませんが、基本的には「在りたい未来に対して、最初の成長エンジンになりそうなものを見つけ、今やるべきファーストステップとしての成功を定義する。そして、それに向けてボトルネックとなることを解決する」といった流れを繰り返していくことです。一つの成功が次に繋がり、さらに次へも繋がり……という中で、未来へ近づいていくことができます。

## デザイン思考で絞り込む

アジェンダ設定を考えるのには、かつて日本の「お家芸」とうたわれた家電製品について見てみることも参考になります。

冷蔵庫や洗濯機など、日本製は諸外国に比べて品質が良いことが長らく自慢ではありましたが、昨今のモデルはあまりに多機能でそれらが使い切れないほどになっています。昨年のモデルと今年のモデルとで、その差異もわずかということも、よくあるものです。

**杉江**　僕が自宅用の冷蔵庫を探しているとき、最上位機種は高価だったので、その次点のものとの違いを尋ねてみると、ほとんど誰も説明できなかったんです。唯一あるのが見た目を「安っぽく」すること。それによって最上位機種が高く見える……こんな戦略、良くないですよ。そんな開発資金はムダだと思う。デザイン思考に立ち返って、お客さまの欲しいものだけに特化し、ムダを削ぎ落としたものをつくったら、もっとヒットの確率が上がるかもしれないのに。

**シルビア**　本当にシンプルなユースケースのために何が必要か。それを考えれば良くて、そこで差別化できそうですよね。

**杉江**　ＬＧエレクトロニクスが発売した冷蔵庫に「2回ノックすると冷蔵庫の中身が見える」ってものがあります。中身が見えるということは、そこに映っている画像から、足りなくなったものを自動購入できる日がくるかもしれない。ヨーロッパの洗濯機は見た目もよく、防音性が高く、洗濯物を傷めないように洗うことだけにフォーカスしているけれど、日本はやたらとボタンがたくさんあって、結局使うのはいつも同じ機能だったり。だから、突き詰めるべき性能が間違ってるんですよね。

大切なことは、ユーザーのどういったペインを解決したいのかです。

有名な話では「自動車と馬車」が挙げられます。両方とも移動のために存在するものですが、人は馬車に乗りたいわけではなく、最も大切なのは「移動したい」という欲求でした。そして今、自動車を使うユーザーのペインは移動だけではなく、「地球環境に優しい移動とは何か」を考えるようになっており、それが前提となることでテスラのような企業のビジネスモデルが成り立つのです。

ユーザーのどういったペインを解決したいのかを自分たちで設定し、それに従って素直に動くのがデザイン思考です。そして、その本質を一つあるいは二つにまで絞り込むのがアジェンダ設定といえます。

**シルビア**　使う人の立場を考えないとビジネスにも繋がりませんからね。「ペイディ」も使われなければ意味がないし、使いにくければブランドの価値も損なう。狭く定義された業界で頭一つ抜けるべく一生懸命戦うのではなく、ユーザー視点で固定観念という箱にとどまらないように考える。どんな新しい価値がこの世の中には必要なのか。ユーザーの声を聞いたり、体験したり、多くのことを見聞きしてプロダクト化していく。それこそが成長の鍵なんですよ。

このアジェンダ設定のための能力は、必ずしも科学技術や要素技術といった研究の域に収まるものではありません。コーディネーター、エバンジェリスト、ネゴシエーターといった側面が必要になります。そして、それらの役目を務める人が、科学技術や要素技術を理解していることが大事です。

**杉江**　STEM教育も確かに大切なんだけれども、STEM教育を受けた人がコーディネーター、エバンジェリスト、ネゴシエーターといった役割を果たし、リーダーとして「この指とまれ！」と言えるかどうか。みんなが魅力を感じ、共感できるアジェンダを設定し、確実に次のステップが踏めるような最初のプランを立てられるか否か。それが今後の産業のためにも必要なんです。

## マテリアル産業の可能性と方向性

**シルビア**　マテリアルの現在の核心は「ＳＤＧｓにいかに直結するか」ですよね。

**杉江**　大きな方向性では「汚いものを、いかにきれいにするか」というか。

**シルビア**　このあたりの産業が難しいのは、アジェンダのスケールが大きいので、社会実装されたときに、一人一人の生活や個人を取り巻く環境がいかに良くなるかということをイメージしづらいところにありますね。

でも、これだけデータや実例があると、確かに向かうべき方向性という感じがします。「見える化」をすると日本企業も世界にとって大事な取り組みをしているんだと腑に落ちやすくなる。

**杉江**　水不足解消の切り札とされる海水淡水化には、浸透膜の技術が必要。触媒の技術は自動車のマフラーだけでなく、工場の煙突すべてに付いていて空気の浄化に繋がる。こんなふうに、つくる側もちゃんと伝えること、そして僕らもちゃんと知ることが大事だね。

ＳＤＧｓのど真ん中である地球環境の保全や浄化に繋がるような分野要素と、それに対する技術要素。そこに対して日本にはまだまだ可能性がある。ＳＴＥＭ教育というとプログラミング教育に寄りがちなんだけど、もっと幅広く、科学という日本が強みを持つ世界もあることを、ぜひ若い世代にも知ってもらいたいですね。

# 第5章

# 日本の未来を語ろう

## 日本人はどれくらい生活に満足しているのか？

日本がまだ戦える成長領域を見ていった第4章に続いて、この第5章では、さらに日本の未来について、読んでくださっている読者の皆さんと考えてみたいと思います。

STEM教育やアジェンダ設定ができるスキルは持っていたほうが良いのですが、現状でそれらを持ち得ない、あるいは今さら身に付けるのが難しいと感じる人もいるでしょう。もちろん、これらのスキルを身に付ける以外にも最高に明るい未来を創るための要素はあります。

明るい未来を創る理由はシンプルで、それは「誰もが幸せを感じられる状態」に近づくためには、未来が明るいものだと思える状況をつくらねばならないからといえるでしょう。全員にとっての正解はあり得ませんが、自分一人のこと、個人の理想を考えれば、幸せになる道は探せるはずです。

前提として、ここまで「日本は」という主語を用いることも多くありましたが、「国家としての成功」を約束することは誰にもできません。国のトップになったとしても同様です。基本的には、国家としての繁栄はそこに生きる人々の幸せの集合体の上にあるのだと考えれば、何よりも「あなた自身が幸せになるには？」を考えることが先決です。

例えば、豊かな暮らしがしたい。美味しいものが食べたい。好きなところへ出掛けたい。そういった幸せの形もあるかもしれません。それらを叶えるためのやり方を考えてみることが大切だと

## 図表5-1　日本における幸福度の推移

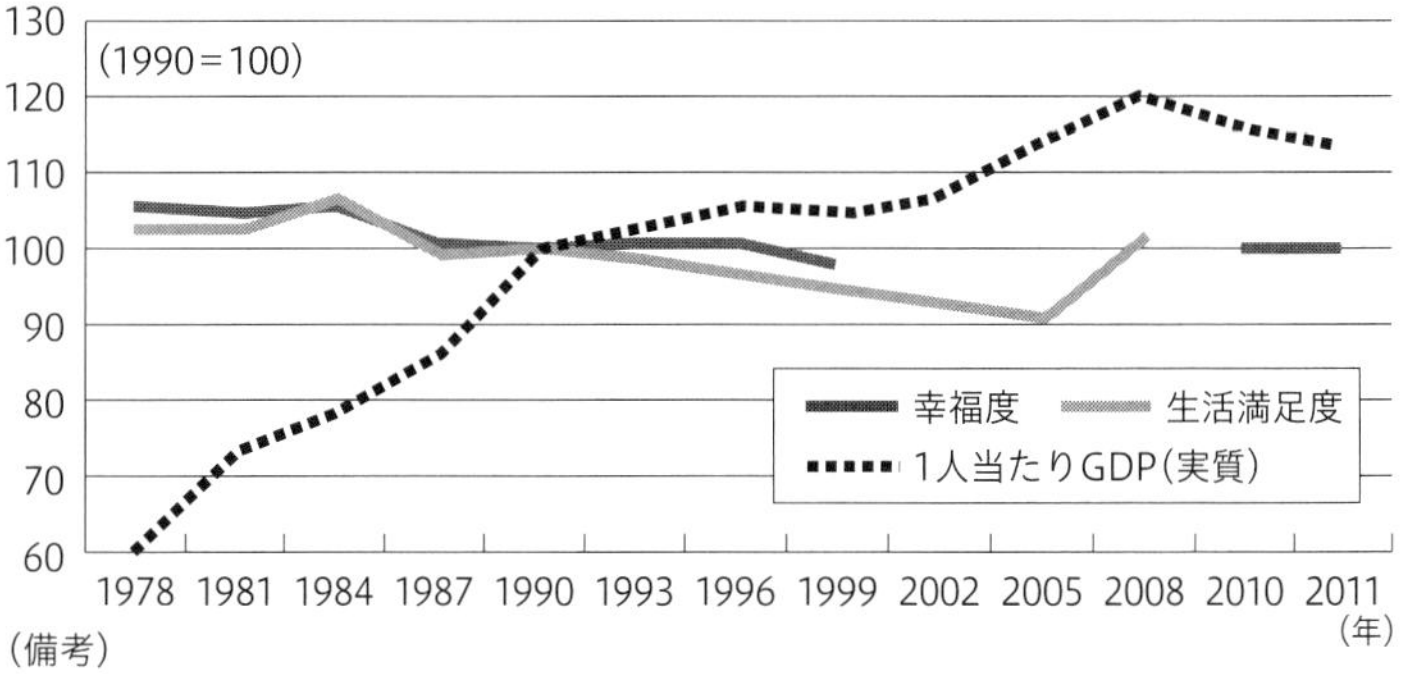


(備考)
1.「幸福度」「生活満足度」は内閣府「国民生活選好度調査」における３年度ごとの回答に基づく平均値を1990年を100として相対化したもの。
2.1人当たりGDP は内閣府「国民経済計算確報値」及び「四半期別GDP速報」、総務省「推計人口」により算出し、1990年を100として相対化したもの。

出典：内閣府「幸福度に関する研究会報告書」(平成23年12月5日)

思うのです。これまで述べてきたように、目的をしっかりと持ち、そこへ向かって進むことの重要性をここでも活かしましょう。

日本の大企業が多くの問題点を抱える今、そのままの状態で突き進んでも難しいことは、ここまで読んでくださった方ならわかるはずです。つまり、幸せからは遠ざかってしまう。もっと自分たちも変わり続けないといけませんし、もちろん企業も変わり続けなければいけないのですから。

さて、日本の未来を語るにあたり、日本人が今の生活に対して、どれくらいの幸せを感じているのかをデータで見てみます。

内閣府が発表した「幸福度に関する研究会報告書」によれば、日本人１人当たりの実質ＧＤ

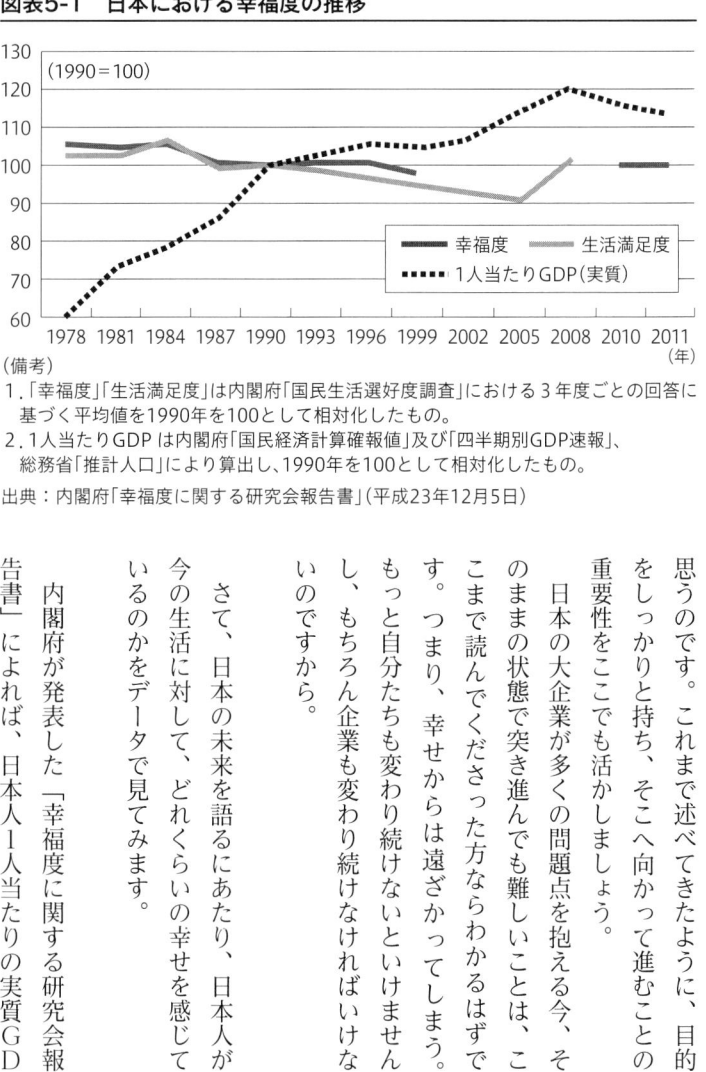

Pは、１９６０年代から50年で約6倍になるも、「生活満足度」はほとんど変わっていないというデータがあります（図表５－１）。世論調査を見ても、東京オリンピックを控えた１９６３年から、日本が沸いた高度経済成長、さらにその後のリーマンショックなどの不況やデフレを経ても、若干の前後はあれ、実は生活に対する満足度は70％程度、不満足度は30％程度と、ほとんど変わっていないのです。

所得水準が大きく向上したにもかかわらず、生活満足度は変わっていないということは、収入の多寡によって生活満足度は左右されず、別の要因が関係していると予想できます。

ちなみに幸福度の軸で世界各国と比べても、日本は56位と後塵《こうじん》を拝する位置にいます（引用：World Happiness Report 2021）。

**杉江**　僕らは経済を成長させることが目的ではなく、幸せに暮らしたいだけなんですよね。それってどんな状況かなと思うと、「今より未来のほうが良くなる」と思えるのが幸せの状態じゃないかなって。「良くなる」の定義は、いろいろあっていいんです。ただ、未来に希望が見えているかを考えると、みんな未来を不安視している——。

もう一点、内閣府の２０１９年度「世論調査」では、生活満足度の年代別の比率を表示しています（図表５－２）。このデータを見る限りでは、18歳から29歳までは生活満足度が高く出ています

## 図表5-2　生活満足度比率

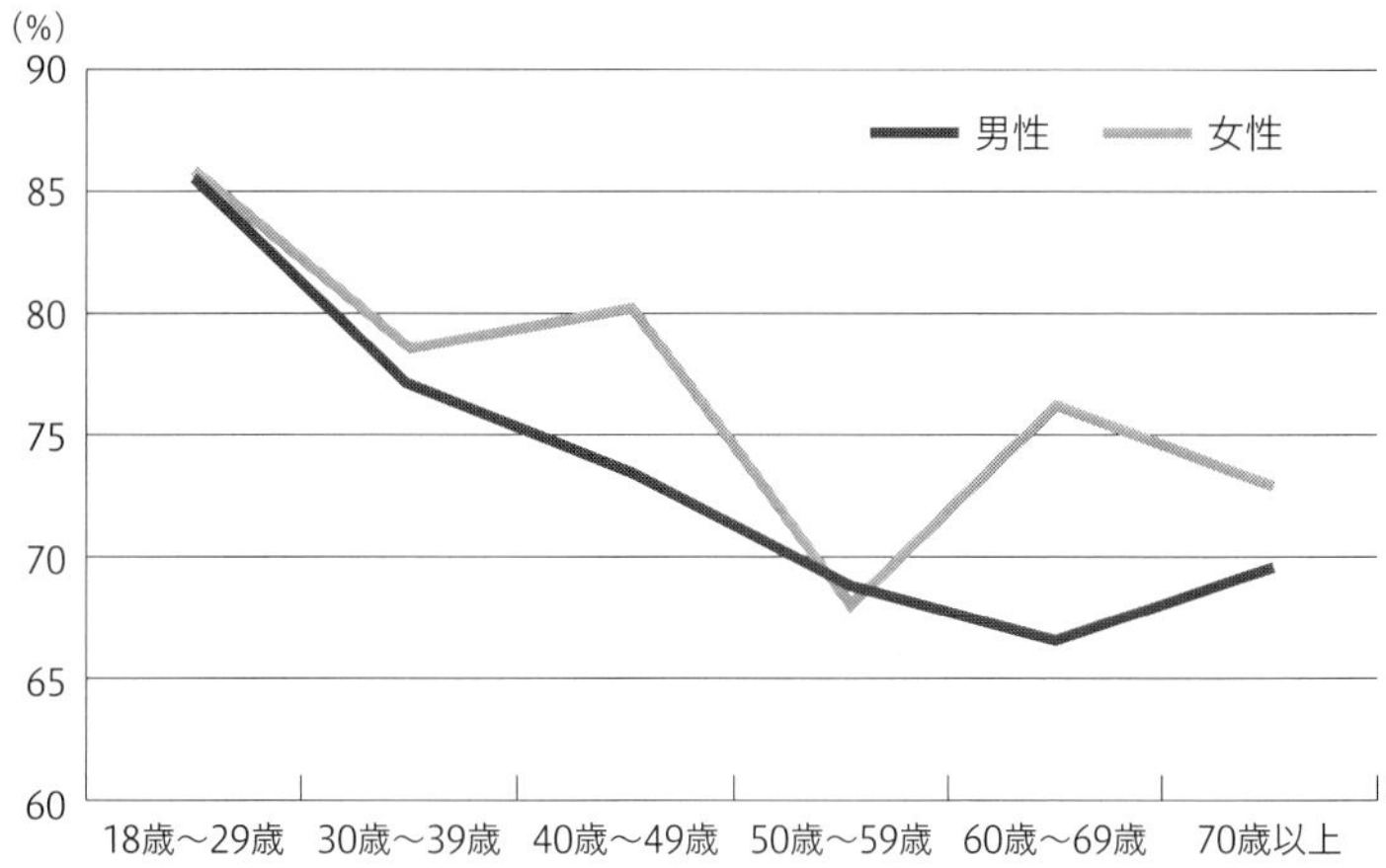


出典：内閣府「世論調査」(2019年度)

## 図表5-3　男女別・年齢別に見た生活満足度と幸福感

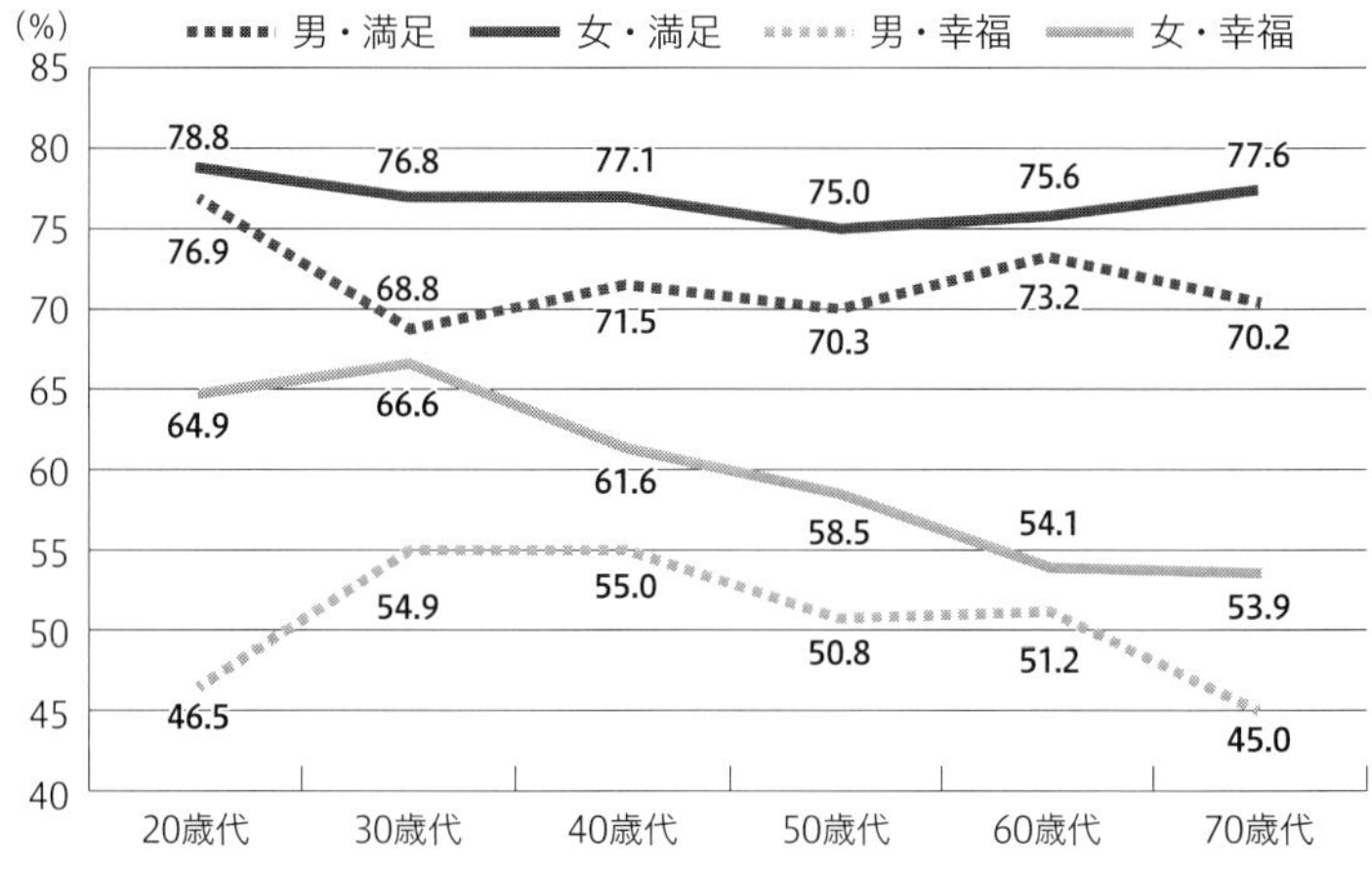


出典：2015年社会階層と社会移動(SSM)調査

が、それ以降は男女ともに下降していきます。女性は50代で、男性は60代で再び上昇していくグラフが描かれます。

２０１５年社会階層と社会移動（ＳＭＭ）の調査データも照らし合わせてみると、生活満足度や幸福度には男女差があることも見えてきます（図表５−３）。こちらのデータでは、満足度が男性は20代をピークに下降し、30代以降はほぼ横ばいとなっています。女性は全年齢でそれほど上下がありません。幸福度では、男性は20代から上昇傾向をたどり、40代をピークに、以降は緩やかな下降を描いています。しかも、幸福を感じているのは全体の半数ほど。また、女性は30代以降で下降線をたどっています。

**杉江**　若者世代の近くにいる大人が幸せそうにしていたら、若者からも「自分もああいうふうに生きてみたい」「こんなふうに生きれば幸せな大人になれるのかも」と思うでしょうし、「どんな大人になりたいか」というイメージも湧くと思うんですよ。つまりこれって、大人たちがみんな楽しそうじゃないことに大きな問題があるんじゃないでしょうか？

## 「社会を変えられない」と思う日本の若者たち

大人たちが幸せそうに見えないから、若者たちも幸せを見いだすことができない。そんなふうに考えたきっかけの一つになったデータが、日本財団が2019年に18歳を対象にした調査結果です。

その調査によると、日本の18歳の若者は他国の18歳の若者に比べて、将来の夢を抱きにくく、また「自分で国や社会を変えられると思う」という項目に至っては20％を切るなど、近隣諸国と比較しても顕著に低い数字となって表れています（図表5－4）。「国や社会を変える」というのは、幸せの状態として定義した「今より未来のほうが良くなる」と信じて行動を起こすことに関わる思考です。行動への衝動よりも無力感が大きいのであれば、当然ながら幸せとは遠くなってしまいます。

**シルビア**　本当に低い数値ですよね……。自分が貢献しようとしても、それが何にも繋がらないと思っている18歳がこれほど多いのはショッキングですよね。悲しい。変えられないということは、なされるがままに生きるしかないってことですから。

**杉江**　若い世代も別に諦めているわけじゃないとは思う。ただ、どうしていいかがわからないから、途方に暮れちゃっているのかも。そこへ先鞭《せんべん》をつけてくれようとしているスタートアップの若者もたくさんいるし、次に続く中学生、高校生、大学生の皆さんがアクションするためにも、例えば「SDGs」を引っ張ろうとしている若い世代を大人たちがちゃんと理解し、サポートして、結果を出せる環境をつくることが、その次の世代に繋がるキーポイントじゃないかな。

## 図表5-4　社会や国に対する意識調査

| | 自分を大人だと思う | 自分は責任がある社会の一員だと思う | 将来の夢を持っている | 自分で国や社会を変えられると思う | 自分の国に解決したい社会課題がある | 社会課題について、家族や友人など周りの人と積極的に議論している |
|---|---|---|---|---|---|---|
| 日本 (n=1000) | 29.1% | 44.8% | 60.1% | **18.3%** | 46.4% | 27.2% |
| インド (n=1000) | 84.1% | 92.0% | 95.8% | 83.4% | 89.1% | 83.8% |
| インドネシア (n=1000) | 79.4% | 88.0% | 97.0% | 68.2% | 74.6% | 79.1% |
| 韓国 (n=1000) | 49.1% | 74.6% | 82.2% | 39.6% | 71.6% | 55.0% |
| ベトナム (n=1000) | 65.3% | 84.8% | 92.4% | 47.6% | 75.5% | 75.3% |
| 中国 (n=1000) | 89.9% | 96.5% | 96.0% | 65.6% | 73.4% | 87.7% |
| イギリス (n=1000) | 82.2% | 89.8% | 91.1% | 50.7% | 78.0% | 74.5% |
| アメリカ (n=1000) | 78.1% | 88.6% | 93.7% | 65.7% | 79.4% | 68.4% |
| ドイツ (n=1000) | 82.6% | 83.4% | 92.4% | 45.9% | 66.2% | 73.1% |

出所：日本財団「18歳意識調査」第20回テーマ「社会や国に対する意識調査」を基に作成

いずれ今の若い世代も大人となり、マジョリティとなって主役を張るタイミングが来ます。今、大人たちは若者を支え、変化を加速させるために、頑張らなければならない時期に差しかかっているといえるでしょう。

ここまでをまとめると、若者世代は身の回りの生活にある程度満足して幸福感を抱いている一方、社会への満足度は低く、将来に不安を抱いています。しかし、現代社会における「負の影響」を被るのも、これからマジョリティになる若い世代が主です。不況が起きて職に困るのは、すでに職を持つ中高年ではなく若者たちであり、将来の年金財政の逼迫《ひっぱく》によって困るのも若い世代です。また、地球環境の悪化によって影響を受けるのも若い世代……。

そのように考えると、まずは当然のことながら、大人たちがその負を引き継がないように自らを変えていくこと。そして、かつてのように企業に任せたり、同調圧力の中で生きたりすることに幸せに繋がる道はありませんから、若者たちも自分の手で「未来を創る」という意志を持ち、道を切り拓いていくための頑張りが必要になってくるのです。

## インターネットで軽やかに飛び越えろ

今の若い世代と、大人たちの若い頃と、ポジティブな意味で大きく変わったこともあります。それは「情報の入手難易度」が圧倒的に下がっていることです。

インターネットの普及による恩恵は、明らかに今の時代に対して、多くのものを与えてくれます。わからないことがあれば、すぐにその場で調べられる。あるいは、思いがけない情報に出合える。そういった、ほんのささいなきっかけから、自分がめざすべき地点や参考にすべき人、未来の進路に至るまで、その先に続く道を知るチャンスが広がったのです。

大人たちが若者であった時代は、自分の身の回りにいる人のことを知る術も、また自分の置かれた環境から逃れる手段も、今と比べればずっと少なかったといえます。東京に住む人が九州や北海道に住む同年代の人の活躍をつぶさに見ることは、不可能にも近いことでした。逆もまたしかりです。

最近では、2021年春に徳島県の高校を卒業し、秋からアメリカのスタンフォード大学への入学が決まった松本杏奈さんという高校生がニュースになっていました。彼女は高校2年生の夏、海外でトップレベルの研究者が次世代の育成を行う「アジアサイエンスキャンプ」に参加し、同世代の天才たちに衝撃を受けたといいます。帰国後、複数の課外活動と猛勉強を続け、松本さんはスタンフォード大学を含めた、アメリカの6大学に合格するという偉業を成し遂げたのです。

**杉江**　こういったこともインターネットがなかったら、絶対にあり得ないですよね。僕だって東大ではなく、アメリカに行きたかった（笑）。でも、アメリカには奨学金制度があることを当時の僕はそもそも知らなかったんです。田舎に住んでいても、今や誰でも同じだけの情報が手に入って、世界のランキングもみんな見ていて、先人たちがどうやってそういうドアを開けていったのかも、全部つまびらかに、しかも無料で手に入る。今の世代で輝かしいのは、たくさんあるチャンスを拾いに行く行動を起こす人たち。枠組みさえ自分で取っ払っていけば、自分の再定義もすごく容易にできる。今、自分はどの舞台で、どういうふうに踊りたいのかさえ決めれば、誰も邪魔ができない形をつくれるんです。

前述の松本さんも、最大の壁は「周囲からの理解のなさ」だったことを語っています。それを何度も説得し、乗り越えていったといいます。この壁を大人世代が設けてしまうことは、非常に反省しなければなりません。松本さんは、後輩たちに対して、自分を測る「物差し」は意外と変えられると伝えたい、と話しています。

**杉江**　どんなに反対されても猛勉強と課外活動を続け、「大人なんかに邪魔されないんだ」っていうすごく確かなセルフエスティーム（自己肯定感）を持てている姿が、とても美しいと思う。大人の設定するカテゴリーなんか軽やかに超えて、世界中へ飛び出してほしいですね。

**シルビア**　本当に。私も「すごい！　えらい！」と思いました。

**杉江**　こういうのを「無謀だ」って言うのは、大人のエゴではないかな。なぜ大人が無謀だと思うかというと、今あるカテゴリーに縛られているから。僕は愛知県の片田舎で育ったけど、田舎にはその地方ごとの大学があったりして、そこに行くことを半ば強制されるのは事実だった。東京に出ようなんて言おうものなら、家族に泣かれる状況だったり（笑）。でも、今は世界中にある素晴らしい大学に進学する機会は開かれている。もちろん地方大学がすべて悪いというわけではなく、今は選択肢が多いってことね。だから、大人には無謀に思える挑戦に対しても、その挑戦を止めるようなことだけはしないようにしたいですよ。

大人の決めたカテゴリーを超えるときに、他人はそれを無謀と呼ぶ。これは学業だけでなく、ビジネスでも同じでしょう。自分が今、基準にしているカテゴリーはかつて誰かが決めたものであり、それを当然のこととして受け入れることは、自分の可能性や選択肢を狭めてしまうことです。

一方で、備えのない単なる冒険は、確かに無謀になってしまいます。松本さんのように、ちゃんと情報を集め、バックアップになるプランも用意し、自分の生き方を考えて選択をして進むことは大切です。もし、そこまでして若者世代が進もうとするのなら、そのときは、その行動にストップをかける権利は大人たちにはないのです。

**シルビア**　私の両親は、周りの人たちに「シルビアは無謀なことをしようとしている」「娘が言いだしたからって、日本に行かせるなんてとんでもない」と言われても、私を応援してくれました。それは、私が子どもの頃から関心を持った日本に行って、ハンガリーを代表して外交官になるという目的を持って行動したことや、「プランB」をハンガリーで用意していたからこそ、結果的に応援してもらえたとも思っています。

## 日本はセルフエスティームが低い国

ここでもう一つ、生活満足度に関するデータを参照してみます。1973年と2008年の日本人の満足度比率を年代別に表したものです（図表5－5）。1973年時点では、この時点で55歳より上の人たちは戦争経験者であり、極限の飢餓や安全への脅威からすれば、現状が幸せに見える側面があるとは想像ができますが、基本的には年齢が高まるほど生活満足度が上がっていく構図になっています。それが2008年には、10代をピークに下降し、60代半ばまでがほぼ横ばいとなり、60代後半でまた上昇するという線を描きます。

2008年のグラフを生活に置き換えると、学生時代には満足度が高かったものが20代で仕事を始めてからは横ばいとなり、定年後にまた上がっていくという図です。一般的な「企業生活」を考えると、この横ばいの時期に大人は生きていく活力を奪われていると想像することもできます。

社会学者の古市憲寿さんは、このような若者の姿を見て、自分たちの目の前に広がるのは終わりなき日常であり、だからこそ「今は幸せだ」と感じる。人は将来に「希望」をなくしたときに「幸

## 図表5-5　1973年と2008年の生活満足度（性別・年齢別）

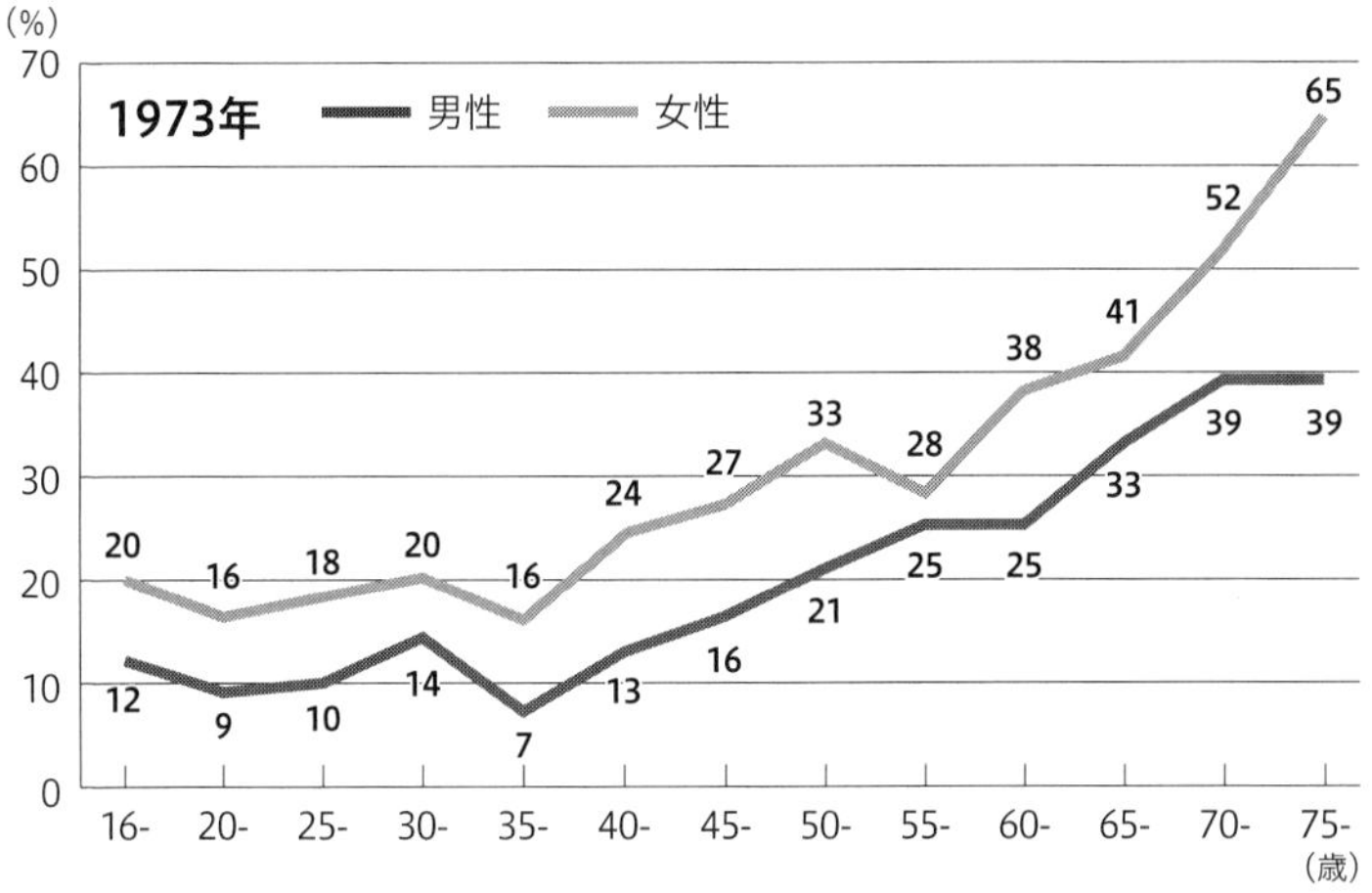


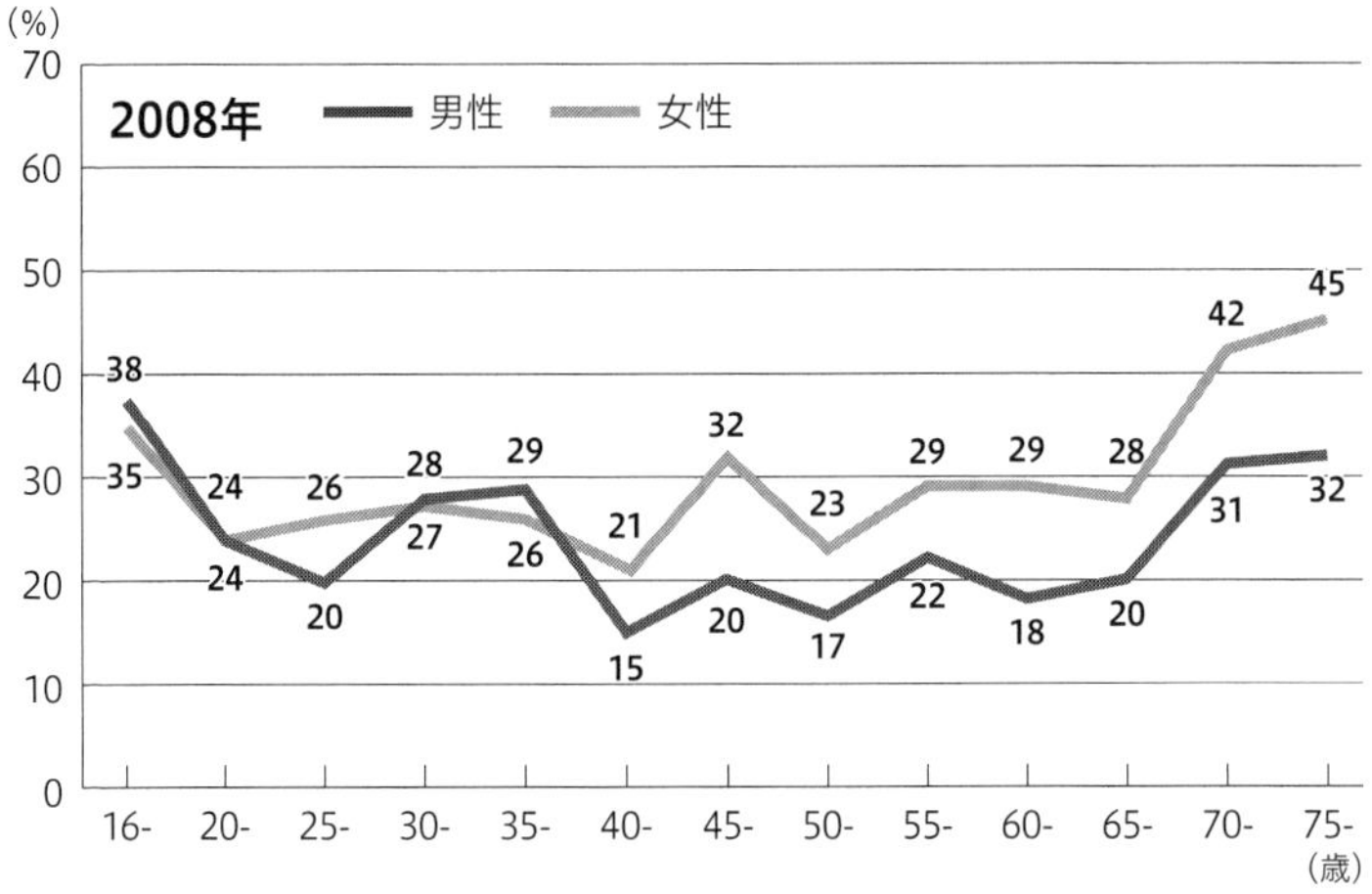


（注）元資料はNHK放送文化研究所「『日本人の意識』調査」内「満足している」の比率
出典：大澤真幸「『幸福だ』と答える若者たちの時代」

せ」になることができるのだ、といった言葉を残しています。それを私たちなりに読み解けば、それは本当の満足ではなく、諦念やアパシー（無気力、無関心）に近いのではないかと感じました。

**シルビア**　安全な日本という国で、ある程度までの生活が確定した段階に「幸せ」を感じるのは、いわば「ずっとぬるま湯でいい」という思いに近いんじゃないかしら。

**杉江**　所得再分配みたいな話から考えると、１９７３年も２００８年も、だいたい似たようなスコア。これは国として「誰に所得再分配をしてきましたか」っていうのを非常にきれいに映しているデータなんですよ。それで40代に生活不満足者が寄っているのは、まさに失われた経済のど真ん中にいた人たちが多い。65歳くらいが年金が減っていく世代で、それより上は医療保険制度としても自己負担が上がらない最後の世代。結局、大人は「横の人」しか見えていないので、平均値が変わらないんじゃないかな。国自体の所得水準が上がろうと下がろうと、みんなが「隣の人」と自分を比べているだけだから、「自分より少し前の世代」がうらやましくて、自分の世代の不幸を呪っているような姿が浮かぶんです。

自分自身の生活満足度を上げる、あるいは幸福度を上げるためには、他者との比較に頼らずに、能動的に日々を過ごすことが欠かせません。

**杉江**　周りの大人、あるいは僕らの世代にも「何のために生きているのかがわかっていない、毎日やることがなくて、ただ時間だけが過ぎていく」という人がいます。必ずしもお金に困っているわけではないから生きてはいけるけれど、そこに幸福感が見えない。それって40歳だろうと、80歳だろうと同じで、「明日も変わらない一日がやってくるだけ」だったら、楽しいなんてとても思えないじゃないですか。

**シルビア**　確かに。何かに文句ばっかり言っていて、「毎日何もやることがない」という人、いますね……。どんな些細なことでもいいから、「やること」を自ら持つって大事ですよ。私がそれを強く思ったのは、うちの近所に床屋さんがあるんですが、そこの5代目の方が80歳なんですけど、すごく元気。毎日お客さんが来て、髪の毛をカットして。その方も毎日やることがあって、意義のあるものを続けていられるから、その年齢でもエネルギーをすごく感じられるんだと思っていて。いつも感心しちゃうんです。私も、そんなおばあちゃんになりたいな、と（笑）。

若者世代は、いつも大人たちの姿をリアルな自分たちの未来として見ています。では、大人たちが、なぜそれほど楽しくないのかを考えるのも、また一つの解になります。

**シルビア**　「幸せ」って大きな概念なので、「幸せですか？」と尋ねられたら答えにくいかもしれない。私は英語の“well-being”という言葉が好きで、それは「精神的にも肉体的にも良い状態」

## 図表5-6　自国人であることに誇りを持っている

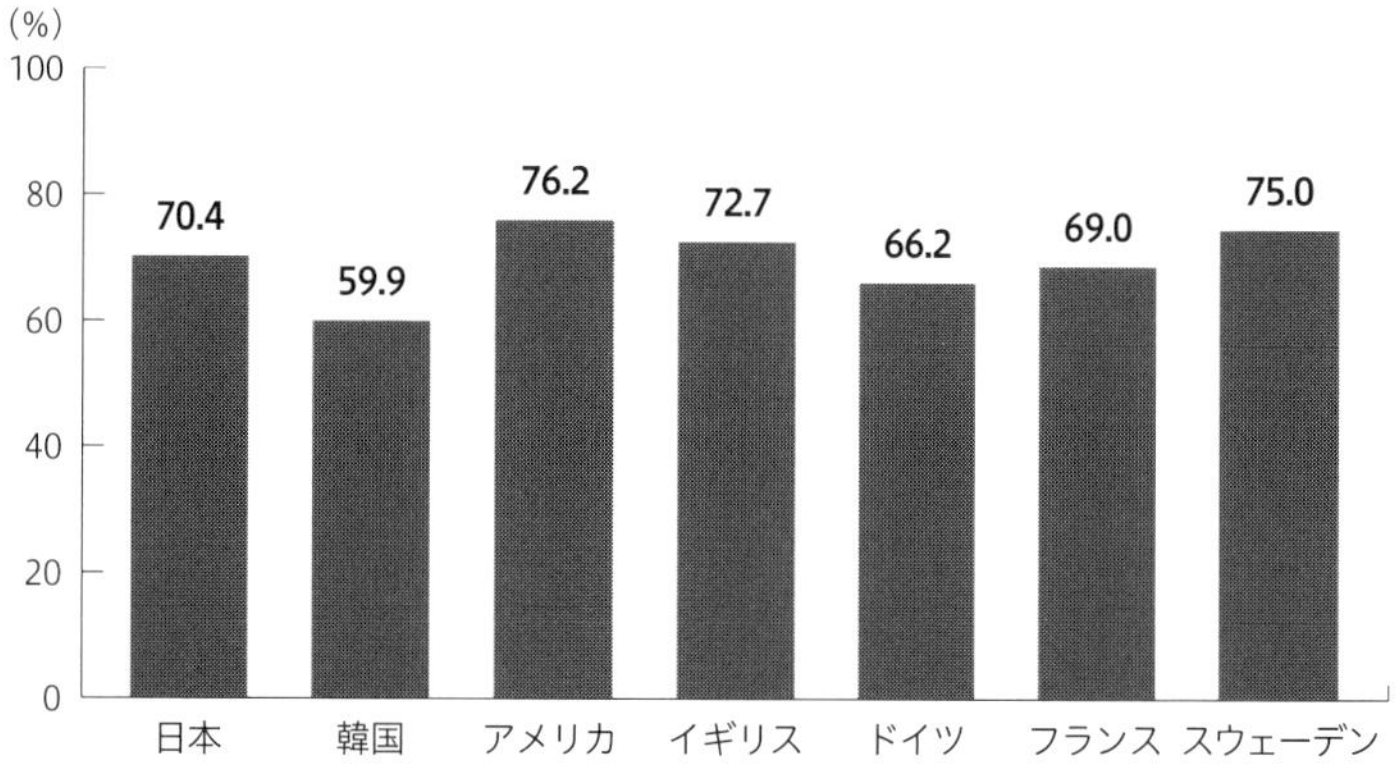


(注)「あなたは、これから述べることについてどう思いますか」との問いに対し、「自国人であることに誇りを持っている」に「はい」と回答した者の合計。
出所：内閣府「平成26年版 子ども・若者白書」を基に作成

を指しています。

例えば、優れた包丁を買うと、トマトがきれいに切れて味まで変わります。そういった小さな幸せを重ねていくと、毎日の生活から得られることが豊富になっていくと信じていて。ただ、特に東京のような都市であればモノは豊富で何でもあるのに、なぜ生活が貧しくなってしまうんだろうと。

ここで、先にも参照した内閣府の「平成26年版 子ども・若者白書」のデータを見ると、満13歳〜29歳の若者を対象とした意識調査ではありますが、日本人であることには誇りを持っている（図表5－6）一方で、自分自身への満足度がとても低いという結果があります（図表2－26参照）。他のデータを参照しても、多くのところで「自分への自信のなさ」が浮き彫りになってきます。

**杉江**　日本はセルフエスティームがとんでもなく低い国ですよね。ほとんど褒められたことがないせいで、自分の長所もわからない。だから社会参加するにしても、自分がどんな力を発揮できるかがわからない。ある意味で、大人が社会にインクルージョンされていないんです。培ってきた経験やスキルが社会で認められず活かされてもいない、と感じているのではないかな。

例えば、大企業に勤めているのは誇らしいけれど、自分の仕事の能力については自信がないという人にもよく出会います。あるブランドの中には加わっているけれど、個人としての自分は成長できていない、褒められる経験がないので、自己肯定の経験が積めず、属しているブランドと自分のスキルに対する自信との間にギャップが生まれてしまう。このギャップは日本という国に誇りを持つ一方で、自分自身には自信が持てないという結果にも表れています。

**杉江**　過去の日本と未来の日本を見てみると、確かに過去には素晴らしいことを成し遂げた国であることは間違いない。けれども、未来への期待を視点に日本を見ると、途端に希望も良化傾向もないというのが数字から見えてくる。それはこの30年、40年、日本が世界に負け続けてきているという姿の表れかもしれません。

かつての「社会人の鑑《かがみ》」は、お父さんが夕方まで一生懸命汗まみれで働いてきて、その後に家族で野球中継を見て団欒《だんらん》する。1960年代の流行語に「巨人・大鵬・卵焼き」なんてあるけど、その大人たちの姿を見て、子どもたちも同じ姿をめざそうとしたのは想像しやすい。

でも、今は大人の姿を見て、子どもたちが「同じようになりたい」とは思えていない。美しい作品を見たことがない人は、美しい作品を描けない、とよく言うけれど、同じように幸せな人を見たことのない人は、幸せのイメージができないと思うんだよ。

**シルビア**　それはありますよね。そこに意義が感じられなかったとしたら、「何のために自分は働くのか?」って思ってしまう。今、日本人は、そういう状態にあるのかも。

## アメリカと比較してはいけない

日本の働き方や労働環境、またビジネスにおいても、比較対象としてよく持ち出されるのがアメリカです。第二次世界大戦や戦後統治による影響もあると考えられますが、そもそも国家としての規模や人種の問題など、大きく異なる点が多い国でもあります。

**シルビア**　私は、仕事においてはアメリカって比較対象にならないと思っていて。例えば、何かでお休みを取るときにメールを自動返信にしますよね。アメリカの典型例は「明日、肝臓の手術をするので13時から17時まではいないけれど、それ以外ならいつでもメッセージください」だし、ヨーロッパは「3週間キャンプに行きますから、戻ってきてから返信します」なんです。仕事でロールモデルになる国って、あまりないんですよ。少なくとも、アメリカでは絶対にない。アメリカ時代の同僚は出産前日まで働いて、出産した2日後にはもう働き始めていました。ワーカホリックというか、休まない文化なんですよね。特に東海岸のほうに多い意識ですかね。それが当たり前っていう。

**杉江**　「忙しい＝仕事ができる＝稼いでいる」みたいな。極論で言うと「忙しい＝カッコイイ」という価値観だよね。

**シルビア**　ただ、アメリカ人の言っている“I'm busy”と日本人の言う「忙しいから」は、だいぶ質が違うなとは思っているんです。アメリカでは、ちゃんと働いて結果を出すほど、何かしら得るものも多くなる。満足や金銭、ステータスとか。でも、日本ではそういう見返りがないじゃないですか。例えば、ある一定の年齢にならないと、絶対にマネジャーになれないといったように、得られるものの違いが日米だけでもだいぶ違うんです。

**杉江**　そうか！「頑張っても報われる気がしない」ってことだ。“I'm busy”だから豊かになって、それを活かして楽しめているアメリカ人と、ただ忙しいだけでちっとも豊かにもならず、自由もない日本人……。しかも同調圧力の中で楽しくなさそうに生きている大人を見て、「自分は幸せになれるのかな、いや無理だろうな」と若い世代が思ってしまうのは、仕方ないよね。

厚生労働省が発表した「賃金構造基本統計調査」などのデータを参照すると、日本では若くして管理職に登用される割合が年々減っていることがわかります（図表5－7）。また、課長と部長の年齢差も諸外国と比べて開きがあり、特に20代から30代前半までの昇進が「異例」扱いとなる図が見えてきます（図表5－8）。

また、リーダーに求めるものについても、アメリカとはギャップがあることの一つです。

欧米を中心にした先進諸国はカリスマ型リーダーを求める傾向にあるようです。特にアメリカは優れたリーダーを評する際に“He is charismatic.”と言うのも日常会話。しかし、日本ではこのような「カリスマ的経営者」という存在で挙げられる人も確かにいますが、いわゆる「縁の下の力持ち」や「右腕」といった人材にもスポットライトがよく当たります。例えば、本田技研工業なら本田宗一郎さんだけでなく、藤沢武夫さんという名参謀が知られています。藤沢さんは実印と会社経営の全権を持ち、技術者として生きる本田さんを経営面から支えていた人です。ソフトバンクでは、孫正義さんの傍らで拡大戦略を支えた笠井和彦さんがいました。

日本のビジネスにおける土壌として、カリスマ型リーダーだけを一辺倒に待望する文化ではないことは、ポジティブに捉えることもできます。

**シルビア**　Paidyの私のチームでも、最近は「光が当たりにくい人」を、よく意識しています。例

## 図表5-7　年齢階級ごとの課長比率

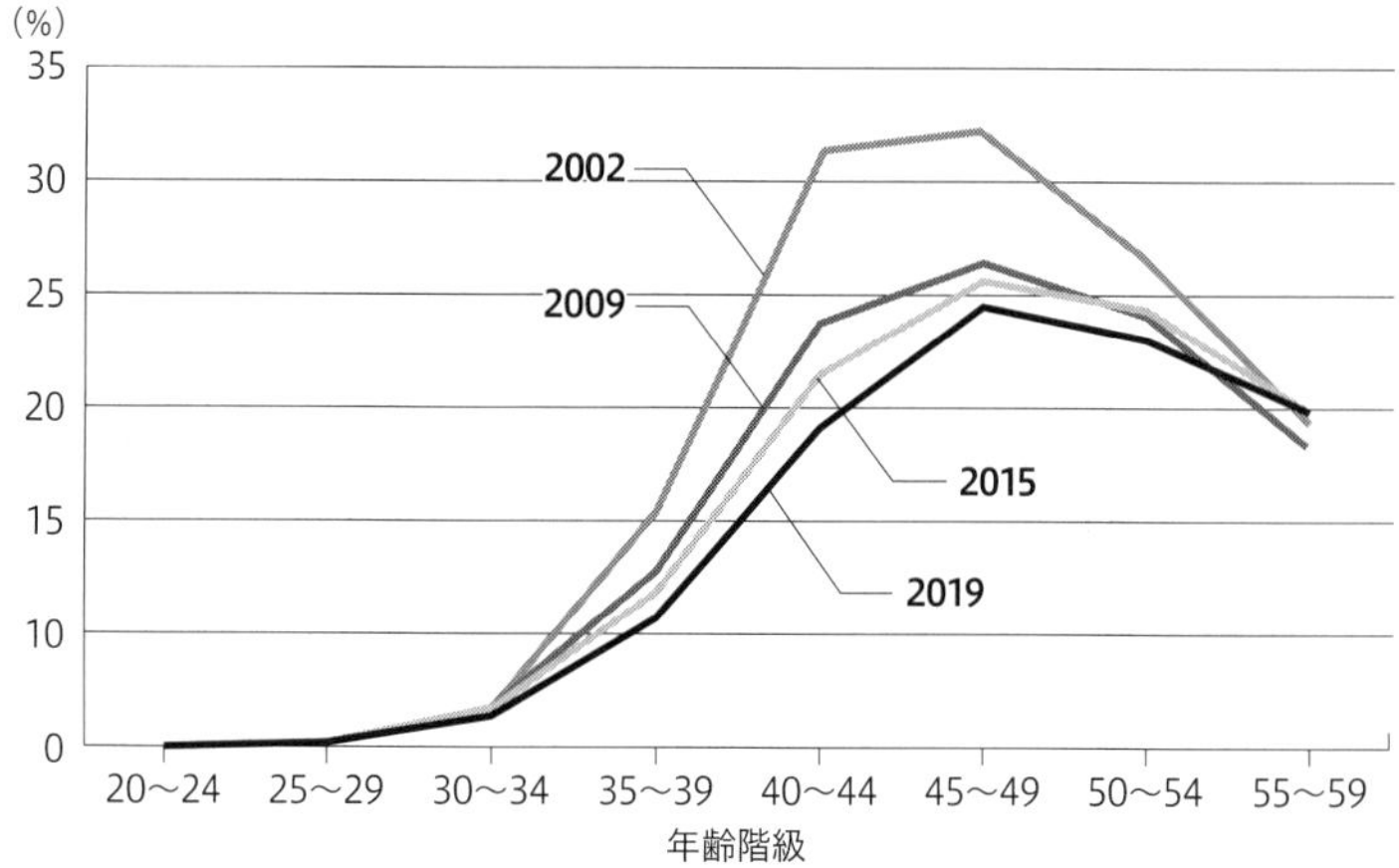


出所：厚生労働省「賃金構造基本統計調査」を基に作成

## 図表5-8　昇進年齢（平均）

| | 課長昇進 | 部長昇進 |
|---|---|---|
| アメリカ | 34.6歳 | 37.2歳 |
| インド | 29.2歳 | 29.8歳 |
| 中国 | 28.5歳 | 29.8歳 |
| タイ | 30.0歳 | 32.0歳 |
| **日本** | **38.6歳** | **44.0歳** |

※集計は大卒者限定

出所：リクルートワークス研究所「Works」128号(2015年2月)を基に作成

えば、プロダクト開発者は光が当たりやすいのですが、それもプロダクトへの問い合わせに毎日真摯に答えてくれるカスタマーサポートがあってこそ。社員全員が集まる月例の会議では、注目されにくい人たちの働きがビジネスの結果にいかに繋がっているかを発表します。社員同士の理解が深まり、仕事に対しての思いも高まると思っているんです。

**杉江**　これって、必ずしもアメリカのカルチャーにはないと思うな。表層的にはあっても、本当の光が当たりにくいというか。日本には「ポストカリスマ型リーダー」を生む土壌があり、それがひいては「女性リーダー」や「中性リーダー」といった、典型的な男性型リーダーではない形のリーダーシップに繋がる素地があるかもしれない。

昨今、話題となるスタートアップ企業の経営者も、必ずしもカリスマ型リーダーばかりではありません。一例を挙げれば、クラウド会計ソフト「freee」の佐々木大輔さんや「メルカリ」の山田進太郎さんといった面々は、カリスマ型というよりは「世の中にとって正しく有益なことをしたい」というスタンスが見えます。

男性的なスケーリング主義だけでなく、世の中の社会問題に対して向き合い、素直に発想できる人たちが多い印象を受けます。さらに、この「非カリスマ型リーダー」はアメリカの巨大企業であっても任を負うケースが増えてきたようです。「Microsoft」のサティア・ナデラ氏、「Apple」のティム・クック氏、「Uber」のダラ・コスロシャヒ氏……。

必ずしもカリスマ型のリーダーでなくても、世の中を変えるものや前進させるものがつくれるようになってきている、という図式の一つかもしれません。

**杉江**　カリスマ型リーダーから「強い個は持っているけれど、話をしっかり聞いてくれるオープンなリーダー」へ世の中の要請が変わってきた印象ですね。特に日本はそうだと思うんです。

明治安田生命が毎年行っている、就職する学生を対象にしたアンケートで「理想の上司」を聞くランキングでも、その変化が見て取れます。かつては「知将」や「熱血型」のリーダーが求められていた傾向から、2017年からは内村光良さん、水卜麻美さんが5連覇に輝くなど、時代の要請が結果に表れています。

職場環境やリーダーの気質、さらに時代の要請も異なれば、どこかの国をロールモデルとしていくことは、やはり難しいと言わざるを得ません。

日本は日本なりのやり方で、自分たちを変えていく必要を考えるべきでしょう。

**杉江**　アメリカだけでなく、日本をイギリスやフランスと比べようとしても、働き方のスタイルが違うと思うしね。何より問題は、日本が「アウトプットをすれば報われる世界」ではなくなっていて、頑張りどころが「上司に気に入られること」になってしまっていること。例えば、ヒエラルキー意識が強いといわれ、年功序列もある韓国も、40歳時点での「幸せになっているイメージ」が日本に比べて大幅に高い（図表5－9）。つまり、彼らは「勝ち残ったカッコイイ40歳」をしっかり見ているから、そう思えるのかもしれないよね。

40歳時点の幸福度に関連して、「自分自身に満足している」（図表2－26参照）「自分には長所がある」と思う若者の合計は、日本よりも韓国のほうが上回っています（図表5－10）。さらに、欧州諸国もずっと数値としては上です。

韓国は幼い頃から長所を見つけ、それを周りの大人が伸ばそうとする姿勢のある国だという話を聞いたことがあります。勉強があまり得意でなければ、「勉強はイマイチでも、このスポーツがうまいのだから、もっと取り組んでみたら？」といったように勧める。自分の長所に主眼を置くことを重視する文化が背景にあるのです。

これらを踏まえた仮説としては、日本よりも韓国はセルフエスティームが高いことにより、「自分の長所を活かした活躍をしよう」と思える意欲が湧いている。そして、学歴社会（入学歴だけでなく成績も含めて）など結果が評価されている競争環境だからこそ、仮に評価が得られない場合は「自分が至らなかったからだ」という内省と踏ん切りがつくのではないか、という道筋です。

単純に労働環境や働き方だけを諸外国と比較し、それを表面的に取り入れようとしても機能しない

## 図表5-9　40歳になったときのイメージ（幸せになっている）

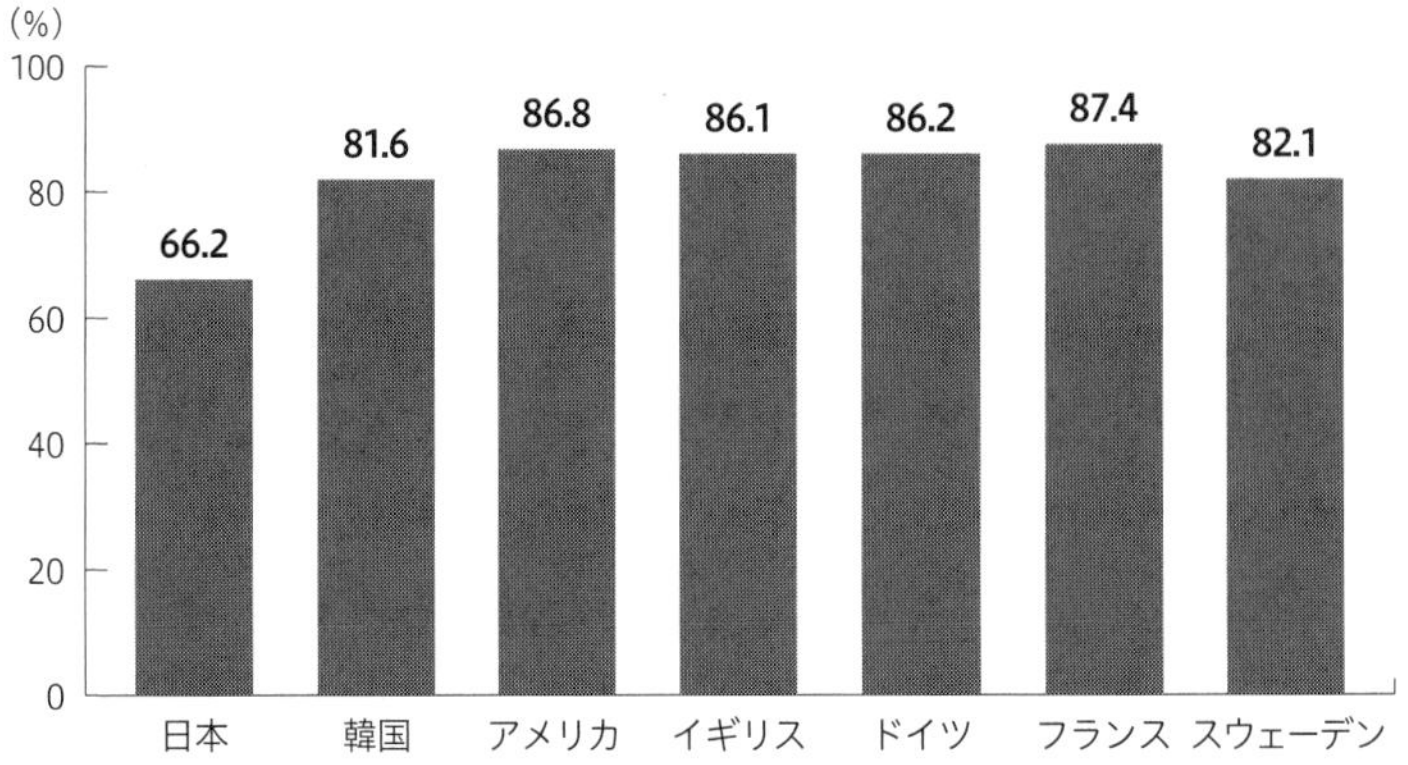


(注)「あなたが40歳くらいになったとき、どのようになっていると思いますか」との問いに対し、「幸せになっている」に「そう思う」「どちらかといえばそう思う」と回答した者の合計。
出所：内閣府「平成26年版 子ども・若者白書」を基に作成

## 図表5-10　自分には長所がある

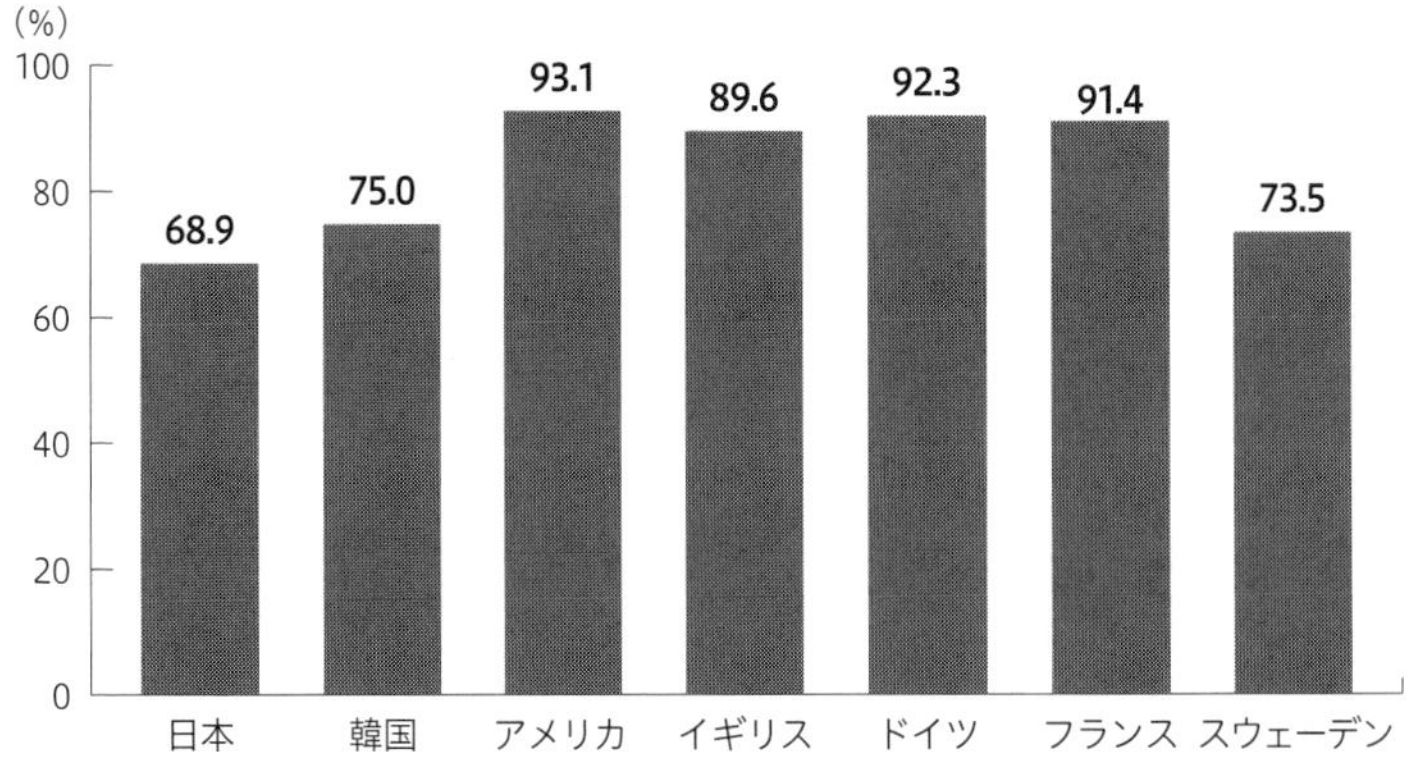


(注)「次のことがらがあなた自身にどのくらい当てはまりますか」との問いに対し、「自分には長所があると感じている」に「そう思う」「どちらかといえばそう思う」と回答した者の合計。
出所：内閣府「平成26年版 子ども・若者白書」を基に作成

理由の一つは、こういった内面的な成長を促すような根本の思想が不十分だからなのかもしれません。

## ＳＤＧｓと持続可能性には突破口がある

しかし、日本でも若者世代を中心に、内面的な成長を促す好機ともいえる変化が起き始めています。それがＳＤＧｓに代表される持続可能性に関する議論です。

日本は「ＳＤＧｓへの取り組み達成度ランキング」の位置付けとしては世界18位で（図表５－11）、２０１６年からの取り組みを見ても、概ね15位前後で推移してきました（図表５－12）。

ＳＤＧｓに関するアンケート調査を見ると、年齢別の意識調査で認知率が高いのは20代や30代といった若い世代であり（図表５－13）、さらに「自分で何かを行うのはハードルが高い」と感じているのは10代が22・１％と全年代で最も低い結果となったのです（図表５－14）。

日本総研が実施した中学生、高校生、大学生を対象にした調査でも、気候変動、ジェンダー、人権侵害といった項目に関心が寄せられており、全体としては高い割合とはいえないまでも、関心を持つ人が現れ始めているという点ではポジティブな結果といえます（図表５－15）。

**シルビア**　ＳＤＧｓ関連は世代によって意識が全然違いますよね。持続可能な生活が営めることに

**図表5-11　2021年SDGs達成度スコアランキング（対象：165カ国）**

| ランキング | 国名 | スコア | 参照（2020年） |
|---|---|---|---|
| 1 | フィンランド | 85.90 | 3位 / 83.77 |
| 2 | スウェーデン | 85.61 | 1位 / 84.72 |
| 3 | デンマーク | 84.86 | 2位 / 84.56 |
| 4 | ドイツ | 82.48 | 5位 / 80.77 |
| 5 | ベルギー | 82.19 | 11位 / 79.96 |
| 6 | オーストリア | 82.08 | 7位 / 80.70 |
| 7 | ノルウェー | 81.98 | 6位 / 80.76 |
| 8 | フランス | 81.67 | 4位 / 81.13 |
| 9 | スロベニア | 81.60 | 12位 / 79.80 |
| 10 | エストニア | 81.58 | 10位 / 80.06 |
| 11 | オランダ | 81.56 | 9位 / 80.37 |
| 12 | チェコ共和国 | 81.39 | 8位 / 80.58 |
| 13 | アイルランド | 80.96 | 14位 / 79.38 |
| 14 | クロアチア | 80.38 | 19位 / 78.40 |
| 15 | ポーランド | 80.22 | 23位 / 78.10 |
| 16 | スイス | 80.10 | 15位 / 79.35 |
| 17 | イギリス | 79.97 | 13位 / 79.79 |
| **18** | **日本** | **79.85** | **17位 / 79.17** |
| 19 | スロバキア共和国 | 79.57 | 27位 / 77.51 |
| 20 | スペイン | 79.46 | 22位 / 78.11 |

出所：「Sustainable Development Report 2021」を基に作成

### 図表5-12　日本のSDGs達成度の推移

| 年 | 順位 | スコア |
|---|---|---|
| 2016年 | 18位 | 74.96 |
| 2017年 | 11位 | 80.18 |
| 2018年 | 15位 | 78.52 |
| 2019年 | 15位 | 78.92 |
| 2020年 | 17位 | 79.17 |
| 2021年 | 18位 | 79.85 |

出所：「Sustainable Development Report 2021」を基に作成

### 図表5-13　性年代別SDGs認知率（単一回答）

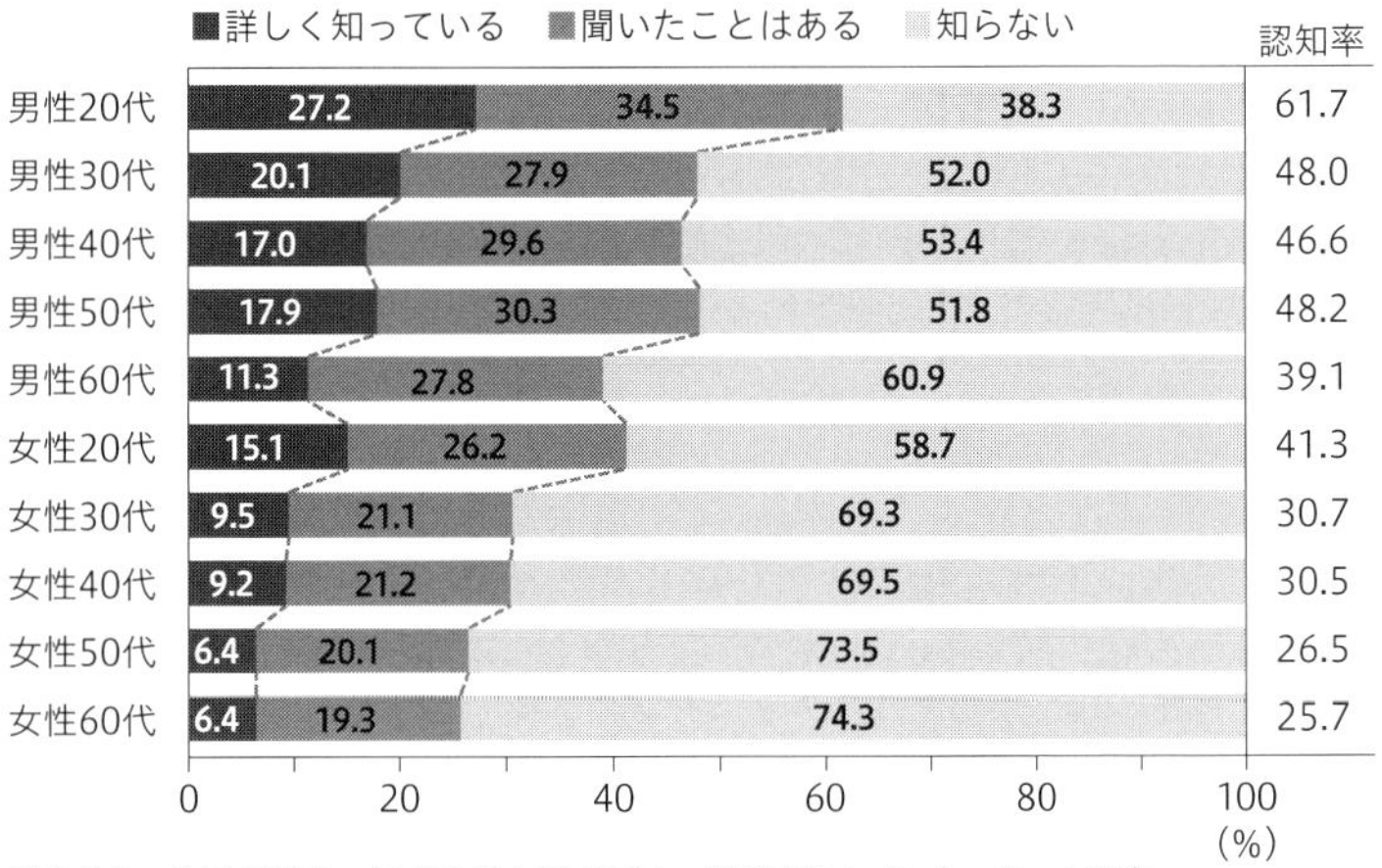


調査対象：全国の20歳～69歳の男女10,500人　調査方法：インターネット調査
調査期間：2020年6月24日～ 6月30日
出所：企業広報戦略研究所「2020年度 ESG/SDGsに関する意識調査」を基に作成

## 図表5-14　SDGsについて自分で何か行うには ハードルが高いと回答した人の割合(年代別)

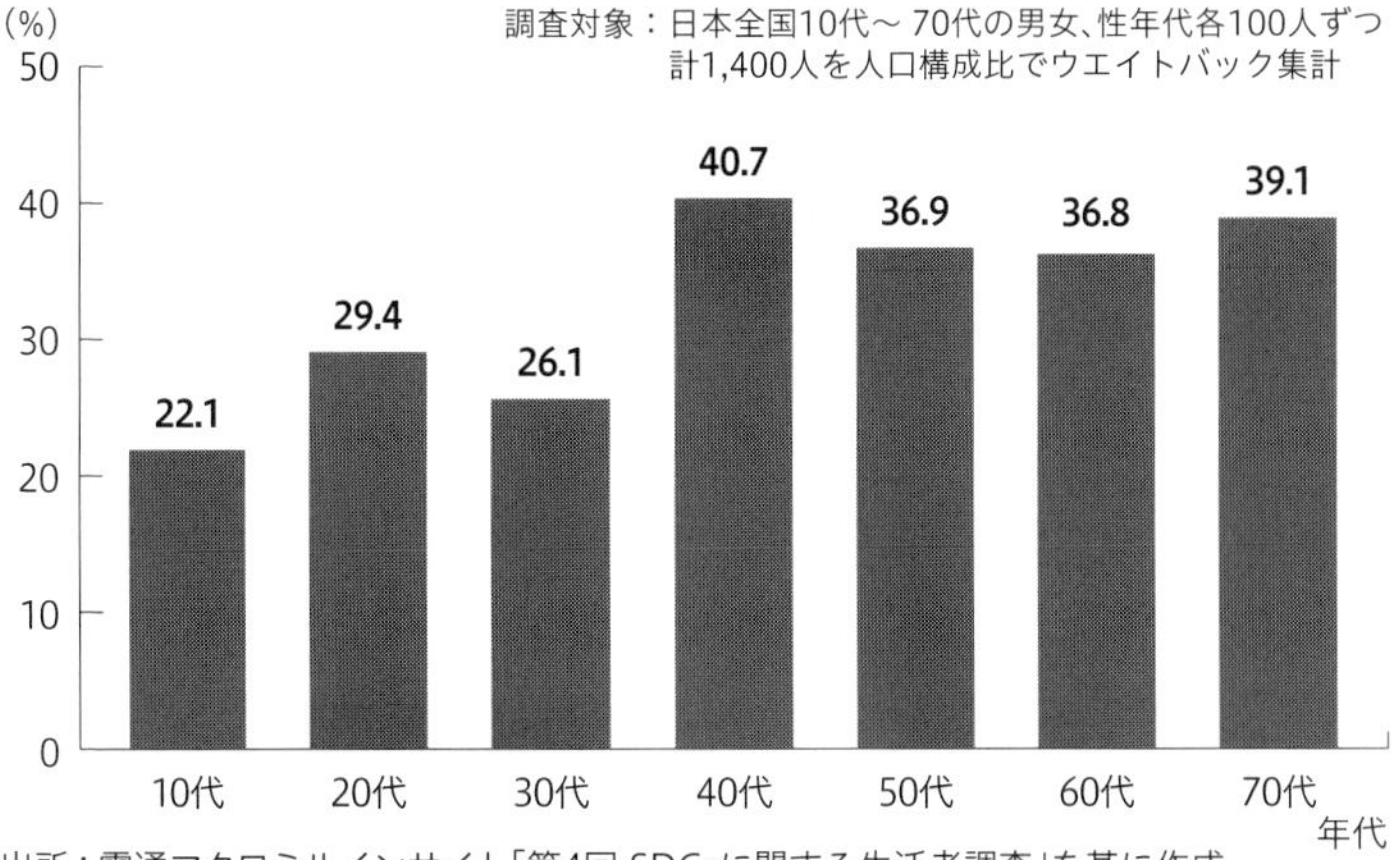


出所：電通マクロミルインサイト「第4回 SDGsに関する生活者調査」を基に作成

よって、満足度や幸福度が今後どう変わっていくかを見ていくのは大切かも。

**杉江**　食品を一つひとつ包装しているのはきれいに見えるかもしれないけれど、それが地球環境全体の中でどういった影響を起こしているのか。それをなくすことで、どれだけ豊かな社会に繫がるのか——。そういった議論は、少なくとも僕らの世代でなされることはなかったからね。

**シルビア**　ハンガリーでいえば、比較対象になるのはドイツでした。高校生の時にドイツへ行ったのですが、その頃から環境意識がとても高かった。おそらく教育の一環としても取り組んでいて、学校給食の余り物を庭へ埋め込んでコンポストのように新しい土を作るといったこともされていたようです。そういったことが当たり前の国々と、幸福度のような

## 図表5-15　関心のある環境問題や社会問題

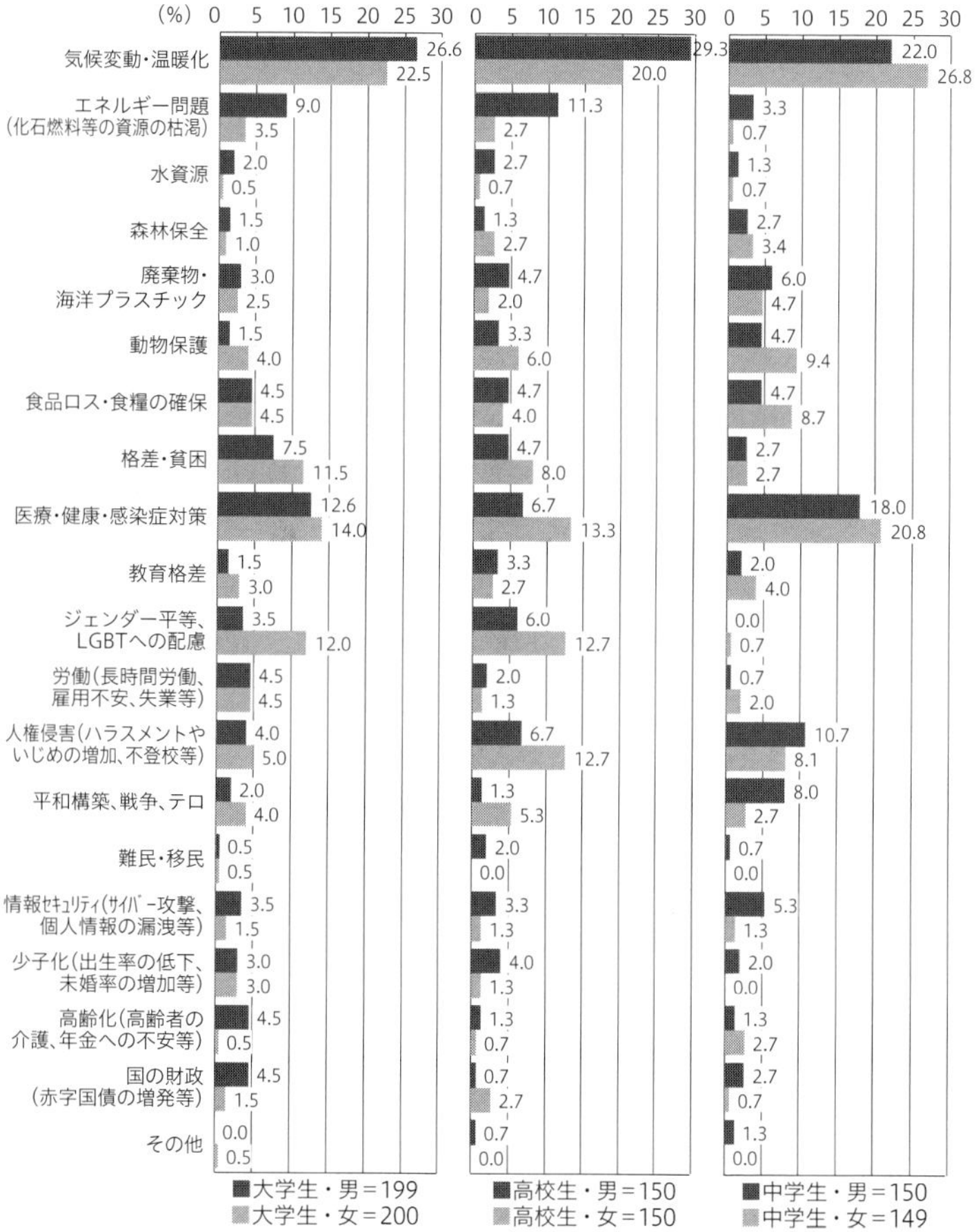


調査概要：全国の中学生、高校生、大学生に焦点を当て、ESG及びSDGs、
キャリア等に対するアンケートWEB調査
調査期間：2020年5月8日～5月10日
調査対象：中学生300人、高校生300人、大学生400人

出所：日本総合研究所「若者の意識調査（報告）― ESGおよびSDGs、キャリア等に対する意識 ―」を基に作成

**図表5-16　世界幸福度ランキング2021**

| ランキング | 国名 | ランキング | 国名 |
|---|---|---|---|
| 1位 | フィンランド | 17位 | イギリス |
| 2位 | デンマーク | 18位 | チェコ共和国 |
| 3位 | スイス | 19位 | アメリカ |
| 4位 | アイスランド | 20位 | ベルギー |
| 5位 | オランダ | 21位 | フランス |
| 6位 | ノルウェー | 22位 | バーレーン |
| 7位 | スウェーデン | 23位 | マルタ |
| 8位 | ルクセンブルク | 24位 | 台湾省 |
| 9位 | ニュージーランド | 25位 | アラブ首長国連邦 |
| 10位 | オーストリア | 26位 | サウジアラビア |
| 11位 | オーストラリア | 27位 | スペイン |
| 12位 | イスラエル | 28位 | イタリア |
| 13位 | ドイツ | 29位 | スロベニア |
| 14位 | カナダ | 30位 | グアテマラ |
| 15位 | アイルランド | ～ | ～ |
| 16位 | コスタリカ | 56位 | 日本 |

調査内容：国民に自身の幸福度を評価させ、加えてGDP、社会的支援、健康寿命、人生を選択する自由度、腐敗・汚職度などの要素を元に総合評価する。過去3年間の平均値で決定される。
出所：「世界幸福度報告書（World Happiness Report）2021年版」を基に作成

ものが何かしら関連しているとすれば、日本がＳＤＧｓに取り組むことで幸福度も上げられるのかもしれない。

環境問題だけで評価されるわけではありませんが、「世界幸福度ランキング２０２１」（図表５－16）と前述のＳＤＧｓへの取り組みを評価されている国を比較すると、上位国に重なる部分も見られます。日本は幸福度ランキングで56位と順位を下げますが、今後の中心になる若い世代を旗振り役にＳＤＧｓへ向き合い続けることは、一つの突破口になる可能性はあります。

## 必ずしも勝ち負けではない「課題ゲーム」に挑もう

そして、ＳＤＧｓとも遠からぬ影響を感じさせるのは、日本のビジネス環境です。

**杉江**　今のスタートアップの経営者やファウンダーは「勝ち負けで物事を語らない」ようになってきていて。あくまでも「今、自分が想像している社会変革にコミットする」とは言っていても、「メガスケーリングして世界を征服してやるんだ」みたいなことを言う人はあまりいない。

**シルビア**　「勝つ」って、誰か相手が負けなきゃいけないじゃないですか。でも、スタートアップは「勝つ」というより「意義のある成果をつくれたか否か」に変わってきていると思うんですよ。生活や世の中が良くなった、環境が改善した、とかね。そういう変化が一般の方々の中にも生まれているんじゃないかと思います。昭和なら「結婚しなかったら負け組」だったかもしれないけど、これが時代にそぐわなくなってきているわけで。

**杉江**　確かにね。でも、僕はまだ昭和な側にいるから、どこかで「勝たなきゃしょうがないでしょ」って思っちゃってるところがある。それを軽やかに否定されたい（笑）。特に日本はまだ世界ナンバー3の経済規模を持っていて、そこで自分たちの持つソリューションが当てはまるなら、海外から日本へ参入する企業にとっては、「ここで勝ち抜いて市場を取ってみせる」というのが当たり前の思考だと思うんですよね。そういう「勝ち負けゲーム」から逃れられるんだろうか？

「勝ち負けゲーム」の議論は、世界の巨大テック企業が今、世の中から受ける批判の要因にたどり着く話でもあります。Facebook や Google、Amazon といった企業は、買収などを含めて後発のイノベーションをことごとくのみ込んでいきます。のみ込まなければ自分たちが大きくなっていけず、成長期待に応え続けるのが難しいからです。

そのような戦略を取る世界的企業によって、世の中にだんだんと国境がなくなることで、各地にできるローカルなイノベーションまでものみ込まれてしまうのが、一つの問題となっています。巨大テック企業は必ずしも自ら大きなイノベーションを生み出してはおらず、培ってきた資本力で自らに取り込むことも多いのです。

**杉江**　企業が巨大化する、あるいはお金を儲けることよりも、おそらく今後、人類の最もセンターに来るイシューは、もはやＳＤＧｓやサステナビリティであることは、世界規模の決まり事として、若い世代ほど理解しているはずです。自分たちのミッションやゴールが「ビジネスで勝つ」といったことではなく、世の中をもっと幸せにして、向上させ、維持することにある。それ自体が、人類にとっての「勝ち」になるんじゃないかな。

世界２０１カ国の若者世代を中心とした人々がメッセージを寄せた本『WE HAVE A DREAM ２０１カ国２０２人の夢×ＳＤＧｓ』を開くと、それぞれの国々が抱える諸問題に対して向き合い、一つずつ変えていこうとする活動と、その意志が語られています。その語りはどれも「勝ち負け」の論理とは異なるものであり、もし彼らのような活動にこそ投資や人材が集まったとき、世界のありさまもまた変わっていくという期待を抱かせます。

**杉江**　アメリカでは“ready, set, exit”ってよく言うんです。要は、スタートアップは「exit ＝売ること」のためにやってると。でも、そんなお金の流れも変わってきていると思うんです。サステナビリティにフォーカスした投資ファンドは劇的に増えている。

**シルビア**　より「大きな課題」を解決しようとしてるところに投資すべきですよね。「インパクト投資」っていう概念も定着しつつあります。

**杉江**　世界のビジネスも、資本がどれだけ大きいかのゲームではなくて、課題がどれだけ大きいかのゲームになってきているんだね。テスラはまさに資本ゲームだけじゃなくて「課題ゲーム」で勝ってるわけだから。解決しようとする課題に対するアスピレーション（志・熱望）が大きいか否かで時価総額が形成される傾向にある。これはまさに、昭和モデルとの決別ともいえるわけで。

日本が向かうべき未来を考えたとき、この「資本ゲーム」から「課題ゲーム」に切り替えられるのかは、世界の潮流に適合するという意味でも、非常に大きなポイントになってくると思います。このような企業で若い世代が働き、解決できる課題に自らが寄与しながら成果を上げていくこと。それは仕事をすればするほどに、希望の見つかる働き方といえるのではないかと思います。SDGsのど真ん中をいく活動だけでなく、日本や世界のビジネスをさらにより良くしていくことも、十分なモチベーションとなるはずです。

いかに解決したい課題へ立ち向かっていけるのか。自分は何を課題だと感じ、解消しようとしているのか。そこに自分の長所や能力を懸けたり情熱を燃やしたりしながら向き合っていけるのか。

もし、あなたが自らの手で未来を創りたいのであれば、様々な歪みが露呈しつつある「資本ゲーム」にのみ込まれるよりも、「課題ゲーム」への参加が、その一歩なのかもしれません。

# 第6章

スペシャル対談——キャシー松井×シルビア

# 一人一人のポテンシャルを最大化できる社会へ

一人一人が自分自身の未来を考え、自由な環境が整った国になるためには、そして、若者世代がもっと活躍するためには、一体何が必要なのでしょうか。

その一つのヒントが、１９９９年にまとめられた調査レポートにありました。そのレポートで用いられた経済用語「ウーマノミクス」は、女性が働き手としても消費者としても社会を牽引するような経済の在り方を構築するモデルとして、２０１４年当時の首相であった安倍晋三氏が打ち出したものです。そしてウーマノミクスを実行すべく取り組まれた成長戦略が、人々の意識を変えていくきっかけを与えたのです。

このレポートをまとめたのが、キャシー松井（以下、キャシー）さんです。

キャシーさんは、１９６５年にアメリカで生まれ、ハーバード大学を卒業後、ジョンズ・ホプキンズ大学大学院を修了。１９９０年にバークレイズ証券、１９９４年にゴールドマン・サックス証券へ入社し、１９９９年に「ウーマノミクス」レポートを発表されました。２０２０年末にはゴールドマン・サックスを退社され、金融界で活躍してきた女性３人で新たにベンチャーキャピタル「MPower Partners Fund L.P.（以下、MPower Partners)」を設立。同社は、社会的課題をテクノロジーで解決する起業家を支援することを掲げ、投資領域をＥＳＧ（Environment Social Governance）に注力するという方針でも注目を集めています。

キャシーさんはインタビューなどでも日本の成長性に期待を寄せる一人。私たちもこの本を通じて、若者世代の活躍を少しでもサポートしたいと考えています。どうすれば、もっとこの国も若者も、潜在能力を発揮できるのか。あるいは、女性が可能性を発揮できるのか。日本と海外をよく知るキャシーさんとシルビアが語り合いました。

## 「成長を促すドライバー」は三つしかない

**シルビア**　私たちはこの本で、数々のデータをもとに日本の現在地を見て、いかに今後の競争力を上げられるのかを考えてきました。その中で「教育水準」といった客観的に国際比較ができる指標を見ると、日本の女性は非常に教育水準が高いけれども、セルフエスティームの低さゆえ、特にSTEM教育から身を引いてしまう現状があるように見受けられたのです。大学ランキング、英語学習、留学経験といった観点でも、他国に比べて著しく低い状態にあります。

また、リーダーシップに関しても、男女ともに若者世代は素晴らしいアスピレーションを抱いていながらも、大企業における管理職としての登用時期も年々遅くなっており、結果的にそれを発揮できていないようです。

これらの諸問題、特に女性の活躍に関しては、キャシーさんが日頃から課題を感じていらっしゃることだと思っています。今日はどのようにすればそれを乗り越えていく道筋が見えるのかを探っていければと考えています。キャシーさんがこれまで発信されてきたことは、どれも「明るい未来が描きにくい日本だけれども、グローバルな視点に立てば、もっと成長できる余地がある」というメッセージだと受け取りました。Paidyとしても、また個人としても、その点に深く共感しています。ぜひ、成功できる余地についての考えをお聞かせください。

まずはキャシーさんの近況も兼ねて、設立に携わられたMPower Partnersについてお話しいただくと、今日の課題についても触れられると思うのですが、いかがでしょうか。

**キャシー**　私たちがこのファンドを立ち上げた理由からご説明しますと、ビッグピクチャーとして、日本の未来への危機意識をものすごく感じているからです。

結局、どのような国でも「成長を促すドライバー」は三つしかありません。「人材」「資本」「生産性」です。日本の労働人口は少子高齢化の影響で、2065年までに4割減るといわれています。それほど減るのであれば、どこかに「金の鉱山」を見つけるか、生産性に革命が起きない限りは、日本の潜在成長率や生活水準そのものが低下してしまいます。この点に大きな危機感を持った上で、成長性を支え、もっと明るい未来の図を描くためには何が必要なのかを考えたとき、日本のスタートアップやエコシステムに行き着きました。

日本のスタートアップ企業の資金調達額は2019年に約48億ドルに上り、この7年で7倍余りに増加しています。特にこの数年の増加ぶりは顕著です。ただ、それにしても対GDP比でいえば、アメリカの35分の1、中国の18分の1と極めて小さいままです。もちろん、例外的なユニコーン企業はあるけれども、その数も極めて少ない。

しかし、そういった環境下にはありますが、前向きな素材も見受けられます。まずは、シルビアさんが先ほどおっしゃったように日本は高い教育水準をキープしており、人材としてのプールがあること。それから、国としての貯蓄がまだあること。あとは、全分野ではないにせよ、一定の領域で最先端技術を持っていること。

**シルビア**　そうですね。技術でいえば、私たちもこの本でマテリアル産業に注目して、そこを強みの一つとして打ち出していくべきだと考えていました。

**キャシー**　これらが揃っているにもかかわらず、なぜ日本で明るい未来の図が描けないのか。“What's missing?”（何が足りないの？）というクエスチョンが湧くわけです。それに対して、私たちがすべての答えを持っているわけではありませんが、いくつか言えることはあります。

一つは、いわゆるグローバルスケールへのアンビション（野心・大志）を日本が持てるようになれば変わるかもしれません。英語で“big fish in a little pond.”という言葉がありますよね。

**シルビア**　日本語だと「井の中の蛙」と呼ばれるものですね。小さな集団の中での比較優位に満足してしまう。

**キャシー**　この言葉は、日本と世界を比べたときにも頷けることです。せっかくの面白いビジネスなのに、なぜグローバルにスケールできないのかという問いに答えるヒントの一つでしょう。

それに関連して、多様性が欠けていることも弱みです。ジェンダーのみならず、教育のバックグラウンドを含めて、考え方の多様性が欠けているように感じられるんですね。つまり、「違う考え方を持つ、いろんな人たちがいる」という状態になりにくい。

そういった一つひとつを、私たちの MPower Partners のように小さなファンドがすべて解決できるわけではありませんが、我々のチームは一般的なファンドよりもグローバルですし、他のファンドよりもダイバーシティには富んでいると思います。こういった付加価値に加えて、ESG投資の側面も、これから大きくなっていくためには絶対に不可欠です。それらを考えているファンドとして、MPower Partners は他と差別化できるだろうと見越したのが、設立に至った背景です。

## 女性は、なぜキャリアアップのチャンスを逃すのか？

**シルビア**　MPower Partners が設立された時のインタビューで「もったいない」という言葉が

フィーチャーされていましたね。日本はどういったところが「もったいない」状況になっているとお考えでしょう。

**キャシー**　1999年に、私は「ウーマノミクス」を提唱するレポートをまとめました。

ウーマノミクスは「ウーマン」（女性）と「エコノミクス」（経済）という単語を組み合わせた造語で、人口の半分を占める女性の活躍を推進することで、経済を活性化しようという概念です。

そのレポートのためのリサーチを進めていたとき、まさに「もったいない」と感じることばかりでした。私は息子が生まれて4カ月後に仕事へ復帰したのですが、周りのママ友の中には同じようにフルタイムのキャリアに戻った人たちも一部いましたけれども、かなりの数がいろんな理由があって戻れなかったんですね。中には、私より教育水準が高く、経験も豊富で、いろんな資格を有している人たちもいました。

望んで専業主婦のルートを選んだ人もいますが、そうではない人たちもたくさんいます。この人材プールは、とにかくもったいないなと。なぜ、女性が活躍できない国なのかをさらに調べると、政策や税金といったインフラ的な課題はあるけれども、当然、問題はそれだけではありませんでした。社会、メディア、学校の先生、親、組織……といった諸問題が鈴なりです。「多様性は成長の武器になる」という考え方を強く持たなければ、それを信じられない人を説得するのは本当に難しいことですね。

**シルビア**　まさに今、人材における「もったいない」ケースも出ましたが、日本では管理職に占める女性比率が世界と比べて低い現状もありますし、女性の上司のもとで働くことに抵抗感を覚える人の割合が少なくありません。いずれも残念なことです。こうした現状に変化をもたらすためには、今後どういった取り組みが必要だと思われますか。

**キャシー**　一つで完結できる解決策はありません。「官」「民」「社会」の三角での対応しかないと考えています。「官」は、パーフェクトではないけれども、ある程度は動いていますね。保育施設の拡大や海外からの看護師の受け入れなどの背景はありながらも、女性の就業率がだいぶ上がってきているのも事実です。しかし、一方で、女性の就労者の大半が非正規雇用です。そうなると、なかなかマネジャーへのキャリアパスを描くのは難しいですね。どのように非正規雇用から正規雇用へと変えていくか、そして正規雇用者からマネジャー職やリーダー職に登用できるか、という道筋については、「官」や「政府」は介入できないところです。

ここから動くべきなのは「民」つまり企業、雇用主ということです。とにかく雇用主はストレートに、ミクロレベルの取り組みに何年も掛けなければならないでしょう。これは投資でもあります。リターンを得られるのが早くても数年後ですから、決して簡単なことではないですが。

私が勤めていたゴールドマン・サックスも、ダイバーシティ施策に完璧に取り組めている会社とはいえませんが、様々な実験を続け、時には失敗し、その失敗から学ぶことを繰り返してきました。とにかく取り組み続けて、わずかに変化が起きてきたところです。

どれほど資本やリソースがあったとしても、やはりコミットメントが必要ですね。経営層などのトップだけではなく、すべてのステークホルダーからのコミットメントがないと、なかなか動きづらい山であることは間違いありません。

**シルビア**　女性の昇進チャンスが少ないという点は、私も先日、アメリカの調査レポートで読んだところです。そのレポートでは、マネジャー職の男女における人数が著しく違う理由は、基本的に会社が昇進のチャンスを与えないことにある、と結論づけられていました。

一方で、特に最初の昇進チャンスを適切に会社が与えることで、女性がマネジャー職からCレベル（最高責任者レベルの経営幹部）までキャリアアップしていく確率が高まるだけではなく、仕事に対する満足度が向上したり、会社の生産性が上がったりするというデータもあります。なおのこと、マネジャーに昇進する最初のタイミングがいかに重要かを思い知らされました。

また、いくつかの調査レポートで読んだ結果からまとめると、女性には完璧主義者が多く、自らに課した「マネジャーに上がるクライテリア（評価基準）」を達成しないと自分から手を挙げられないという気質にも課題があるようなんです。

なぜ、女性はマネジャーに上がるタイミング、あるいはオポチュニティを逃しやすいのか。あるいは逃してしまうのか。この点に関して、ぜひキャシーさんのご意見を聞かせてください。

**キャシー**　おっしゃる通り、女性自身が自己への自信が足りないことは理由の一つだと思います。例えば、あるポストに就くためには「10のクライテリア」があったとします。男性候補と女性候補は同期であり、能力としても平等です。女性は「10のクライテリア」を見て、「私には8点が備わっているけれど2点はない。自分は8点しかないのだから、絶対に成功しません」と考える。でも、男性のほうはというと、「このポストで成功するためには10点がすべて平等のはずがない。上位3点が大事であり、僕はこの3点を抜群に持っているから務まるはずだ」と手を挙げる。そういう傾向はありますね。

自己への自信の持ち方、英語でいうところの“Confidence Gap”は普遍的であり、日本人女性だけの問題ではないでしょう。

もう一つ、上司側から見たときのバイアスも関係がありそうです。これは実際にあった話だそうですが、某大手メーカーがブラジルに拠点を開設するために要職が必要となり、3名の候補が出揃いました。男性が2人、女性が1人で、女性だけがポルトガル語を大学で勉強していたので、会話が堪能でした。それ以外のスキルも経験も十分だったのに、セレクションをするコミッティーでは「彼女は結婚しており、子どもも2人いる。夫も別の企業で働いている。家族からは絶対に離れないだろうから、打診しても拒否されるはずだ。結果がわかっているのだから聞かないほうがいい」と判断してしまった。結局、その女性には相談一つされなかった。
私の友人が後からコミッティーに参加して、その話を聞いてひどくショックを受けたそうです。そこで彼女に意思を確認してみると、5秒以内に「はい、ブラジルに行きます」と。彼女自身は、自分のキャリアにとっての大チャンスだと確信して、実際に現地で大成功を収めたんです。

こういった、任命側からの無意識のバイアスが働いてしまっている結果もあるはずです。「彼女は結婚して子育て中だから」とか、「彼女は独身だけどまもなく結婚するらしい」とか、そういった状況から判断してしまうのです。

**シルビア**　そうですよね。「新婚だから、近いうちに産休に入るんじゃないか」とか。

**キャシー**　そういった決め付けが過ぎてしまって、結果的には営業などのフロントポジションではなく、バックオフィスに収めてしまう。本人にインテンション（意志・意向）がないのに、上司側がそういった指導をしてしまう。「C-Suite（CEOやCFOなど「C」から始まる会社経営を司る役職たちを称した一団）」のポジションやマネジャー職は成功を求められるがゆえだとは思うのですが、他者が本人の「個人的な事情」を慮って判断してしまうのは気を付けなければいけませんね。

## 失敗ではなく、自分を疑うことで夢はなくなる

**シルビア**　先ほどおっしゃった自己への自信の持ち方という指摘は、とても共感します。私たちもこの本で自己肯定感について深掘りをしたのです。

この本のプロローグを私が書いたときに、こんなふうに考えたんです。私たちが若い世代に持ってもらいたいのは、本当に「自己肯定感」なのかと。むしろ、英語で言うなら"self-doubt"、自分をつい疑ってしまうような感情を取り払うことかもしれないとも思うんです。

というのも、この数週間、私が自分自身を疑っていたからです。他部署から批判を受けるほどの事態が起きて、「今回の判断にはやむを得ない取捨選択が必要で、この判断は正しいと信じていたけれど、果たして他の方法はなかったのか」と、いろいろと悩んでしまって……。

これほど悩んでいてはプロローグなんて書けないと感じていたとき、私が大好きな言葉を一つ思い出しました。アメリカの作家であるSuzy Kassem（スージー・カセム）の言葉です。

"Doubt kills more dreams than failure ever will."

私なりに訳すなら、「失敗ではなく、自分を疑うことで夢はなくなる」です。それを思い出したら、私はとても情けないことを考えてしまっていると反省することができました。

私の場合も、自己肯定感の問題ではなく、self-doubtに課題があったといえます。それこそ、特に女性は毎日のように自分を疑っていそうな気がするのは、なぜだろうと……。

**キャシー**　世界中でそういう場面を目にしますね。私はシニアになっていけばいくほど周りが男性だらけになってきたのですが、周りの男性を見ていると、どうも「自己宣伝」が本当に多いし、それでいて上手にやっていると感じています。

大したことでもないのに報告してくれたり（笑）、2年おきくらいに「今はこの人のプロモーションのシーズンなのかな」と思うくらいに自分の功績を語ったり。

ある時期、私のオフィスを訪れる人の9割くらいが男性だったことがあって、彼らは口々に「キャシー、2分くれませんか？」と言うんです。ノーとは言いづらいですから、招き入れてみると、席に座るなり自己報告が始まるんですよ。「最近はこんなことをやって、これが成功したんだ」みたいに。

でも女性の場合、3カ月前から私のカレンダーにアポをちゃんと入れ、メールも送り、自分のことを報告するためにパワーポイントの資料もきれいにまとめる。報告の中には半年前の仕事も含まれていて、私が指摘すると「すみません、報告が遅くなりました」と。

もちろん、育てられ方にもよるとは思うのですが、どうも男性は自分の強みを宣伝することに長けていますね。それを自然にわかっているのではなく、後天的に身に付けている。「誰に、何を報告すべきか」ということを、いろんな人たちの意見を聞きながら、コツを掴むのが上手なんです。そういったネットワーキングについても、女性は不得手かなと感じます。

**シルビア**　確かに私もそうです。特に「横の繋がり」というネットワーキングは、キャリアの中でもずっと悩んできたことなんです。

その悩みに対してよく言われたのが、「女性たちでネットワークをつくればいいのでは？」でした。でも、女性たちでネットワークをつくっても、それが男性社会では通用しないものになってしまうと、私はずっと思っていて。

しかも、女性は女性に対して「冷たい」と感じることも結構多いものです。なぜ、これほど女性が同性に対して冷たいのかを考えたら、そもそもマネジャー職を含めてキャリアアップをしていく女性が少ないから、全体を俯瞰する機会が少なく、身近にいる同性を敵視しやすいんじゃないかと思うんです。もしくは、「女性として成功したい」のではなく、とにかく一生懸命に仕事をすることで認められたいという思いもある。

私がニューヨークに住んでいたとき、いろいろなマイノリティに対しての働き掛けがあり、それが理由なのか「あなたは女性だから、CSO（Chief Strategy Officer：最高戦略責任者）になってよ」みたいに言われたことがあったんです。その理由は私にとってすごく嫌なことでしたが、気が付いたら、どうも一生懸命働く過程で、自分がどこか男性化してしまっているようにも思えました。つまり、私自身も仕事を一生懸命こなしていくうちに、男性目線で周りを見るようになってしまっていたのではないか、と感じたのです。そのことで、部下の女性やあるいは横の繋がりが持てるはずの女性に対して、彼女たちの能力そのもの仕事ぶりそのものを正統に判断できていなかったのではないか、女性の良さを見落としていたのではないか、と思ったのです。「仕事の成果、能力で判断してもらいたい」、それは正統なことだと思いますが、働けば働くほど男性化せざるを得ないという悪循環からどう脱出したらいいのか、と悩んでしまったんです。

実はニューヨークのときだけでなく、今、日本で働いていても、その悩みは感じています。何しろ日本も男性社会のままですからね。

キャシーさんも「周りが男性だらけになってきた」とおっしゃいましたが、そういった自分の男性化のような変化にはどう向き合っていますか？

**キャシー**　ミーティングで私一人だけが女性であることも多いですから、ある意味ではもう慣れてしまって、そういう意識もだんだんなくなってきたかもしれません。

ただ、男性社会を変えるのは容易ではないでしょう。でも、一つできることとして、これは自著の『ゴールドマン・サックス流　女性社員の育て方、教えます』にも書いたんですけれども、女性社員にメンターやスポンサーをつけるという方法が、女性の活躍推進に大きな力を発揮してくれると考えています。

直接の上司ではない斜め上の管理職や役員が「メンター（相談者・導き役）」となって、キャリアの相談に乗る制度も有効ですし、それに加えて「スポンサー制度」があると良いですね。対象となる女性社員の仕事ぶりを複数の管理職で総点検して、キャリアについてアドバイスする。加えて、本人に代わって彼女の業績や能力をアピールし、人脈づくりなどを通して本人の昇進をバックアップするというのが「スポンサー制度」です。

自分のことをかわいがってくれる、手伝ってくれる。そういう人たちが、私にはたまたまいてくれました。だから、「女性自身がもっとスピークアップしなさい」とか、「もっと自己宣伝しなさい」とか言っても、自然に出てこないだけに難しいじゃないですか。

それならば、チアしてくれる存在を周りに置いていくほうが、より現状を変えられるのではないかと思うのです。尊敬している男性リーダーの人たちも、私の場合には応援者になってくれて、プロモーションに貢献してくれましたから。

**シルビア**　そういった考え方は、確かに現実的に取り組める方法ですね。それに、今の日本社会で女性を後押しするのであれば、なおのこと必要性を感じます。

日本のビジネスパーソン文化は男性が中心で、そこへ至るバックグラウンドもそれほど大きくは変わらないことが多く、ある意味では同質化しやすい環境です。同質化した環境において、女性をそこへ一人だけ放り込む、つまり「異質」なものを置くというのは、その女性にとっても非常に居心地が悪いわけですね。

女性のネットワーキングが不得手なせいもあるかもしれないけれど、同質化した環境が女性に悪影響を及ぼしている可能性も高いのではないか、と。もちろんそれは、女性だけでなく、外国籍の人や異分野から来た人にも当てはまるでしょう。つまり、本当の問題は、そういった同質化した環境そのものにあるんです。

そういった組織を変えていくのはものすごく大変ですから、キャシーさんの提案は一つのやり方として素晴らしいと思います。一方で、特にこれからの若い世代には、もっと軽やかにフレキシブルな場所があることを伝えたいですね。

その一つとして、Paidy のような組織が成功できれば、それをモデルにできるかもしれないとも感じます。性別も国籍も分野も年齢も違う人たちが集まっているから、男女差という観点ではなく「その人」単位で、考えや意見を交わせています。

こういった多国籍企業が従来の同質化した組織と比べても遜色なく成長し、そこへ投資や人材が集まってもくる。好業績を生むためのダイバーシティが考えられ、社会全体としての多様性が上がっていく……というのも、未来が明るくなる素地になるかなと思うんです。

**キャシー**　結局のところ「企業文化」を変えるのは難題です。確かに、会社としてのDNAがこれから出来上がっていくスタートアップで働くのも一案ですね。

この本を読んでくれた若い世代、彼らのような「ESGネイティブ」や「ダイバーシティネイティブ」が大人になったとして、何十年や何百年とかけて構築された同質化組織に対して、それらの考えを取り込もうとしても難題であることには変わりありませんから。

## 常にフレキシブルで、オープンなマインドセットを持とう

**シルビア**　ぜひ、これからの若者世代へのメッセージもお伺いしたいです。今の10代や20代は「将来はリーダーになりたい」という人が増えてきている初めての世代であり、私たちは彼らを「本気で仕事をしに来ている」と捉えています。キャシーさんがメンターなら、日本の若者が「とどめておくべき考え」や「積んでおくべき経験」などとして何を伝えますか。

**キャシー**　私の子どもがそれくらいの年代層なんです。彼ら彼女らに対しては「自分が好きなこと、興味のあることを見つけなさい」と。人生100年時代と言われて久しいですが、この世代はさらに長く120年、130年の時代になっていくかもしれません。そうなると、一生働く機会があるともいえます。ある会社や組織を一時は選んでも、おそらく数年後には別の会社や組織に移るかもしれない。だからこそ、とにかく様々な経験をして、そしていろんな自分と違う人たちと接すること。自分が育った環境とは違う環境にいた人と接することが学ぶための良い機会です。

そういった機会は、居心地の悪さを覚えると同時に、自分をストレッチさせてもくれます。つ

らい、嫌い、涙が出る……というような時間は、絶対に成長へ繋がるはず。だから、なるべく私自身も、仕事を通して出会う人とは別の世界にいる人と意識的に接するようにしています。

正直、金融業界はとっても狭い世界です。同じような学校を出た人が集まり、同じような考え方を持ち、同じような新聞を読み、同じものを食べてさえいる。それでは、つまらないじゃないですか。私の場合は通っている教会のコミュニティ、非営利活動の人たちといった関わり合いを意識して作っています。常に「ちゃんと多様な経験に触れられているか？　いや、それほど多様とはいえないかも」なんて点検しています。

今の若者たちは、せっかく若いのですから、親から望まれている企業や職業ではなく、自分が何を上位に置き、どういったことに幸福を感じるかを見つめてほしい。

私の子どもはアーティスト志望なんですが、もしかしたら何もなすことがなく、一生を貧しいまま過ごすということになれば、親としては当然心配です。でも、彼は絶対にサラリーマンにはなりたくないという思いを持ち、最低水準の所得を得て、その所得で自分のアートのための素材を買って、食べられるものを食べ、キャンピングカーを買って住むと言っているわけです。それが彼の幸福に繋がるのだったらいいんです。人生は長いのだから、そういった経験を活かして、自分の道を自分で見つけてくれることでしょう。

**シルビア**　若者世代と関わる機会もあると思いますが、目立つ傾向などありますか？

**キャシー**　確かに、いろんな若者をメンターする機会がありますね。そこで、特に女性がやりがちなのは「何歳で結婚、何歳で子どもを産む、何歳でこのレベルにいる」といったように、細かくライフプランを立てることです。まぁ、プランニングすることは問題ないのですけれども、大抵の人生はそのプラン通りにはなりません。99％は叶わないでしょう（笑）。

だから、常にフレキシブルで、オープンなマインドセットを持つべきだと思いますね。その点で日本が難しいのは、生活水準的には世界の中でも天国に近いこと。治安も良く、食事も美味しく、空気もきれい。そんな国だからこそ、若者たちが「日本から出たくない」と考えるのもよくわかるんです。でも、だからこそ、出てみたほうがいい。出られないのであれば、別の環境の人と接して、意見を交換しディベートすることです。

アメリカのいいところは、例えば政治の話題でも意見を交わせて、ディベートできること。私の友達にはトランプ元大統領の支持者もいるし、もっと極端な考え方を持つ人もいます。それでもやっぱり話し合って、最後は“We can agree to disagree.”と終わる。

**シルビア**　「意見の違いだね」と、その場を締めるときの常套句ですね。

**キャシー**　ただ、日本では、あまりそういったディベートが起きにくく、「反対意見だったら私はあなたの友達になれない」というように関係が閉じてしまう傾向があると感じています。

## 誰もが一生、「自分は何になりたいのか」を探していく

**シルビア**　キャシーさんは自分自身を、どんな若者だったと思いますか？

どういう自己認識を持っていて、どんなチャレンジをして、誰に褒められたり叱られたりしてきたのか。今、そんなふうに考えられるキャシーさんになった背景を知ることができたら、若者が参考にできるのではないかと思います。例えば、進路はどのように決めましたか。

**キャシー**　大学院に進んだ理由は、アメリカの外交官になりたかったからなんですね。明確なきっかけはなくて、たぶん、旅行が好きだから（笑）。カリフォルニアの何もない田舎の出身で、そこからエキゾチックなロケーションとして大使館みたいなところで働くことに憧れていただけ。

そんな私が明確に変わったのは、大学院在学中の夏に、旧三井銀行に研修生として訪日したときです。あの頃は1989年だから、ちょうどバブル経済のピークでした。しかも外国人の研修生として日比谷にあった本店に行き、制服も支給されたりして。実に見事で貴重な“the bank”の経験でした。

でも、もっと大事なのが、その夏に夫のイェスパーに日本で出会ったことです。私の人生に

とって、それまでは日本で生活し、就職するなんて想定外ですよ。まったく私のプランにはなかった恋に突然落ちた。1学期がまだ残っていたので、ワシントンD.C.に戻って最後の試験を受けて、卒業式にも出ないで飛行機に飛び乗って日本に戻りました。就職先も決まっていなかったし、当時はメールなんてなかったので、カバーレター（海外の企業への応募書類に同封する添え状）をコンビニのコピー機で複写して、たまたま証券会社から内定をもらって……。そこから始まっているんですよ。

全部、たまたまです。たまたま日本に来て、たまたま夫に出会って、たまたま金融業界に入って。たまたまウーマノミクスのレポートを書き、それをたまたま安倍政権が取り上げてくれて。もう計画なしの人生です。外交官になって、アメリカの政策にちょっとでも影響を与えてみたいと思っていたのが、なぜか日本という国で異なるルートから予想外の形になったわけで、人生は不思議なものだと思いました。

だから、社会に出たときは「なりたいもの」なんて別になかったんです。ある程度の給料をもらって、生活できるんだったらもう十分だ、という意識だけ。最初にバークレイズに就職して、その後にゴールドマン・サックスへ転職しましたけれど、そこで特別にめざしているポジションなどもありませんでした。

ただ、ゴールドマン・サックスでは、上司ではなかったけれども尊敬しているシニアの方に出会えました。私のプロモーションを買って出てくれた方です。「あなたはとても大事なレポートを書いている。それを僕がニューヨークや他の幹部に宣伝してあげます」と。「いや、そこまで別にする必要ないですよ」なんて私は返していたんですけれども、約束通りに宣伝してくれて、今でも私のライフメンターの一人になっています。

そんな中で、意識的にリーダーになったり、マネジャー職を務めようとするのは、すごく大変なことでした。自分をマネージするのも、自分の子どもをマネージするのも目いっぱいで、他の人までマネージするなんて、どれほど大変だったか！

いろんな失態も起こしました。でも、そこから学んだのは、やっぱり「違う筋肉」を運動させたことが、とても自分の成長に繋がりました。

あとは、親となったこともすごく助けになったかなと思いますね。何よりも「我慢」の度合いが高まったのかな。

苦しいこともありました。36歳で乳がんを患ったことです。その前年にはパートナーが昇進し、2人目の子どもを授かり、もう何も悪いことのない人生だったのが、がんと診断されて一気にボロボロになった。でも、そこからもいろいろ学べました。人生の在り方とか、自分にとっての優先順位とか、とても良い転換点になったんです。

今も確かにパンデミックがあって、すべての人にとって様々な変化が起きているはずですが、そもそも人生は想定外のことだらけです。そこから学ぶことは絶対出てくると思いますので、必ず乗り越えられるし、乗り越えられたからこその教訓も得られます。

今の若者は、私が社会に出た頃とは様子やモチベーションがまったく違います。「会社のパーパスは何ですか？」とか、「社会にどういうインパクトを与えていますか？」とか、そういった関心を寄せている。本当に私は今の若者に期待していますね。給料などは当然に大事なことですけれど、「私がこの世の中にいる理由」といった、それ以上のことを求めているのは貴重なのだと思います。

**シルビア**　キャシーさんは無計画とおっしゃるけれど、一貫してレジリエンス（回復力・弾力）が高いと感じました。超えなければならないチャレンジがあったり、日本で恋に落ちた相手と結ばれることまで実現させてしまう力があったり。自分は「管理職なんてとんでもない」と思っていらっしゃるかもしれないけど、メンターの皆さんからすれば「キャシーならできる」ときっと思われたから任せてこられたんだと思うんですね。

キャシーさんがご自身を分析して、そういったレジリエンスやリーダーシップを実感することはあるでしょうか。もしお気付きになるとしたら、ご自身の強みはどのように形成されてきたと考えますか。

例えば、子どもの頃の両親との関わりや、学生時代の教育にもヒントがあるかもしれません。

**キャシー**　私は日系二世です。両親は奈良県の高校を出てから、船に乗ってアメリカへ渡った移民なんです。ポケットに1万円札を1枚だけ入れて、英語も十分にできない中で、カリフォルニアの農園で働いて……。まぁ、典型的なアメリカ移民の話です。私たち4人の子どもは、長い休みや週末は、当たり前のように親の手伝いをしていました。周りの農家にも日系の方々が多かったので、私たちの友達も親を手伝うのは当然でした。

父が営んでいたのは花卉《かき》栽培でした。お花を扱う仕事がどれほどハードなのかを経験させてもらって、父からは「私の仕事を継ぐことは確かにオプションの一つだが、こういった手を使う仕事よりも、自分の頭を使う仕事をやってみなさい」と言われていました。親なりの子どもに苦労をさせまいという感情からくる言葉だったのだろう、と今になって思います。4人の子どもを大学へ進ませることを、当時の私は大変なことだと思わなかったんです。振り返って考えてみて、それはすごいことだったとわかります。

「仕事をするとお金が手に入る」という感覚は、親の手伝いから学んだことです。何もせずにもらえるお小遣いなんてうちにはまったくなくて、親を手伝うことで初めてお小遣いがもらえる。仕事の対価や価値を、その手伝いの時間から教えてもらったと思います。

**シルビア**　キャシーさんは、生まれ持って勉強が得意なタイプでしたか？

**キャシー**　いえ、全然。宿題もない公立学校で、クラスメイトは大学に進まずに就職するのが当たり前。私もスポーツばかりをしていて、あとはドラムをやったり、いろんな余計なことばかりしていました……（笑）。卒業後にハーバード大学へ進んだのですが、そこで初めて真剣に勉強をし始めたくらいです。大学生活は地味なものですよ。

きっと、まずはカリフォルニアの田舎町から出たい気持ちが強かったんですね。だから旅行や海外に興味を持って、都会的な生活がしたくて。ボストンに着いてからは、本当に楽しくて仕方がなかったのを覚えています。だから、東京は私の天国だったんです。

高校生や大学生のときに「何になりたいのか」なんて、全然わかりませんでした。でも、それでOKなんじゃないでしょうか？

興味のあるところへ行って、つまらなくなったら別の仕事をしてみるのも、今では普通のことになりました。ちょっと軽い気持ちのように聞こえるかもしれないんですけれども、そういう気持ちで十分だと思います。

生涯かけて「自分は何になりたいのか」を探していくのも人生です。私は56歳ですが、いまだに探していますからね。若者はここを思い悩むことがあるとも聞くけれど、みんな探し続けていくのだから、若いうちに決まっていなくても全然OKです。

ただ、ある程度は自分の「心」をフォローすることが大事です。私は若者からインタビューを受ける機会もままあります。金融業界について聞きたいという若者が、学問的に面白いバックグラウンドや研究分野を持っていて、それが金融と関係ないのに私に会いにくることもあります。

「なぜ金融に興味があるんですか？」と聞いてみると、その都度何かしらの理由を探してくれるのですけれど、きっとこの学生の心の中には、金融業界以外の選択肢が浮かんでいるんだろうな、と感じるんです。それって、結構もったいない気がして。

そのインタビューも、ともすると「親から言われたから」やってみたとか有名なブランドの会社に行ってみたかったとか、そういう理由かもしれません。ありがちなことですが。

しかし、今の世の中はデジタル革命が起き、これからはイノベーティブなアイデアがもっと必要になってきます。言い換えると、デジタル・ディスラプションが起きる中では、様々な視点や観点からのインプットが必要になってきます。「理系だから理系しか学ばない」のではなく、リベラルアーツも含めてあらゆる視点からのインプットの必要性が、ますます高くなるでしょう。

## 多様性の中にこそ、自分らしさの答えはある

**シルビア**　私たちは日本に強い危機感を持つ一方で、日本のポテンシャルを活かせば明るい未来があるとも確信しています。キャシーさんにも共感いただけるなら、最後に「日本にはどんな未来が待っているのか」、お考えを聞かせてください。もちろん、条件がいっぱい付いても構いません。

**キャシー**　端的に言えば、「一人一人のポテンシャルを最大化できる社会」ですね。女性、ＬＧＢ

ＴＱ、障害者、外国籍といった誰もがです。

日本における「もったいない」こととして、素晴らしく天国みたいな社会であることも挙げられます。ゴールドマン・サックスの元同僚に「仮にすべての国で税金が同じなら、どこのオフィスで一番働きたいのか」を聞けば、日本はたぶん1位か2位ですよ。これほど恵まれている国なのに、外国籍の人はいろんなことで「入りづらさ」や「住みづらさ」を覚えてしまっている。きっと、もっと「いらっしゃい絨毯」を敷いてもらえれば来てくれるはず。

私の息子はドイツに住んでいて、娘はアメリカですけれども、"I'm from Japan." と言ったら、周囲のみんなに"That's so cool." と言われると。文化にしても、食事にしても、アートやデザインにしても、カッコイイものを持っている。その価値をわかっていないのが日本人なんです。文化や歴史に対してプライドを持ち、そのリッチな文化と歴史を世の中へとシェアしてオープンにすれば、本当にもっともっと素晴らしい国になれると思うんですね。

そのためにも、日本で学び様々な経験をするのに加えて、一度日本から海外へ出てみれば、本当に明るい未来が見えて、それを絶対に創れるはずです。

**シルビア**　確かに「自分の国の良さ」って、外に出ない限りなかなか実感しづらいですよね。私の母国はハンガリーですが、どんどん外へ出ていろんな経験をするほど、自国や自分自身の「良さ」あるいは「根本にあるもの」が、だんだんわかってきたような気がします。ハンガリーへの特別な思いも芽生えました。確かに、その経験はすごく大事ですね。

**キャシー**　あとは、すべての会社がPaidyのようになれば、未来が明るいんじゃないですか。というか、それがボトムライン（要）じゃない？

**シルビア**　そう言ってもらえるのは嬉しいです。今の「ボトムライン」が指すものは、多様性を経験して、自分を知り、自分たちの国の良さも知り、それらを牽引力にして、またいろんな人の力も借りて、イノベーションに繋げていこうということなのでしょうね。

まず、若者たち一人一人にできることは、やはり「多様性」を経験することなのだと思います。一方で、若者たちが日本の外へ出て行かなくなっている事実もある。「出て行きたいか、行きたくないか」の前に、そもそも企業が留学資金を出せなくなってしまった。さらに今の若者世代の親たちは、バブル崩壊後に世界市場で勝つことができず、物価水準の著しく低い日本のなかで、生活ができるレベルの賃金しか得てこなかったという実情もあります。

海外へ行きたいけれど行けない若者に対して大人ができること、あるいは子どもたち自身が努力できることは、あるのでしょうか。英語学習は一つかと考えますが。

**キャシー**　英語学習もあると思いますが、きっと言語の壁もなくなってくるかなという気がしています。世界はフラット化のプロセスが急スピードで走っていて、若者もそれに乗っていると思います。今の若者って、世の中で何が起き、どういうトレンドがあるのかをある程度は知っていますけれど、「インターネットで見ること」と「肌で感じること」って、やっぱり違うじゃないですか。

だから、とにかく「自分の足で外に出てみること」を頑張ってほしい。もちろん金銭的な障害はあるかもしれないけども、いろんな奨学金プログラムが日本だけでなく海外支給のものもあるわけなので、それを調べていくとチャンスはあるかなと期待しますね。

**シルビア** 留学と言わず、旅するレベルから始めてもいいですか？

**キャシー** 旅で全然OKですよ、もちろん。

**シルビア** ただ、優雅な旅でなくて、自分たちで生きるという実感を得られる、少しつらいような経験ができる場所へ行くべきなんでしょうね。それなら、自分がいかに恵まれているのか、一気にわかるはずですね。

**キャシー** でも、今の若者って、多様性や働き方についても、私の世代と全然違う価値観を持っている気がします。若い男性もワークライフバランスが気になっている人たちが大勢いるようです。だから、私は基本的には楽観視し、期待もしています。

**シルビア**　確かにおっしゃるように、私も面接に出ると「ワークライフバランスはどうですか？」なんて聞かれることもあるんです。それは、仕事を怠けているということではなく、仕事は仕事、プライベートはプライベートという割り切りがあって、プライベートでも趣味や家族といった大切なものがあるから。私が日本に来て暮らし、海外を巡って、また10年ぶりに日本へ戻ってきた期間だけを見ても、そういった価値観がガラッと変わった印象はありました。たった10年です。そう思うと、これからの世代が活躍するところには、確かに希望がありそうですね。

**キャシー**　それに、ゴールドマン・サックスやマッキンゼー、ボストン・コンサルティング・グループといった企業を辞めて、スタートアップへ転身する若者もずいぶん増えてきました。これは大きな変化ですよ。そういった人材がスタートアップに流動していくこれからは、本当に期待できると思うんです。

【スペシャルインタビュー】

## キャシー松井　（株式会社Paidy　元社外取締役）

ゴールドマン・サックス証券、元日本副会長及びチーフ日本株ストラテジスト。２０２１年に日本初ＥＳＧ重視型のＶＣファンド「MPower Partners」を設立、ゼネラルパートナーとして活躍。１９９９年に提唱した「ウーマノミクス」の概念はその後広く世界に浸透し、日本政府も２０１４年に女性活躍推進を経済成長戦略として打ち上げるに至った。多様性と持続可能性を経済合理性の観点から分析し、多くの企業や投資家に影響を与えている。ハーバード大学、ジョンズ・ホプキンズ大学院卒。

第7章

# 最高に明るい未来を創る10のヒント

ここまでの章で、多種多様なデータを見ながら、日本の今と未来を考えてきました。これからさらに多様性が増す世界において、自分らしく「個」として生きる道を選ぶためには、どのようなことを心にとどめておくべきなのか。

ページを費やしてきたすべてのおさらいとして、そして未来へ向かうための道標として、第7章では私、杉江がその内容を「最高に明るい未来を創る10のヒント」と題して、まとめていきます。

## 1：みんなで成功をセレブレートしよう

「称賛する、（式を挙げて）祝う、褒め讃《たた》える」といった意味を持つ「セレブレート」には、自尊心を持ち、セルフエスティームを育む他にも、チームやメンバーの結束を高めるなどといった様々な効果があります。

特に組織においては、ネガティブなことを指摘して、それをどう改善すべきなのかに意識が集中しがちです。今まで見てきたデータからも明らかでしたが、そもそも日本人は自らの長所や資質を活かして何か物事に取り組むのが苦手です。

ネガティブなことを指摘されるよりも、「褒められる」ことをたくさん経験することで、一つの出来事からでもポジティブな影響を受けやすくなります。

セレブレートは、国民性として得意な人たちと、そうでない人たちが実際にいます。同じ国でも分かれることがあります。シルビアの生まれ故郷のハンガリーでも「得意な分野ではない」そうですし、アメリカであっても「西海岸はうまいけれど、東海岸はすぐに手のひらを返して指摘する」といった違いがあるようです。

セレブレートの素晴らしさを知っている人は、何かしら良いことを見つけて、みんなで喜ぶことができます。セレブレートしてもらった人だけでなく、実はセレブレートした人にとっても、気持ちが高揚する体験です。それが良い循環を生んでくれます。

一人一人がセレブレートを意識し、行動を変えていくことで、プラスの空気を若い世代が生んでいけます。また、大人たちも「指摘するべきときは指摘する」という姿勢は大切ですが、セレブレートの姿勢を常に忘れてはなりません。

セレブレートを「10のヒント」の1番目に挙げたのは、日本人にとってセルフエスティームが変革の鍵になることも理由の一つですが、意識次第で行動を変えられる、その大きな要素だからでもあります。若い世代にはSNSでも「自分のこと」を発信し、自らの考えを発言できる人が大勢います。他人のことを誹謗中傷したり、発言の揚げ足を取って揶揄したりする人もいますが、そういう人は一部であることも、SNSを通じて何となくわかってきたはずです。

それよりもたくさんの「いいね」を受けたり、自分がちゃんと応援されていることにモチベートされたり、自分の意見を支持してくれる人の多さを実感できたりする点で、ＳＮＳは使いようによってはセレブレートのために役立っているということです。

組織でセレブレートがうまく回りだすと、「今そこにある成功をいかに喜び、シェアするか」という意識へ切り替わっていきます。

日本企業においては、昇進レースのように組織の中で誰が一番偉いのかを争ってしまうことも少なくありません。そういったサル山の争いに身を投じてしまうのではなく、人が何か事をなしたときは、もっとその人の成功を盛り立てる意識が先行すべきです。その人の最も良いところはどこにあるのかを見て、そして良さを活かしていくように働き掛けていくことは、どのような組織においても必要になります。

実はこの項目は、Paidy のこれまでの採用や組織運営での反省も活かされています。

昔の Paidy では「良い人か、楽しい人かどうか」が重要な採用基準でした。その基準で採用をすると確かに毎日楽しかったのですが、ただ楽しいだけで成果や結果が伴わないことも少なくありませんでした。結局のところ、メンバーの「良さは何か」をちゃんと理解した上でチームに入ってもらい、その良さを活かしていこうとする、大切にするカルチャーへと意識して切り替えてきました。

印象論ではなく、「できること」「期待できること」「やってくれること」などにフォーカスし、それらが達成できたことをセレブレートする。そして、目に見える対価といった形で応えるようにしてきました。お互いに前へ進んでいく目的を共有した上で、良いところを見ていくのが大切です。ただ単に、何でも褒めればいい、というのとは違うのです。

私が以前に働いていた職場で、とにかく「賞を与える文化」を持った会社がありました。相手をとにかく褒め合い、プライズという形でお互いに渡し合うことで、それが報酬にも反映されていくのでした。しかしある時、ふと「確かにみんなナイスな人たちで、人に好かれるためにそれを配っているけれど、一体何のためにこれをしているんだろう？」と我に返ったのです。次に浮かんできたのは「みんな、本当に仕事をしているの？　褒めることだけが目的になっていないか？」といった疑念です。

褒めることそのものを目的にするのではなく、本当に「褒めるに値する仕事」をしたのなら、給料も上がるべきで、もっと異なる仕事やチャレンジの機会が与えられるべきなのです。そして周りの人間は、その人の成長に対してもっとコミットすべきである、と考えました。

「褒める」行為は印象論ではなく、事実や成果に対してなされるべきであり、それを認めた上で職場であれば金銭的にも立場的にも反映される。それは年齢にも性別にも関係なく、中途入社だろうと新卒入社だろうと関係ありません。

給料を決める立場にない人であっても、自分が与えられるもので構わないと思います。セレブレートすべきことを見つけたら、それを伝える手段は様々ありますが、まずは、しっかりと賛同する。そして、みんなにもシェアしていく。次なる新たな挑戦をともに見つける。そういった姿勢が必要なのです。

もちろん、セレブレートの相手は仕事関係でなくても構いません。特に、ヒエラルキーの強い職場環境では仲間同士で褒め合う機会が減っていきます。しかし、職場だけが人生のすべてではありません。

人間は社会で生き、家庭で生き、友人とともに生きているわけですから、「良いところ」を見てくれている人は必ずいるはずです。セレブレートは、自分以外の人々、家族や友人が担える役割の一つともいえるかもしれません。

## 2：セルフエスティームを大切にする

Paidyでもセルフエスティームは組織運営において重要なポイントに掲げています。

特に採用においては、「セルフエスティームがない人は、どこまで自分の力を発揮できるのか。もし、発揮できなかったとしたら、どれくらいの苦労が伴うのか」を考えています。

セルフエスティームとひと口に言っても、その内実は分かれることがあります。一つは「結果を出しているけれども、それでもまだ自分のことを責めるタイプ」です。このタイプは女性に多いように感じます。こういった人たちは結果を出しているわけですから、セルフエスティームのためにも周りからのセレブレートを重ねることで、内面が変化していく可能性があります。

一方で、「過去の失敗のリベンジのために動くタイプ」も数多くいます。このタイプの人はどちらかといえば男性に多いのですが、できることなら一緒に働くのを避けたいところです。というのも、仕事は誰かのリベンジのために提供されているのではなく、あくまで志の実現や企業の成長のために行うものだからです。

私は、セルフエスティーム（自己肯定感）とセルフコンフィデンス（自信）は違うものだと考えています。

自己肯定感は、読んで字のごとく自分で自分を認めることですが、自己肯定感が高いからといって、必ずしも自信満々になれるものでもありません。両者はそもそも別のものなのです。

そこで、字義通りの意味だけではなく、もう少しかみ砕いて両者を分別してみましょう。

私の考えは、ある程度の場数の経験知から「あぁ、私なら何とかなるはず」と思えるのが自己肯定感です。対して、根拠があろうとなかろうと「私ならできる」と思い込むのが自信です。自己肯定感には中身がありますが、自信とは時に空っぽなものともいえます。

よく「根拠のない自信」といった言葉を使いますが、そもそも自信には根拠がないという前提があるわけです。これは、「自己肯定感」と「自信」を混同して使っているからこそ、「根拠がない」

という前置きが必要になったにすぎないのではないかと思います。

自己肯定感はあくまで場数や経験の上に成り立つ前提を持っていれば、ここにセレブレートが作用する理由になります。何かの結果や成果に対してセレブレートが行われるわけですから、そこには場数や経験が必ず伴うわけです。

自己肯定感がある人は、おそらく自信も持ちやすいでしょう。それは場数や経験から導ける予測や体感があるからで、根拠はないけれどうまくいくような感覚を持てるからです。対して、自信がある人が自己肯定感もあるとは限らないのです。

世の中には「自信を持て」といったフレーズも溢れています。このシーンの定義をビジネスに狭めて言うなら、リーダーシップに自己肯定感あるいは自信を求める傾向がうかがえます。自信を求めるリーダーシップは、どちらかというとカリスマ型リーダーシップを求めていることに近いです。人前に立ち、堂々とものを言い、「俺についてこい！」といったリーダーシップを発揮する人をイメージしています。

しかし、リーダーはカリスマ型だけではありませんよね。成果を出した名だたる経営者やリーダーが、必ずしもカリスマ型でないことも見てきました。むしろ、「私がやりたいことはこれで、自分一人ではできないかもしれないけれど、みんなとサポートし合っていきたい」と考える「人を巻き込む力のある」リーダーもいて、それは時代の主流にもなりつつあります。

つまり、リーダーシップに関しては、本当に大切にすべきは自信ではなく自己肯定感であるということになります。自信を持てるか否かは気質によるところが大きく、着目すべきは自己肯定感であるシーンも多いのではないでしょうか。

よく「自己肯定感を持ちたい」という声を聞きますが、それを育む環境としては、「思うようにやってもいいよ」と、自分で自分の進み方を決める体験をしたか否かが大きく左右すると考えます。

特に、大人の思いが通じないストレスを子どもにぶつけ、強要によって行動を変えさせるのが、自己肯定感の最大の低下要因です。抑圧式のコミュニケーションではなく、「何がしたいのか」にちゃんと耳を傾け、自由に挑戦できる環境を提供する。そして、結果に対してフィードバックをする。

シルビアの原体験ですが、ハンガリーにいた16歳の頃に「日本に行って外交官になる」と言いだしたことに対して、両親は「試してみたらいい」と認めてくれたそうです。一方、周囲からは「無責任なことを子どもに言うな、なぜ極東の日本なんかに」などと批判を受けたと聞きました。しかし、両親は「しっかりした考えがあるなら、やらせればいい。もし失敗したら、それでもいいではないか」と、子どもの思いとゴールを確かめた上で、信じる姿勢を見せたといいます。シルビアはその機会を大切に捉え、両親から信じてもらえたことを契機に、今日までのキャリアを切り拓いていったのです。

同じような流れは、子どもはもちろん、大人にとっても必要になってきます。

会社では、人間の「支配欲」にも似た感情が起きがちです。他人に対する万能感を持ってしまう人もいます。上司であれば部下に対して、いびつな形で力を発揮してしまう人です。世の中の悪しき風習の多くは、この力によってつくられていると言っても過言ではありません。そういう存在は、自分の万能感を笠に着て、世の中の動きが読めなくなり、支配下にいる人たちの自己肯定感を奪い、生きている満足感をなくす元凶になるのです。

上司と部下の関係であれば、上司が「イエス／ノー」で返す関係性は、その表れの一つといえます。そうではなく、「なぜ？」「どうやって？」「いつまでに？」という問い掛けを行いましょう。なぜなら、「イエス／ノー」で上司が部下を支配する権利はなく、基本的には“Why/How/What”といった中身をベースに議論すべきだからです。

もちろん部下の側からしても、「イエス／ノー」を求めて突破するのではなく、基本は How や Why に対しての説得を重ねていく姿勢が欠かせません。

あくまで「イエス／ノー」は本人が決めることです。それよりも上司は部下へインプットをたくさん与え、中身を考えさせるきっかけを提供することが大切です。

## 3：変化をプラスに捉える

変化を恐れてはいけません。変わることは常にポジティブに受け止めるべきことです。常に変化するように働き掛け、変化を好み、大切にしていきましょう。

「変えるか、変えないか」という選択肢があり、もし同じ結果が出るのであれば、変えたほうがいいでしょう。変化を拒む理由に「変えても何かが変わるわけではない」といった言葉もありますが、逆に言えば、変えて壊れないようなことなら変えてみたらいいのです。そういうマインドセットを持ちたいところです。

なぜなら、変えるのは、もしかしたら改悪になるかもしれませんが、変えたことで「悪い」という結果が得られます。そこからラーニングして元に戻すことも、もっと違うやり方を見つけることもできます。しかし、変わらなければ学ぶ機会さえ訪れません。変える過程で学べること自体が大切なのですから、すべてを破壊することにならない限り、変化は追求すべきです。もっと大雑把に言えば、「変化=良いこと」のルールでも構いません。

シルビアは、前職のNetflix時代に、80%の完成度でもプロダクトをリリースする肝要さを学び、それをPaidyでも実践しています。

この「80%リリースのルール」は、完璧主義なところがある人ほど試してみるに値するものだと感じます。というのも、シルビアにも完璧主義的な面があり、Netflix時代に提示されたこのルールに対応することは、最初は難しいものだったそうです。ところが、80%でのリリースを重ねていくうちに、「出さないことのほうが絶対に損をする」と気付いていったといいます。なぜなら、不完全なものでも世に出すことで何かしらのフィードバックが得られ、そこからラーニングできることを拾い、改善できれば良いからです。その改善を経ることで、当初、到達しようとしていた100%以上のものを生み出すことができる可能性も広がるでしょう。

世の中が激変している中で、日本という国はとても安定しており、多くの人が安心した生活を送ることができる環境が整っています。一歩、外国に出てみると、日本の良さに気付くことも多いでしょう。しかし、安定していることが変化に乏しいことと同義になってはいけません。

私が翻訳を務めた本『スタートアップ・マネジメント 破壊的成長を生み出すための「実践ガイドブック」』の帯には、こんな言葉を書きました。

「成長後進国 日本に必要なのは、計画的失敗と這い上がる力だ！」

この言葉は、まさに変化の奨励ともいえます。計画的失敗をすることで調整し、そこから正解を見つけていく中でラーニングを重ねていく。つまり、変化することには常に目的が伴うわけです。あるいは、日本人が転職に及び腰なのも、変化の「エンブレイス」にまだ不慣れであるからかもしれません。エンブレイスは「すべて受け入れる」といった意味合いですが、英語では人と人が抱きしめ合う「ハグ」に対しても用いられることがある言葉です。まさに、転職のような自分が変わることができる局面が訪れた際は、それをハグして、受け入れてほしいのです。ポジティブもネガティブも、すべての気持ちを包括的に受け止めましょう。

いくら変化が良いこととはいえ、すぐにそのマインドセットを持つことは難しいものです。確かに大変なこともあるけれども、「目的のある変化には必ず良いことがセットになって繋がっていく」という考えを持っていれば、進みやすくなります。重ねて言うと、すべてがポジティブなことなどあり得ません。ネガティブなことも起きます。ただ、それもエンブレイスしてあげてください。

私が好きな名言に、アメリカ合衆国第32代大統領の妻、エレノア・ルーズベルトさんの「Do one thing everyday that scares you」があります。日本語に訳すと「何か怖いと思ってしまうことを毎日一つだけでいいからやってみよう」。これも変化に関する名言だといえます。

そして、変化は必ずしも大きなことだけに限らないとも教えてくれます。「ピーマンが食べられない」といった好き嫌いに少しチャレンジしてみることだって、やってみなければわからないものです。調理する人や調理方法によっては美味しく食べられるかもしれません。

ビジネスも同じです。「やれないだろう」とは思わずに、まずは「やってみよう」。

## 4：時間が解決してくれることもある

私たちは本書で、幾度となく「若者世代」や「若い世代」といった言葉で呼び掛けてきました。

これからの日本を率いる主役は、あまりにも自明のことではありますが、若きタレントです。そのタレントを、大人たちはしっかりと解放していかなければなりません。40代、50代、60代といった負け続けた世代だけで日本を運営していけば、海外諸国に負けるのは明らかです。

しかし、若いから良いという話ではありません。重視すべきことは、その時点で最もバリューが出せる人を、最も良いタイミングで、最もバリューが出せるまでアサインしてもらうという観点です。バリューがある人であれば、20代の女性でも70代の男性でも「誰でも構わない」のです。

それは日本人の枠内だけの話にはとどまりません。目線を世界にまで広げて、世界中のタレントと一緒になって、推し進めていくのがベストです。そして、これが本当のD&I（ダイバーシティ&インクルージョン）の要となる考え方でもあります。

この世界観が実現したとき、どうなるか。あなたが何かしらの職を得て、働いていこうとするならば、もはやライバルは「同じ大学にいる人」でも「同じ年代の日本人」でもなくなります。世界中にいる人がライバルです。それは確かに厳しい環境かもしれませんが、逆に言えば世界中にチャンスが開かれているともいえます。

経営者の立場になれば、世界中のタレントを、適切なときに、適切に採用するという考えに加えて、彼らを平等に評価することが大切です。

さて、これからの若い世代が世界中のタレントと肩を並べていく環境下では、ジェンダーへの意識やＳＤＧｓの観点を身に付けるべく、教育も視野の広い内容で施されるようになるでしょう。そうなれば、議論の質や物事の見方も変わっていくでしょう。正しくディスカッションすることを覚え、同調圧力に流されずに、「自分はいかに考えたのか」を表明できるようにもなるでしょう。

日本の教育内容や水準は、世界基準で見ても優れています。決して日本の環境は悪いものばかりというわけではありません。ただ、インプットとアウトプットのバランスが非常に悪い。インプットが多く、アウトプットをする機会が絶体的に足りません。自分で何かを言う、考えを表明する、誰かとディスカッションするといったアウトプットの機会を、現段階では一人一人が意識的に持たなければなりません。

そういった教育や意識への変化が伴い、偏見が一つずつ取り除かれていくことで、一人一人の本質がより追求される世界になっていきます。誰もが「自分らしい」と思える人生を歩みやすくなっていくことでしょう。

だから、今、もしこういった障壁に思い悩む方がいたら、どうか安心してほしいのです。偏見を持つような本質的でない人たちは必然的に退場させられていくでしょうから。そして、生き残るべき世代が中心になっていくのですから。見方によっては「時間が解決する」ともいえます。しかし、こうした社会的課題が解決されていく過程で、それを理解していなければ、自分が排除される側になることもわかっていなければなりません。

「時間が解決する」とはいいながらも、それが何年、あるいは何十年かかってしまうのかは、現段階では断言できません。昭和的価値観に終わりを告げ、令和以降の価値観を持つ世代が日本の主役になる過程では、ただ時間に身を任せるのか、その時計の針を早められるのか。そこに、大きな分かれ目があります。もし、その変化があまりにもゆっくりだった場合、あなたの世代には間に合わないどころか、日本はこのまま凋落《ちょうらく》の一途をたどってしまうかもしれません。一人一人の意識によって、本来かかる年数よりもずっと早回しできたとき、日本の未来に明るい兆しが訪れます。

現実的には、いわゆる「団塊ジュニア」といわれるポストバブル世代あたりから、価値観は一つの大きな転換期を迎えています。1985年に男女雇用機会均等法が成立し、女性が職場にいることも当たり前になってきた後の世代は、「仕事がデキる人に男女の垣根など存在しない」ということを肌身でわかっているはずです。この世代が主役化する今からが、まさに大きな変化のスタートといえるでしょう。

男性だから、女性だから、といった括りではなく、「あなたはどうしたいか」をちゃんと考え、持てるスキルを正しく評価してくれる社会になるまで、変化を加速度的に起こしていくのです。性別や学歴、人種に縛られず、あなたらしくやりたいように生きる。それを大人たちには見守る責任があります。

早ければ10年、遅ければ30年以上かかるかもしれないけれども、時間の経過とともにそのゴールへ近づいていくのは事実です。

## 5：タコ壺から出る覚悟を持つ

日本人の多くは、自分のライバルを当然のように日本人の中に見いだします。それは、つまりD＆Iから程遠い世界で生きているということ。そのことを忘れてはなりません。日本は古くから他国民の侵入が少なく、単一民族で国家を成立させてきた歴史があるため、基本的にダイバーシティへの意識が極めて低い世界有数の国ともいえるでしょう。日本の中だけで論じるD＆Iは本質ではありませんから、この観点への挑戦はまだ始まってもいないレベルです。

あなた自身も「タコ壺的世界」で生きていることを自覚しましょう。身の回りは日本人ばかりですし、生活環境や生い立ちも似たような人たちと、多くの時間を過ごしています。そうではなく、日本人以外の人、あるいは日本文化の中で生まれ、生活してきた人とは異なった背景を持つ人と接触することを奨励します。生まれた国、常識、言葉、性別といった点で、接する人が持つ背景要素の彩りを豊かにすることです。モノトーンの世界で生きていくだけでは、これから最高に明るい未来を創る意欲を持つあなたのためにはなりません。一人一人がタコ壺から出る覚悟を持つのです。

一つ前に「時間が解決する」と書きましたが、その変化が日本にも到来したとき、その機会を活かせるかどうかは、あなた次第です。そして、活かすために最も大事なことは、あなたがモノトーンの世界で得てきた常識や偏見を脱ぎ捨てていくことにほかなりません。

無意識のうちに自分自身を小さなカテゴリーの中へ押し込めて、得意や苦手を考えてしまうのも気を付けたいところです。いろいろ試して考えながら、あくまで「自分には何ができるのだろう」と、すべての可能性を捨てることなく、そして備わったタレントを捨て去ることなく、自由に、多角的に考えてみることが大切です。

前提になるのは、変化をエンブレイスすることです。「いずれ自分の時代が来るのだ」と思って、ただじっと待っていても、そこにあなたの出番はありません。あるいは、得られるボーナスがとても少なくなってしまうでしょう。

新卒一括採用の問題点は指摘した通りですが、いずれそれも主流ではなくなります。さらに日本でも本質的な意味でのD&Iが進んでいくと、世界中から今でいう「助っ人外国人」がやって来ます。やがては、あなたの競争相手が「地球上にいる全員」となるわけですから、その人たちを「助っ人」と呼ぶことさえ、無意味なものになっていくのは間違いありません。

これは世界的な流れの一つであり、日本だけがそれにあらがい続けることは不可能ではないかと考えます。日本は少子高齢化の先進国であり、いずれかのタイミングで労働力の枯渇を確実に迎えていくことも、こうした流れの要因の一つです。

あなたが何モノにも縛られずに生きられるようになるということは、世界中の人に起き得る変化にあなたもさらされるということであり、当然に競い合う若者たちが世界から日本に来ることでもあります。しかし、バッターボックスの数は無限ではありません。バッターとして活躍したければ、その人たちと競った上で、その機会を手にしなくてはならないのです。

ただ、現段階では、日本は初等教育から始まる教育環境も充実しており、生活の衛生要因も優れています。さらに都市、地方に限らず治安の良い非常に恵まれた国の一つです。金銭的にも、環境的にも、歴史的にも、決してビハインドがある段階にはありません。世界の人たちと競争することになったとしても、やるべきことを正しくやれば、あなたが望ましい未来を創る可能性は高いと思います。

世界標準語である英語が喋れない人の多さに懸念はありますが、それも克服ができない類いの問題ではありません。

高校生向けの英語学習に関するアンケートで、英語を勉強する動機の選択肢に「将来は英語を使う仕事に就きたいから」という項目がありました。この考え方そのものが、すでにタコ壺的な発想に陥ってしまっている可能性があります。あなたの軸足が日本にあって、英語スキルを特別なものとして仕事にするのではなく、英語は日本でもそれ以外の国にいても当たり前に使う、といった状況になっていきます。

## 6：日本の牽引力を知る

前項でも触れましたが、日本は、金銭的にも、環境的にも、歴史的にも、決してビハインドがある国ではありません。むしろ、日本は世界からも美しい国の一つとして評価され、安心して過ごせ、美味しい食事や風光明媚な地を備えた場所として、多くの外国人を惹きつけています。

この本を書いている現在は、新型コロナウイルス感染症の影響で、訪日外国人は前年比マイナス99％程度で推移していますが、もともとは観光立国を志し、観光庁を旗振り役に、1989年からの30年間で年間の訪日外国人旅行者数は約11倍（284万人から3119万人）に増えた実績を持ちます。また、その滞在先も東京や京都だけでなく地方各地にも広がってきました。

まさにハンガリーからの訪日外国人の一人であるシルビアも、「アジアや近隣諸国で日本に住みたい人は数多くいて、いずれはアジア人が集まってきて、〝アジア風英語〟が話される国になるかもしれない。特に東京がそういった都市になることは明らか」だと考えています。

日本には世界の人々を惹きつける力がある。そして、それは真のD&Iを実現した後も、世界の人々が訪れたいと思える理由になることに変わりありません。それらを備えていることを自覚しながらも、キープし続ける努力はしなければなりません。

世界の中にある日本で、その牽引力を絶やさないための担い手も必要になります。例えば、職人文化への再認識、再評価は、早い段階での見直しがなされなくてはなりません。

日本は職人文化が根強い国の一つであり、昔気質《かたぎ》の職人もいれば、若い世代による継承の事例も出てきています。しかし、多くの人々が高校や大学へ進学し、企業勤めを志向している現実を直視して、これらの担い手としての生き方が見過ごされがちになっていることに、もっと危機感を持たなければならないでしょう。

なぜ、職人としての生き方が見過ごされてしまうのか。理由は大きく二つあると考えます。

一つには、若い世代が、本当に素晴らしい職人の仕事に巡り合えていないこと。言い換えると、すぐそばにある美しい職人の作品を見たり、体験したりする機会が圧倒的に少ないのです。世界中から憧れとともに訪れられるような寿司店は日本中にありますが、それを口にする日本人の数が限られている、その体験に費用を掛けようとしていない、あるいは掛けられない状況にあるのも、一つの課題でしょう。

食事もそうですが、陶芸家や建築家など、やはり現地に行かなければ実物を体験できないという点で、在住地や家庭環境によって機会の多寡が左右されてしまう事実もあります。

もう一つは、職人が職業として極めて不安定なこと。日本はクラフトマンシップに対しての対価を払う意識が非常に低い国の一つだと感じます。例えば、食事であればクオリティに対して世界一安価だといった声もあります。「これだけのランチが1000円で食べられる先進国は奇跡的だ」というわけです。

要するに、ものを安くしないと売れない世の中になってしまったことで、職人に対してもお金が流れなくなっているのです。ポストバブルの時代から、給料はどんどん下がっていき、ランチ代を節約し続けるようになっていく。すると、クオリティを保つ努力をしながら、料理を提供する側は値段を下げていくことを余儀なくされ、本来であれば２０００円の価値があるような料理やサービスを、５００円で提供する状況になってしまう。そして、５００円のランチで十分に満足が出来ることを知った経営者は、「それならば、この程度の給料で社員の生活に問題はないだろう」と、人件費を抑制するようになる……。日本の給与水準が世界と比べても低いのは、このようなスパイラルが続いているからともいえるのです。

これら二つの課題を解決していくことが重要です。仮に日本から職人が消えてしまう日が来たならば、それは日本が誇る牽引力を失ってしまうことにほかなりません。

日本に生き残る牽引力の源の多くは、しかるべき費用を支払うことで、体験できるものが多くあります。美しいものを見て、感じることへの投資が必要です。そこを怠ってしまうと、それらを称賛することも、子どもの世代に良さを伝えることもできなくなってしまう。大人世代はこれらに対して積極的な投資を心掛け、そして伝える努力を続けるべきだと考えるのです。

## 7：「引き算の文化」を取り戻す

私が「将来的に手掛けたいライフワーク」として掲げているのが、世の中で活躍している大人と、これから自分の将来について考える子どもたちが接触する機会をつくることです。

私自身が子どもの頃に「びっくりさせられるような大人」を見たことがなく、また自分を変えてくれるであろう大人も周りにいなかったことが、そのきっかけです。学校の先生は教師という仕事をこなし、つまり自分の専門分野や教えるという業務に特化していて、それ以外に精通しているわけではない。暮らしていた愛知県の場所柄、工場に勤める工員さんが多く、似たような仕事に就く人が多かったために、様々な職種に就く大人を身近に知る機会が少なかったと感じます。そのため、自分の将来の可能性について真剣に考えてくれるようなパートナーと出会ったり、未来のヒントになるような情報を得たりすることが、とても難しかったのです。

ＯＥＣＤの調査で、41カ国の若者にアンケートを取ると、全体の53％では「30歳で就きたい仕事」が10個に絞られるというデータがあります。つまり、国をまたいでいたとしても、みんなが同じような職業に就きたいと考えているわけです。この理由はシンプルで、自分の周りにいる人が、それら10の職業に就いているからでしょう。これは日本だけではなく世界的に、子どもの成長過程で起き得る「未来に対する意思決定」のプロセスになってしまっているといえます。

特に若い世代であればあるほど、家庭環境や置かれた状況によって体験可能な選択肢が狭くなり、自分が生きている範囲からでしか物事を判断したり、価値に触れられたりできないことに課題がある。また、世の中のメディアも、多くの人が興味を持つような人物やテーマを取り上げるために、ニッチな情報よりも「最大公約数的な面白さ」を求めていく流れが強くあります。

その日常に一石を投じ、「美しいもの」をもっと見せ、称賛されるべきものを知り得る機会を提供したい、というのが私の考えです。ビジネスパーソンだけに限らず、前述の職人たちにも光をあて、みんなでセレブレーションをしながら、将来について考える時間を持つ。そのように「自分にとってのヒーローやヒロイン」を見いだすことで、子どもはもっと「なりたい大人」に対して豊かなイメージを抱けるようになるはずです。

日本には「秘すれば花」という言葉があるくらいに、黙々と己の仕事に邁進《まいしん》する職人も多く、子どもたちが知るチャンスを得にくいのも現状です。自分の手の内を知られることへの恐れとも取れますが、一方で教科書に載る、ドキュメンタリーの映像として残されるなど、貴重かつ残すべき技術が正しく継承される方法によって、職人が自らを開示してくれる可能性もあります。職人にとっても自分より若い人に仕事が認められ、憧れの対象になることは、生きがいを得られる最高の体験の一つです。

美しいものへの投資は、お金を持つ人であればより容易であるため、「ガラスの壁」を生むきっかけになります。それを壊すのが大人の役割であり、美しい生き方や美しい作品自体をバーチャルでもいいから子どもたちに見せ、ストーリーとして伝えていくことで、一人一人の個性を開かせる契機がつくれると考えているのです。

シルビアは、ベルリンの壁崩壊前のハンガリーで暮らしていた学生時代、小学校では美術の授業を好んでいました。世界中のものが紹介され、自らの視野を広げてくれる体験があったそうです。「南米にはこんなものがあるのか」「ハンガリーも19世紀にこんな画家がいたのか」などを知ることができたといいます。それは必要／不必要の観点ではなく、その人自身の視野を広げ、頭を回し気持ちを動かすために欠かせないものでしょう。

日本は、実は世界有数の「美術館所有国」であり、工芸、書道、日本画、陶芸といった日本独特の美術領域も持っています。世界の誰よりもそれらに触れやすい環境にあることは、日本で暮らしていると忘れがちですが、非常に贅沢な環境なのです。

外国人に人気の「和包丁」も、わざわざ海外から買い求めに来る人がいる中で、日本であればいくらでも手に取れる機会があります。身近にある優れたものに目を向ける意識を持つだけで、日常の輝きはずっと増していきます。一方、自分たちの良さやユニークさをもっと知るためにどうするか、という視点で考えると、外部からの目に触れなければわからないことは少なくありません。

また、世界にない価値観として、日本語のまま英字表記される考え方があります。それは「Mottainai（もったいない）」です。リデュース、リユース、リサイクルといった環境意識にかかる言葉でありながら、さらに自然や物に対するリスペクトも込められているという「3R＋R」

を、たった一言で表現できていることが評価されています。

当たり前のことを、ちょっとだけ違う観点から見ると、新しいことに気付く、新しいことが生まれる。そこから、変化を促す原動力が見つかることもあるのです。

今、大切な考え方でありながら忘れられやすいのが、「引き算の文化」です。日本人の持つ美意識として、本質に至るまで磨き上げ、本質以外を捨て去ることで、さらに良いもの、美しいものをつくるという考え方です。美しい包丁のように、機能性に集約し、それ以外は削ぎ落とされているものが代表例でしょう。

ところがいつからか、日本は「足し算の文化」に溺れてしまっているようです。家電製品には余分な機能が多く、使い手目線ではなく、つくり手目線の商品設計が増えてしまったことは、まさにこの一端だといえます。また、足し算の文化は日本固有のものというよりは、アメリカらしいウエスタンなカルチャーからの影響を感じます。

その状況を今一度見つめ直し、日本の本質を取り戻すことが必要です。Mottainai に代表されるものへの向き合い方、あるいは「引き算の文化」が生む美意識。いわば「捨てる勇気」を日本は取り戻すべきです。

「捨てる」「やらない」を決めるのには勇気がいりますが、それによって向き合うべき課題がクリアになることも事実です。

Paidyでもシルビアが「やらないことを決めよう」と経営会議でしばしば発言しますが、アジェンダ設定がなされる上で、引き算は非常に重要です。日本古来の文化であり、得意でもあった引き算の文化、引き算の美学は、日本人にインストールされている特異点の一つ。それらの備わっているものを活かし、足し算の文化はアンラーニングすることで、自分のオリジナルな部分にある美しさに戻りましょう。

## 8：日本の潤沢な資金を「成長」のために使う

個人レベルでも、企業レベルでも、日本の価値基準で圧倒的に足りないのは「勝ちつつあるゲームに対して、全力で資金を投下する」という意思決定です。言い換えると、「勝負どころに張る（＝投資する）意識」をもっと持つべきです。

例えば、液晶テレビはかつて、日本が勝ち筋にいたのに、最後の最後に資金を投資しなかったことで、その覇権を韓国や台湾に持っていかれてしまいました。

大きな資金が動かせないメンタリティも一因ですが、日本人特有のお金をどこかで嫌ってしまう気質が関わっていると思います。お金の話を表ですることは、どこか後ろめたく悪いことのように考えられているようにさえ感じます。

しかし、ビジネスを成功させるためには、優れた技術はもちろんのこと、人材や資金も重要です。経営資源を呼び習わすものとして「ヒト、モノ、カネ」の有名なフレーズがありますが、「カネ」は言うまでもなく大切なリソースなのです。

第４章でも見てきたように、日本企業には現預金がたくさんあります。それらを投資できなかったことで、海外企業との差が開きつつあるという指摘もしてきました。そして、「ヒト、モノ、カネ」でいえば、日本はこれから「ヒト」が減っていく国です。日本は資源国とはいえませんから、「モノ」を自国で賄うことには限界がある。残るは「カネ」ですが、これを高い生産性で使えるようにならないと未来は曇ります。

欧米の素晴らしいところは、企業内、家庭内にあるアセットがリスクマネーとして活かされるところにあると感じます。リスクマネーとは単なる株式市場への流入といった意味ではなく、本当にイノベーションを起こす人たちへの投資へと向かっていることです。それが日本は極端に少ない。一気に世界の代表的経済大国となった中国も、そういったイノベーターには果敢に投資をします。今や、世界中のイノベーションにはテンセント、アリババ、JD.comのいずれかが投資を行う、といわれるほどです。資金を投じたイノベーションが成功すれば、世界中の成長がすべて中国やアメリカに流れ込んでいくわけですが、日本はお金を持っているのに投資しないので、資本が増えていきもしない。

今、日本でそういった動きをするのはソフトバンクの孫正義さんくらいではないでしょうか。お金はあるけど投資していないのであれば、投資さえすればチャンスは広がります。

ビジネスで顕著な例として、1000億円以上のIPO（新規上場株式）における海外アロケーションと国内アロケーションの比率を振り返ってみましょう。

2021年最大のIPOであったビジョナルではおおよそ8対2でした。要するに、80%が海外からの投資であり、20%が国内からの投資です。さらにその20%の国内分のうち15%は個人、残りの5%は機関投資家でした。日本の機関投資家は、IPOの売出分の5%しか取っていない。海外の80%は、主にアメリカ人の機関投資家によるものです。他にも、イギリス、香港、シンガポールといった国々からの投資が集まっています。

このような例は数え切れないほどあります。IPO時に株式を購入した機関投資家は、ほぼ外国の機関投資家ばかりなのです。この現状がグローバル・オファリング（株式などの有価証券の募集・売り出しを国内だけでなく海外市場でも同時に行うこと）のスタンダードになってしまっている。

つまり、日本の会社が成功しても、その果実はほとんどが外国へ飛んでいってしまっているというわけです。

しかし、IPOは一定の評価があって初めて実現し得るものです。日本の機関投資家が腹を据えて大きく張れば済むことですし、日本には1400兆円ともいわれる個人資金まであるのに、まさに今、羽ばたこうとしている会社へ、日本から誰も投資していないような状態です。

Paidyのようなスタートアップを経営する者からすれば、成長を支えてくれる基盤としてのリスクマネーが国内にはまだ少なく、そして、不慣れであることに頼りなさを感じざるを得ません。

ここまで、日本のスタートアップビジネスの現状を引き合いに話してきましたが、「それって最高に明るい未来を創ることに繋がるの？」と思われたかもしれませんね。

もちろん、あなたが金融関係や投資関係の企業に勤めるのであれば直結してくるでしょうが、それ以外の人にも重要なことには違いありません。根幹で繋がっている、日本人のお金を使うことへの苦手意識、あるいは投資への苦手意識は、克服すべきことの一つです。

お金は怖いものではなく、適正に使えば確かな力になってくれます。あなたが今、手にしている日本円は、様々な使い方ができるもの。無為になくしてしまうだけでなく、その資金を元手にお金を増やそうとしてみるのもいいでしょうし、あるいは「自分」に投資するという意識も大切です。日本に潤沢にお金があるうちに、そういった使い方への意識を変えていくことは大切なことです。なぜなら、お金への意識改革は、確かに未来を明るくするためのツールを増やすことにもなり、それは価値のあることだからです。

## 9：自分の目と感性で今と未来を見る

今の若者世代が、自分の未来を描けなかったり、自らの力で社会を変えられないと考えているように、無力感を抱いていることを示すデータがありました。

しかし、そんな状況にあることは承知の上で、自分たちを「かわいそう」だと思わないでほしい、と私は思っています。被害者意識、あるいは自己憐憫からは何も良いことは生まれません。日本には世界を魅了する牽引力があり、文化があり、資金もある。日常に目を凝らせば、世界がうらやむ素晴らしいものがあちこちにある。それだけの「チャンス」が期待できます。

「恵まれる」「豊かである」という言葉は、経済と結び付くものと考えがちですが、必ずしもそうではありません。あなたが日本に生まれ育ったというチャンスを存分に活かすことが、何より最高に明るい未来を創るためにもプラスに働いてくるのです。

日本には戦後、高度経済成長やバブル景気など、経済的な復興と急成長を遂げた時代が確かにありました。当時の大人たちは、おそらく「今日よりも明日のほうが良くなる」と信じ続けることができた人たちです。

それが、団塊ジュニアの世代が社会人になったバブル崩壊直後から、日本は完敗を続けます。世界の時価総額トップ10のうち、七つが日本企業だった時代から、トップ10はおろかトップ30にも入れなくなってしまいました。1人当たりのGDPも、国全体のGDPも落ちてしまい、3位には辛うじて入っていますが、4位になるのも時間の問題かもしれません。

経済的に日本が世界の上位を走れなくなった世代の人間として、明日を明るくできなかったばかりか、明るかった過去から暗い未来を創ってしまったという罪深さを感じてもいます。しかし、だからこそ次の世代がもう一度、「今日よりも明日のほうが良くなる」と思えるように取り組むことが、自分たちの世代に課された使命でもあるのでしょう。

若い世代にはぜひとも、自分たちにとっての社会を一から創り出すだけの準備をしておいてほしいと願っています。

そういった考えが根底にあり、若い世代の人たちには、負け組であり続けた団塊ジュニア世代の忠告や提言を素直に受け入れ過ぎないほうが良いとも考えています。これほど長期的に負け組であり続けた国はそうそうありません。それこそ、今の若い世代の親世代あたりが、ちょうど該当するかもしれませんね。

仕事の話をすれば、「安定した職業に就け」とか「医者になれ」とか、そんなことを言ってくることも多いでしょうか。もちろん、あなたがそれを強くめざすのであれば構いませんが、公務員や開業医がいくら増えても日本という国は繁栄し続けることはできません。理系の勉強ができる人ほど医学部をめざす傾向にもありますが、日本の優れた知能が医学に集中してしまうのは、単純に疑問でもあります。

それはおそらく、団塊ジュニア世代にとっての「身近で成功している大人のイメージ」が医者以外にあまり湧かないことが原因でしょう。高所得と聞いてイメージできる職業だからかもしれません。しかし、今は違います。高所得をめざすなら医師以外にも道はいくらでもありますし、そうでない成功者のパターンも様々にあります。

だから、若い世代の皆さんは、大人の善意をすべて受け止めるのではなく、ぜひとも自分の頭で考え、自分の足で動いて、そして自分の目と感性で今と未来を見据えてほしいのです。環境は自分で創り出せます。情報もどんどん収集できます。英語を勉強すれば、さらに世の中の情報を取りにも行けます。

大人は、神様ほど未来のことはわかりません。そして、あなたの世代を生きたことは一度たりともありません。あなたの世代に求められるものとは違う感性で物事を判断しているのです。

未来を考えるときには、もっと別のやり方で、「なりたい大人」をめざして進路を切り拓いてほしい。あなたは同調圧力に流されて生きてきた世代とは違います。あなたは、自分のことを、自分自身で考えられる世界に生きているのですから。

## 10：意欲ある若者に投資しよう

日本はこれからますます高齢化社会へと向かいます。いわゆる「団塊世代」と「団塊ジュニア世代」に大量に人がいる状況です。

この本は若者をサポートしたいという思いを根底に持ちながら綴ってきました。若い世代にはリーダーシップを取る意欲を持つ人も多く、ＳＤＧｓへの取り組みにも関心を寄せ、デジタルやＳＮＳを使いこなし、情報を取ることにかけては大人の何倍も長けた人がたくさんいます。

団塊ジュニアの世代には「リーダーになりたい」と思う人なんて、ほとんどいなかったのではないでしょうか。現在の若い世代を指す「ジェネレーションＺ（Ｚ世代）」、さらにその下の世代を「ジェネレーションα（α世代）」と呼ぶ向きもあります。Ｚの後に、ギリシャ文字の最初に当たる〝α〟を採用し、新たな時代の始まりをイメージしたネーミングです。

この世代の人たちに、大人世代がカネに限らず機会、時間、労力などの投資をすれば、日本は世界の中でも、再び明るい未来を描いていける国になれるかもしれません。

その意味では、ＥＳＧ投資も一つの起爆剤になるでしょう。この分野は日本では遅れているものの一つです。ＥＳＧでのイノベーションへ投資すれば、社会全体を良くすることができますから、今を生きる大人世代も含めた社会課題の解決にも繋がります。

現在、若い世代に対する投資は減らされていく一方です。海外留学比率を見ても、かつては企業が費用を負担してくれるおかげで、多くの人間が留学の機会を得られました。今はそうした機会の提供も少なくなり、結果的に海外留学の人数も激減しています。給与水準は低く、税金は重くなり、ますます若い世代にとっても自己への投資がしづらくなっています。

しかし、今後の日本を創る若い世代は、明らかにこれまでとモチベーションや資質が変わってきています。そういう人たちに、大人世代は投資をし、応援する側に回ろうではありませんか。この循環は、より日本を明るくする可能性に繋がるはずです。投資さえ行き渡れば、日本は素晴らしくなる要素や機会を持っています。

わかりやすい例でいえば、将棋の藤井聡太棋士、野球の大谷翔平選手、東京五輪でも多くの若い選手が目覚ましい成果を上げました。大人がこうした若者に投資し、また若者自身も情報を使いこなし、デジタルデバイスを活用しながら、前人未到の道を切り拓いてきたことの結果だと感じませんか。そういう若者も決して少なくないのです。

彼ら彼女らは機会に乏しいこともありますが、潜在能力は非常に高い。スポーツに限らず、ビジネスでもそれはきっと同じです。

「最高に明るい未来を創る10のヒント」として、この章を書いてきましたが、最後は大人世代へのお願いになってしまいました。ただ、これは若い世代にとっても必要なお願いですから、どうか許していただければと思います。

# エピローグ

「杉江クンは、軸がブレない。目的と手段を絶対に間違えることがないよね」

20年近く前に、私がまだ駆け出しの経営コンサルタントだった頃、あるお客様（その社内では、「気が短く、昂《たかぶ》れば万年筆を叩き割る」という伝説とともに恐れられていた方）から、自分では気付いていなかった自身の長所について、短い言葉でお褒めいただきました。それ以来、その方には何かにつけて大変親身にご指導と励ましをいただき、いつしか私にとっての恩人と感じるようになっていました。

この本の構想を始めて間もなく、その方はガンで逝去されました。「ここ暫くご一緒させていただけていないな、お会いしたいな」と、思っていた矢先のことでした。

彼の訃報を聞いたのは、その方の長年の秘書であった私の親友からでした。彼女は故人のご家族とも懇意だったこともあり、周りの失意に心を配るとともに、時に私や他の友人を連れ出して「思い出の会」や墓参りを催してもくれました。

ある時から、そんな親友とのメッセージのやりとりが少しだけ滞り始めました。「今週末、お墓参りに行かない？」と送っても、数日間返事がなく、私が現地に着いた頃になって、ようやく「ごめん見てなかった！いつも本当にありがとう！」と。心配ではありましたが、それでも明るいメッセージを返してくれるのを見るたびに、安心していました。

ところが、彼女はその後しばらくして、後を追うように若くしてガンで亡くなりました。私たち友人には最後までなんの弱音も吐かずに。その死を知ったのは、息を引き取った後に、彼女のお姉さんが「これまでありがとう」とFacebookに代理投稿なさったメッセージを見つけた時でした。

故人お二人と共通の飲み友達だったもう一人の親友がいます。彼女とは、涙を抑えることなく思い出を語りました。「もうこれ以上私たちの大切な友達を天国に連れて行かないでください」と、共に神様に祈るしかありませんでした。

人生は短い――。それでも、その中で人生を変える鍵になる出会い、人生の扉を開く一期一会があります。出会いは、いくつもの自分を教えてくれ、いくつかの新しい自分を切り拓かせてくれます。

前述の恩人・親友らとの出会いは、私にとって間違いなく人生の扉を開くものでした。とにかく私の長所に目をやり、どんなに辛い時も全員で集い、心から長所を讃えてくれる仲間だったのです。振り返れば、それが元々引っ込み思案だった私を育て、自己肯定感を思い切り高めてくれたことは疑いようもありません。

人はどのように成長を重ねていくのでしょうか。Paidyというスタートアップ企業の経営者としてはもちろんのことですが、まだ幼く無限の可能性を秘める2人の娘たちの父親としても、あるいは日々新たな挑戦と努力を重ねていく尊敬する妻の伴走者としても、日々考えを巡らせながら、目の前にいる人の成長を願い、私なりの小さなアクションを起こしてきたつもりです。そのアクションとは、多くの場合、その人の良さや強みに目をやり、それを心から讃え、そうした良さを発揮する機会を提供することでした。

日本という国も、その良さや強みを自覚しながら、文化や制度、経済の仕組みなどを、意思を持って絶え間なくデザインし続ける必要があります。一方で、最近の日本は、失敗への恐れからなのか変化が進まず、実力をフルに発揮できていない「モッタイナイ国」と言われてしまう状況です。

しかし、私は日本の将来について、とても楽観的にみています。理由は単純で、私の身近にいる世界中から来た仲間たちは、皆日本のことが大好きで、多くの場合に世界で一番好きな国だと言ってくれるからです。要は、皆が日本を心から讃えてくれているのです。成長のために必要な、唯一にして最大の要件を満たしているではないですか！

日本のことが大好きな仲間の一人が、この本を一緒に書いたシルビアです。世界中の人々に愛され、うらやまれ、そして、それがゆえに時に批判の対象ともなる日本という国の明るい未来について考えるにあたって、私の職場においてもっとも頭脳明晰な人材の一人であり、かつ日本を深く、そして客観的に知るシルビアの力を借りることにしました。

議論を始めてみて改めて確信したことですが、日本は決して「夢のない国」ではありません。ですが、「夢先進国」となるには、変化を続けなければなりません。

今からの未来を生きる皆さん、とりわけデジタルネイティブのZ世代は、30年後の2050年代には社会の中核を担う立場になり、人口が1億人を割って、主に団塊ジュニア（私を含む）の長寿命化とともに一層の高齢化が進行した状態の日本を背負って立つ層になります。

豊かな才能を持つ彼ら彼女らが日本と世界を変えてくれるのは、時間の問題であることはわかっています。それでも、若い皆さんより少し早く生まれた者として、変化の時計を早める努力を通じて大人としての責務を果たし、夢のある未来の形成に貢献したいと思っています。

大人たちこそ、生涯をかけて「自分は何になりたいのか」を探す努力を続けませんか。そして、若者たちのロール・モデルになろうではありませんか。

この世に生を受け50年間、これまで私なりの持てる長所を最大限に引き出してくれた周囲の皆さま、お名前を挙げるのは控えさせていただきますが、お一人お一人に向けて、この場をお借りして心から感謝を申し上げます。

そして、読者の皆さまに呼びかけている手前、私も世代の先頭に立つべく、今後も新しい自分らしさを見つける努力を怠らず、精一杯世の中のために生きていくことを誓います。

株式会社 Paidy 代表取締役社長 兼 CEO　杉江 陸

【著者】

**杉江 陸**（すぎえ・りく）

株式会社Paidy 代表取締役社長 兼 CEO

1971年生まれ。東京大学教養学部卒業後、富士銀行（現みずほフィナンシャルグループ）入行。その後コロンビア大学MBA並びに金融工学修士を取得し、アクセンチュアを経て、2006年GEコンシューマー・ファイナンス入社。同社が新生銀行グループ傘下となり2009年に新生フィナンシャルへ社名変更。2012年に同社代表取締役社長兼CEOに就任。2016年からは新生銀行常務も兼任。2017年11月からPaidy代表取締役社長兼CEO。2021年11月よりPayPal本社VPも務める。訳書に『スタートアップ・マネジメント 破壊的成長を生み出すための「実践ガイドブック」』がある。

**コバリ・クレチマーリ・シルビア**

株式会社Paidy CMO

ハンガリー出身。東京大学教養学部卒業後、ストラテジストとしてJWTに入社。2006年アメリカの本社に転勤になり、ニューヨークと東京を拠点に5大陸のFortune 500及び日系大手企業の事業戦略・マーケティング戦略を手掛けてきた。その後Ashridge HultでMBAを取得、電通を経てアーンスト・アンド・ヤング（EY）に入社、2017年に日本に戻る。Netflix Japanを経て、2019年12月から現職。

## スタートアップ・ニッポン

最高に明るい未来を創る10のヒント

2021年11月16日　第1刷発行

著者 ―――――― 杉江 陸
コバリ・クレチマーリ・シルビア

発行 ―――――― ダイヤモンド・ビジネス企画
〒104-0028
東京都中央区八重洲2-7-7 八重洲旭ビル2階
http://www.diamond-biz.co.jp/
電話 03-5205-7076（代表）

発売 ―――――― ダイヤモンド社
〒150-8409
東京都渋谷区神宮前6-12-17
http://www.diamond.co.jp/
電話 03-5778-7240（販売）

編集統括 ――――― 岡田晴彦
編集制作 ――――― 川地彩香
編集協力 ――――― 長谷川賢人・前田朋
装丁 ―――――― いとうくにえ
DTP ―――――― 齋藤恭弘
印刷・製本 ――――― シナノパブリッシングプレス


ISBN 978-4-478-08488-5